두피모발질환

HAIR & SCALP DISORDERS

Common Presenting Signs,
Differential Diagnosis & Treatment

군자출판사

두피모발질환
HAIR & SCALP DISORDERS
Common Presenting Signs, Differential Diagnosis & Treatment 2nd Edition

첫째판 1쇄 인쇄 | 2005년 8월 30일
첫째판 1쇄 발행 | 2005년 9월 5일

지 은 이　Rodney Dawber, Dominique Van Neste
옮 긴 이　김한구·김호근·노만택·박노준·박재웅·안경천·양명자
　　　　　이황희·이희전·조미애·주혜선·최성덕·최은봉
발 행 인　장주연
편집디자인　김성아
표지디자인　고경선
발 행 처　군자출판사
등 　 록　제 4-139호(1991. 6. 24)

본　　사　(110-717) 서울특별시 종로구 인의동 112-1 동원회관 BD 3층
　　　　　Tel. (02) 762-9194/5　　Fax. (02) 764-0209
대구지점　Tel. (053) 428-2748　　Fax. (053) 428-2749
부산지점　Tel. (051) 893-8989　　Fax. (051) 893-8986

English language edition © 2004 Martin Dunitz, a member of the Taylor & Francis Group

Authorised translation from the English language edition published by Martin Dunitz, a member of the Taylor & Francis Group

Korean language edition © 2005, 두피모발질환/군자출판사

ISBN 89-7089-648-1

정가 85,000원

옮긴이

김한구 _ 미소인피부, 비만클리닉 강북점

김호근 _ 엔비클리닉 노원점

노만택 _ 휴앤미의원

박노준 _ 박노준산부인과의원

박재웅 _ 메디에스의원

안경천 _ 엔비클리닉 강남역점

양명자 _ 수와미여성의원

이황희 _ 엔비클리닉 노원점

이희전 _ 피오니클리닉

조미애 _ 연세재활의학과의원

주혜선 _ 굿닥터의원

최성덕 _ 그랜미여성의원

최은봉 _ 예인의원

머리말

이 책 에서 우리는 모발학과 관련되어 있는 피부의학의 특수한 부분과, 주요 교과서의 세부적인 부분을 더욱 보완할, 일차 진료에서 임상의들에게, 지침서로써의 간결한 분량을 제공하는 것을 목표로 했다. 모발에 관한 문헌과 책의 양이 크게 늘어났음에도 불구하고, 책을 내는 것이 피부와 모발과학의 발전에 조금이나마 기여 되길 바라며, 우리는 다시 한 번 증상과 징후, 병증의 진단과 실제적 치료법에 기반을 둔 다양한 장을 정리하는 일에 주로 집중했다, 최근 여러 해 동안 모발과 두피 질환의 과학적인 기초에서 대부분의 변화가 있어 왔다. 탈모의 '측정'과 병인론, 여성형 탈모(FPHL), 안드로겐 유전성 탈모(AGA), 만성적 휴지기 탈모(CTE) 등과 같은 병증의 발병 기전과 증상등, 이러한 진전으로 인해 특히 여성의 광범위 탈모와 원형 탈모증의 관리는 매우 향상되었다. 이는 해당 장에서 기술되어 있다. 우리는 이 책이 모발과 두피 질환의 '핵심'을 다루는데 있어 의료인들에게 지식과 확신을 주게 되기를 바란다.

차례

Chapter 1

모발 과학
HAIR SCIENCE

해부학과 생리학
ANATOMY AND PHYSIOLOGY

도입
Introduction

두피 모발에 할애된 다른 장(section)과는 대조적으로 이 장은 또한 신체의 다른 부위에 있는 인간과 동물의 털에 대한 많은 정보를 담고 있다. 사실은 동물 생체학, 양모 산업, 그리고 심지어는 미용 과학과 같은 다른 분야에서 일하는 과학자들에게서도 배울 것은 많이 있어 왔다. 그들은 일부 사례에서 인간의 두피 모발에 적용할 수 있는 중요한 정보를 생성해 왔다. 인간에게서 모발이 극단적 으로 필수적인 기능을 갖는 것은 아니지만, 모발의 심리학적인 중요성은 측정이 불가할는지도 모른다. 어쨋든 탈모는 이제 피부과학의 영역 에서 피할 수 없는 중요한 것이기 때문에 유전적으로 그러한 경향이 있는 남성은 그요인을 다소 억제 시키더라도, 여성의 탈모는, 문화적으로 받아들일 수 있는 범위를 초과할 수도 있으며, 고통스러운 공포의 대상이 될 수 있다. 여성에게서 포착하기 어려운 탈모증세는 남성에게서 관찰 할수 있는 뚜렷한 탈모의 증상들 보다 임상적으로 훨씬 큰 문제일 수 있다. 모발 모양의 급작스런 변화 - (화학 치료와 관련된 탈모 또는 뇌 수술 전에 두피를 면도하는 것 등을 비롯 하여)- 는, 비록 다시 (예전 모습으로) 되돌 아갈 수 있다 해도, 계획된 치료로 나아가기 전에 환자가 반드시 받아들여야만 하는 최초의 심리적 장애물일 것 이다.

　　털에 관한 진화의 역사는 수수께끼나 마찬가지다(**그림 1.1**). 그 기원이 무엇이 든 간에 온혈 포유 동물은 그들이 진화에서 성공한 많은 부분이 열 절연체로서의, 털 의 신체 보호 역할 덕분이라는 사실이 명확하다. 역설적으로 선사 시대에 인류가 숲 이라는 터전에서 지구에 정착하기 위해 행하였던 이동은, 상대적인 탈모 상태로 돌 아가려는 것과 시원하게,혹은 따뜻하게 체온을 유지 하려는 본능과도 연계되어 있 다고 할 수 있다.

　　모발은 다른 목적으로도 쓰임새가 많다. 특히 사자의 갈기나 남성의 턱수염 같은 장식품을 구성하거나 또는 지방질이나 아포크린샘의 복합물에서 분비되는 향 이 퍼지도록 돕는 것에 의한 성적, 사회적인 의사 소통과도 관련 되어 있다. 인류학 적 관점에서 관찰 보고된 바로는, 화장품의 도움을 받은 여인들의 화려한 모발에서 도 많이 볼 수 있다.

그림 1.1
원숭이와 유인원에서 막은 중요한 열 절연체이다. 이들 영장류 중 많은 것들은 또한 안드로겐 유전성 탈모증을 발달시킨다!

이들은 진화상의 이유 때문에, 모낭이 모두 동일한 통제 구조 하에 있지는 않다. 짐승의 털은 주위 온도에서 생존 하기 위하여,혹은,계절상의 변화, 또는 환경적인 배경에 맞추기 위하여 털갈이와 털의 교체가 필요하다. 그 과정은 스테로이드나 티록신 같은 순환 호르몬에 의해 수정되는 고유의 모낭 리듬을 포함하며, 이 호르몬의 분비는 바로 시상하부와 뇌하수체를 통해 주위의 신호에 적응하게 된다. 포착하기 어려운 방식으로 이들을 통하여 여전히 영장류 인간에게서 중요하다.

성모(sexual hair)의 성장의 통제는 신체의 다른 부위의 털의 생성주기의 통제와 구별돼야 한다. 음모, 겨드랑이, 그리고 신체의 다른 털들의 발달은 사춘기가 될 때까지 지연된다. 왜냐하면 그것은 양성 모두에서 남성호르몬에 달려 있기 때문이다. 혈청 수치와 그러한 호르몬의 국소적 변형은 성모 표현형에서 중요한 역할을 한다(양성 모두에 존재하면서 기능하는!). 이 '남성' 호르몬은 또한 여전히 적절한 설명을 허용치 않는 유전성탈모의 발현의 전제 조건이기도 하다.

털은 모낭(**그림 1.2, 1.3**)에서 자라며, 그것은 스타킹처럼 생긴 표면 상피가 함입된 것이며, 그들 각자는 기저에서 진피 유두로 알려진 진피의 작은 구역을 둘러싼다(**그림1.3, 1.4**). 털 원주는 망울로 알려진 곳에서, 유두를 둘러싼 세포 분열에 의해 발생하는 완전분비성 분비물로 간주될 수 있다. 모낭은 진피에서 수직이 아닌 경사면을 이루고 있으며, 더 긴 모낭들은 피하지방층으로 확장된다. 경사진 근육인 입모근은 모낭벽의 중간 부분에서 진피층의 표피이음부에 뻗어 있다. 이 근육 위로, 하나 또는 그 이상의 피지샘과 또한 신체 일부의 아포크린샘이 모낭으로 통한다. 입모근이 모낭에 접합 되는 위치(level)에 뿌리집의 '팽출 구역'이 있다. 이는 줄기 세포 부위로 간주되는데, 새 모발 주기가 시작될 때 이곳으로부터 '새로운' 기질 세포(matrix cell)가 생성된다. 실제로(인간을 포함하여), 메리노양의 경우는 가능한 예외로 두고, 모든 포유 동물의 모낭은 간헐적으로 활동한다. 그래서 털은 각각 최대의 길이로 자라며, 한 동안 더 이상은 자라지 않고 유지되며, 결국에는 탈락되고 대체된다. 인간에게서의 모발 주기는, 대부분의 신체 부위와 적어도 두피의 몇몇 지역에서 털을 유지하기 위해 충분한 회수로 일어난다.

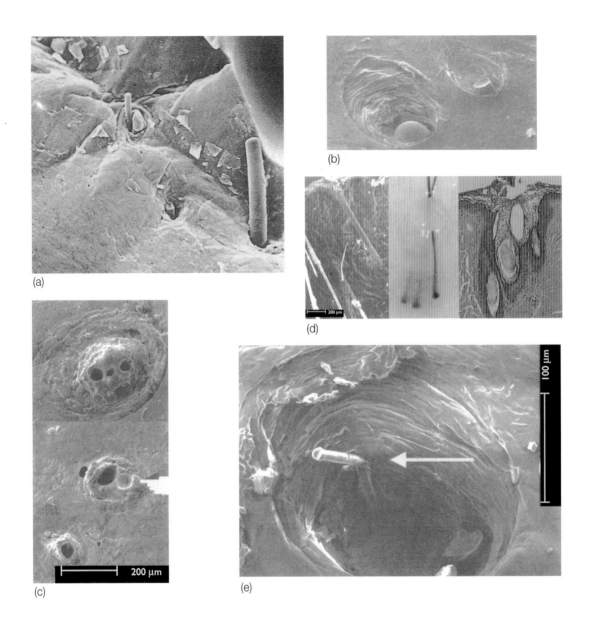

그림 1.2

피부 표면에서 나타나는 모발들: 표면 복제물의 스캐닝 전자 현미경도(SEM). 신체 일부 부위에서, 가느
다란 털은 움푹파인 피부 표면으로부터 거의 90도 각도로 솟아 오를 수 있다(a). 폭이 더 넓은 두피의 모
낭 구멍은 부드럽고 매끄러운 두피 표면에 도달하며 더 굵은 털(b: 오른쪽)과 모낭 구멍(b: 왼쪽)에서 작
은 방울처럼, 이따금씩 털이 없을 때에 볼 수 있는, 연관된 샘 분비물에 자리를 내준다. 모낭 구멍은 두
세 개로 무리 지어 있으나(c; 맨 위는 삼총사를 보여준다), 일부 구멍들은 덮개로 채워질 수 있지만(c, 중
간에서 뾰족한), 단일 구멍도 나타날 수 있다. 모낭들이 미세 절단될 때, 내적인 구조는 스캐닝 전자 현
미경(d, 왼쪽), 확대경(c, 중간), 또는 광 현미경(d, 오른쪽) 등으로 관찰할 수 있다. 각 방법은 새로운 모
양을 가져 온다. 눈으로 보이는 털 성장에 대한 가장 이른 단계는 섬유가 두피 표면에 도달할 때이다
(SEM 위 화살표, e)

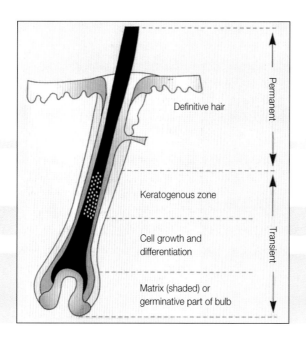

그림 1.3
모낭. 기본 성분을 보여 주기 위한
모형 도표.

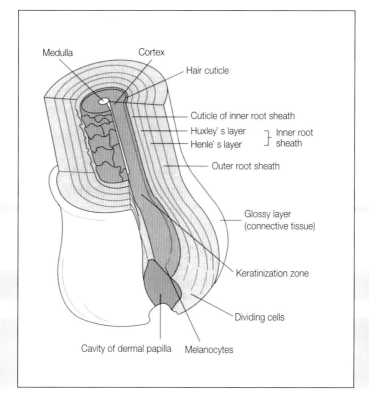

그림 1.4
모낭. 기본 구조를 보여
주기 위한 모형 도표.

인간에게서 털이 물리적 존재를 위한 필요조건은 아니지만 한 인간의 사회적, 심리학적 균형상 극히 중요하다 - 이는 자기 자신과 타인에 의한 자신의 중요한 인지 사이에서 관찰되는 매우 미묘한 상호 작용이다.

모낭의 발달과 분포
Development and distribution of hair follicles

모낭의 '핵'은 최초의 배아 발달 후 약 9주경에 눈썹, 윗입술, 턱 부위에서 나타나며 다른 부위에서는 4개월경에 발현 된다. 그리고 22주가 되면서 모낭의 완전 보체가 완성된다. 이러한 현상의 확산은 활성화의 복잡한 과정이며, 그 후 모낭 형성에 참여하거나 그렇지 않은 인접 세포를 억제하는 것이다. 이 과정은 손바닥과 발바닥의 피부 영역을 제외한 신체 표면 전부를 포함한다. 신체의 표면이 증가할 수록, 모낭의 실제 밀도는 줄어든다. 정상적인 상황 하에 새 모낭이 성인 피부에서 발달할 수 없다는 사실은 일반적으로 통념화 되어 있다. 성인 남성의 총 모낭 수는 약 오백만 개로 추산되는데 이 중에서 약 백만 개는 머리에 있고 아마도 십만 개는 두피에 있다고 추측된다. 모낭의 수는 성적(sexual), 인종적 면에서 그다지 현저한 차이는 없는 것처럼 보인다.

얼굴에서 모낭 밀도는 중간선(midline)에서 단위(unit)가 좀더 많은, 중심에서 주변부로 경사를 드러낸다. 뺨과 앞이마 위에서 모든 유형의 모낭의 평균 밀도는 평방 센티미터 당 800개인데 이중 약 50퍼센트는 남녀를 불문 하고, 젊은 성인에서 활발하게 솜털을 만들어 내는 것으로 밝혀져 왔다. 이 값은 사람별(평방 센티미터 당 300개에서 1600개에 이른다)로 광범위 하게 흩어져 있고 관찰 방법에 따라 또한 바뀔 수도 있다. 허벅지와 다리 위에서 모든 유형의 모낭 밀도는 평방 센티미터 당 50개로 한층 낮으며, 솜털의 밀도는 평방 센티미터 당 50개에서 100개 사이에 있다. 이는 다시 한 번 모낭 구조의 기관이 형성된 후 피부 표면이 상대적으로 팽창된 것을 의미 한다. 두피와 머리는 가슴이나 다리보다 훨씬 적게 팽창한다. 솜털의 가장 높은 밀도는, 남녀구분 없이, 젊은 성인에게는 평방 센티미터 당 평균 400개에서 450개가 있는 앞이마에서 나타난다. 밀도(평방 센티미터당 50개에서 100개)가 더 낮은 곳은 남녀가 동일 하게 가슴과 등 위에서 발견된다.

두피 위에서는 나이가 들면서 모낭의 상실이 현저하게 나타난다. 20-30세의 성인에선 평방 센티미터당 평균 615개가 기록되었으며, 30세에서 50세 사이에서는 밀도가 485개로 떨어지고, 80-90세에서는 평방 센티미터당 오직 435개이다. 안드로겐 유전성 탈모증은 청년기에 시작되어 중년과 노년으로 감에 따라 탈모의진행 부위에 의심할 여지 없이 더 적은 수의 모낭이 분포 되어 있다. 30-90세 전체 범주에 한정하여 완전탈모(baldness)와 모발이 무성한 두피를 비교하면 각각 평방 센티미터 당 306개와 459개라는 평균값을 얻게 된다. 좀더 최근의 측정 방법은 더 낮은 밀도를 시사해 준다: 여성은 평방 센티미터당 260개이고 남성은 평방 센티미터당 250개이다. 보통 성장기 비율은 남성에서는 90퍼센트 이상이고 여성은 85퍼센트 이상이다. 이 수치들은 표본 추출과 사용된 관찰 방법에 따라 다르다: 생물학적 변이는 있지만, 이러한 극단적 숫자들은 아마도 적절하지 않은 표본 추출과 계산 방법의 결과일 것이다(현미경, 두피생검 또는 생명, 두피 사진, 두피의 뽑기와 기타 등등).

활성 모낭
THE ACTIVIVE FOLLICLE

동력학
Dynamics

대부분의 털은 결합되고 길게 늘어난 각질화된 세포로 구성된 피질(겉질)층에 의해 형성된다(그림 1.5). 색소성 털에서 이들 세포는 멜라닌 과립을 함유한다(그림 1.6). 이들 색소가 담긴 리소좀(lysosome)처럼 생긴 구조는 독특한 세포 유형, 즉 멜라닌세포(melanocyte)에 의해 형성된다. 피질(cortex)은 껍질(cuticle)에 의해 둘러싸여 있으며 또한 연속적이거나 불연속적인 핵(core) 또는, 수질(medulla)을 지닐 수 있다. 비록 털 껍질은 단일 입방 층으로 형성되지만 그 세포들은 납작해지며 그

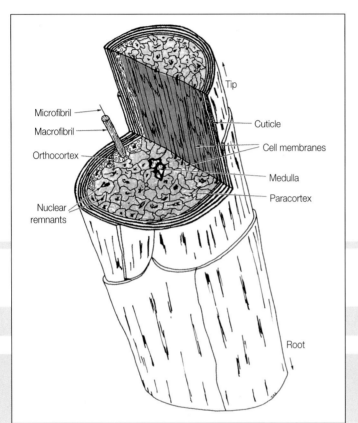

그림 1.5
모발 구조

것들이 털망울(bulb of hair)에서 활동 하여 멀어질수록 진행성으로 더 많이 중첩된
다(겹친다). 바깥 세포는 끝으로 향한 자유 변연부(free edge)와 겹치고 그것들은 둘
러싼 안쪽 뿌리집의 껍질과 포개진다(**그림 1.4**). 안쪽뿌리집은, 껍질에 더해, 바깥 상
피층(Henle) 층과 속상피층(Huxley) 층으로 구성되어 있다 그것은 털과 보조를 맞
추어서 형성되며 각질화된 세포는 결국 표피가 벗겨져 모낭 누두(follicular
infundibulum)가 된다. 그것을 감싸고 있는 것은 바깥 뿌리집인데, 바깥 상피에 연
속적이고이것은 그 자체로, 아교섬유와 약간의 탄력섬유와 섬유모세포로 형성된 기
저세포이며, 압도적인 연결성 고리로 이루어져 있다. 더욱 심층적인 면에서, 이 세포
층은 아마도 진피 유두를 교체하게 하는지도 모른다.

모낭에서 세포 형성은 사람의 두피 부위 삼중 수소화된 티미딘(tritiated

thymidine)에 피부내 주사를 놓아서 연구해 왔다. 40분 후에 취해진 두피생검의 표본에서, 털망울 아래 반쪽에 대하여, 세포의 표지가 관찰되었으며 그 외의 세포에서는 관찰되지 않았다. 그러나 표지 세포는 그 구역 전부에 걸쳐 광범위하게 분포되었으나 유두를 따라 있는 잘 정의된 기저 층에서는 분포되어 있지 않았으며 어떤 표지가 된 유사분열의 수치도 관측되지 않았다. 주사 6시간 경과 후 표지 세포의 수는 증가했고 표지된 유사분열을 볼 수 있었고 안쪽 털집이 되도록 정해져 있는 바깥 망울(outer bulb)의 세포에서 약간의 움직임이 감지 되었다. 그 후 겉질로 움직여서 들어 가는 세포의 흐름 또한 감지할 수 있었는데, 그것은 훨씬 느리게 활동하였다. 일반적으로 이러한 결과들은 진피 유두를 둘러싸고 있는 새로운 털망울 뿌리에서 분열에 의해 새로운 세포가 형성된다는 보다 앞선 추측을 확증해 주지만 진피 유두에 인접한 세포들만이 분열할 수 있는 있는가 하는 문제에 대해서는 답을 해결 해 주진 않는다(**그림 1.3, 1.4, 1.7**). 표지된 세포가 기저 기질(basal matrix) 구역에서 이동해서 멀어져 감에 따라 세포당 입자의 수가 감소한다는 사실은 그 이상의 분열이 일어나리라는 점을 시사한다. 개별 분열에서 하나의 낭 세포(daughter cell)가 추가적으로 분열을 할 수 있는 상태로 진피 유두에 부착된 채 남아 있다는 가정 역시 표면상의 상피(epidermis) 기저층에 있는 세포들의 움직임에 대한 연구에 비춰보면 의심스럽다. 나중에 기술될 것처럼, 모낭의 일시적 부분(**그림 1.3**)은 정기적으로 모발주기 과정에 의해 다시 생성된다. 각 주기에서 모낭은 줄기 세포에서 파생되는 새로운 발아 상태의 개체군과 함께 다시 적재된다. 그러한 세포들은 진피 유두에 의해 자극된 후 때때로 휴식을 취하거나 분열하는 모낭의 영구적인 부분의 바닥에서 농축된다. 그리고 나서 그들은 활발하게 증식하는 낭세포 개체군을 생성해 낸다(**그림 1.7**). 이들 전이 증폭 세포(transit amplifying)들은 모낭 재생의 초기 단계 동안 분열하고 이동한다. 신선한 세포를 그렇게 보강하는 것이 모발 주기의 다른 때 - 모든 또는 일부 모낭 - 에서도 일어날 수 있는가에 대해 명백한 증거가 제시되지는 않았으나 확실히말하자면 줄기 세포 특성은 성숙한 모낭의 바깥 털집 중 일부 세포에서 확인된 바 있다.

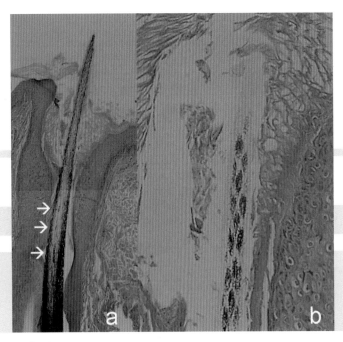

그림 1.6
흑인 환자의 두피 모낭. 색소 과립은 모발 표피의 주변부에서 풍부하며 중간부분은 좀 덜 풍부함. 모발 중간에서 발견되는 검은 공간은 색소가 없는 수질을 반영한다(a에서의 화살표 엷은 회절). 모발 표피를 상세히 관찰하면(b) 방추모양의 색소 과립으로 가득 채워진 겉질 세포를 보여 준다. 털의 표피를 둘러싼 껍질 세포들은 색소가 없는 것처럼 보인다.

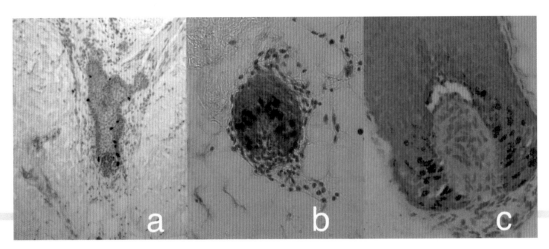

그림 1.7
인간의 두피 모낭에서의 DNA 합성. 세포 분열(검은 점들)을 준비하고 있는 삼중수소 티미딘 표지는 초기에 다시 자라나는 모낭의 모든 상피 성분에서 관찰된다(a). 그리고 나서 그 활동은 새로이 형성되는 털망울(b)에 집중될 것이며 마침내 성숙 털망울, 즉 지속적으로 성장하는 성장기 털 기질의 아래 반쪽에서 집중될 것이다. (c) 눈에 띄게도, 진피 유두에서 표지된 세포가 없다는 점과 미세혈관 구조와 연관된 진피에서 약간의 흩어진 세포들이 있다는 것이다.

털 각질의 구성
COMPOSITION OF HAIR KERATIN

각질은 척추동물의 상피 조직에서 생성되는 불용성의 시스틴 함유 나선형 단백질 합성물이다. 털의 본체는 각질 섬유가 내포된 (높은 수준의 황과 초고수준의 황 단백질로 된) 무정형 기질(matrix)로 구성되어 있다(**그림 1.8, 1.9**). 이러한 단백질 합성물의 저항 때문에 모발은 각질화 되어 떨어져 나가는 조직의 부드러운 각질과는 대조적으로 단단한 각질(keratin)을 함유하고 있는 것으로 알려져 왔다. 비록 단단하고 부드러운 각질이란 용어가 여전히 흔하게 사용되지만 모발 섬유의 이러하게 특별한 물리적 특성을 우리는 반드시 다른 성격의 단백질들의 조합과 연관시켜야만 한다 고수준의 황단백질로 구성된 무정형 기질 세포 속에 내포된 각질로 만들어진 섬유질 막대. 모발 안에서 그것은 섬유질의 본체를 구성한다. 털에 대한 엑스선 결정학(X-ray crystallography)을 통해 0.51 나노 단위의 축이 반복되어 나타나는 것을 보여주는 소위 - 회절 무늬(diffraction pattern)를 볼 수 있다. 만약 모발이 펼쳐지거나 물속에서 열을 받으면 0.33 나노미터의 축이 반복되는 - 무늬를 보여준다. 이는 조류나 파충류 조직에 있는 각질의 '깃털 무늬(feather pattern)' 특성과 유사한데, 이 특성은 0.31 나노미터로 반복된다. 이산적인 반사가 없기 때문에 무정형인 것으로 기술된 네 번째 무늬는 털 껍질의 각질에서 나타난다.

 - 각질의 아미노산 다중결합체(polypeptide) 사슬들은 기하학적으로 규칙적인 제2의 구조를 갖고 있다는 것을 엑스선 회절로부터 결론내렸다. 이 가설은 그것들이 0.54나노미터의 각 회전마다 3.6 아미노산 잔여물과 함께 - 나선형으로 정렬된다고 제안되었다. 0.51나노의 반복은 만약 나선들이 경사져 있다면 설명될 수 있는데, 이는 두세 가닥 또는 어쩌면 심지어 일곱 가닥의 밧줄형태를 형성하기 위해 꼬여 있다는 생각에 이르게 했다. 모발이 펼쳐질 때 - 무늬에 대해 나타나는 변화는 그 나선형이 당겨져 곧은 사슬로 조정된다고 가정함으로써 설명할 수 있다.

다양한 상피의 각질 유형화에 대한 최근의 연구로 모낭 깊숙한 곳에 있는 깔때기(infundibulum)와 표피(epidermis) 간에 뚜렷한 차이가 있음을 알 수 있다. 그러나 변이의 중요성은 아직 풀리지 않았다.

미세원섬유(microfibril)로 알려진 미세섬유(filaments)는 각질화 세포에서 오

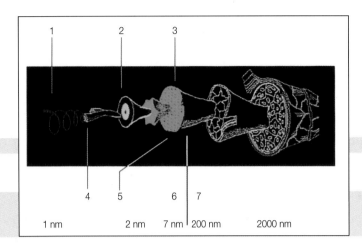

그림 1.8
털의 소단위 구조.
1. 오른손잡이 - 나선
2. 낮은-S;
3. 높은-S;
4. 왼손잡이 꼬인 코일 밧줄
5. 기질
6. 미세원섬유
7. 거대원섬유

1 nm   2 nm   7 nm | 200 nm   2000 nm

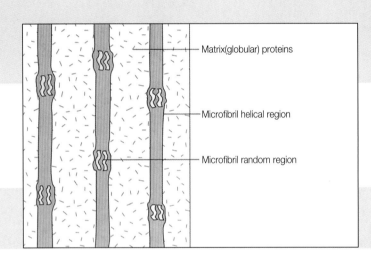

Matrix(globular) proteins

Microfibril helical region

Microfibril random region

그림 1.9
털 겉질의 섬유와 기질 각질.

랫동안 분간되어 왔으며 미세섬유를 형성하기 위해 결속하는 것으로 생각된다(**그림 1.8, 1.9**). 이제 모든 세포들은 7-10 나노의 지름을 지닌 중간 미세섬유의 6가지 주요 유형을 포함하는 몇몇 크기 범위의 미세 섬유를 함유하는 것으로 확실히 이해된다. 각질은 이 범주 안에 속한다. 현재의 견해는 2나노의 지름을 갖고 두 가닥으로 구성되는 프로토필라멘트 하나와 2*3*2가닥의 3나노 프로토필라멘트, 4-5나노의 2*3*4개의 가닥을 지닌 프로토필라멘트와 10나노의 4*3*8가닥을 지닌 미세 섬유로 구성된 아미노산 다중결합체(polypeptide)로부터 케라틴 미세섬유가 전향적으로 결합될 때

몇몇의 구성 단계가 있다는 것이다.

각질의 화학적 분석은 복잡하다. 이것은 상호 연결된 것의 이황화물 연결을 깨서 수용성으로 만드는 예비 절차는 아미노산 화합물(peptides)을 쪼개 놓을 수도 있기 때문이다. 인조섬유로부터 세 개의 수용성 부분(fraction)을 얻을 수 있다: 분자 질량이45000-500000 Da인 낮은 황 함유 부분, 분자 질량 10000-28000 Da의 고황 부분, 그리고 고글리신 티로신 부분. 적어도 21개의 양털 단백질에 대해 완전한 아미노산 연쇄가 측정되었다. 저황 부분은 - 나선들을 함유할 수 있으며 각질 미세섬유에 대해 설명해 줄 수 있다. 고황 단백질은 각질은 아니지만 섬유 기질 복합체를 만들어내는 미세섬유와 관련되어 있다.

지난 10년 안에 각질의 생화학과 그것들이 거시섬유로 정렬되는 구조를 이해함에 있어서 상당한 진전이 이루어졌다. 전형적인 예로서 우리는 여기서 특정 생화학적 이상이 원인인 취약한 털에 대해 언급하고자 한다: 모발 유황 이영양증 (Trichothiodystrophy)은 무정형의 황이 풍부한 기질 단백질의 결함인 반면 염주 털(monilethrix)은 항상 모발 각질의 이상과 뒤이어 일어나는 구조상 결함과 연관된다.

초미세구조
ULTRASTRUCTURE

수질
The medulla

수질 세포(**그림 1.4, 1.5**)는 망울위(suprabulbar) 구역에 있는 세포질 (cytoplasm) 내에서 잔물집(vesicle)을 보여 주기 시작한다. 그런 세포들은 당원 (glycogen)을 함유하며 멜라닌소체(melanosome)도 포함할 수 있다. 표피 층 위에서 세포는 탈수되는 것처럼 보이며 공포(vacuole)는 공기로 채워진다. 수질의 단백질 구성은 털유리질(trichohyalin)을 함유한다. 수질의 역할은 알려지지 않고 남아 있

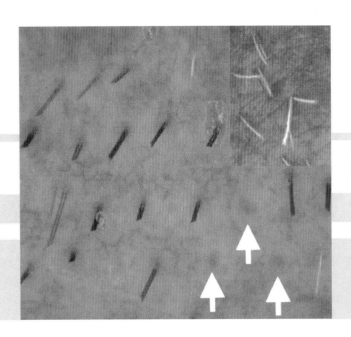

그림 1.10
결찰된 수염: 빈 모낭을 지닌 후추와 소금 털(화살표). 이 수염은 색소가 있는 것과 없는 것 두 가지 모두의 유수 털 섬유를 보여준다. 이 수질은 특정 자외선 광원(검은색과 흰색 삽입) 밑에서 검사할 때 중심에서 매우 밝은 줄무늬처럼 보인다.

다. 그것은 보통 더 굵은 모발에서 발견된다. 그것은 더 굵고 무색소인 수염의 털에서 거의 연속적일지도 모른다(**그림 1.10**): 더 엷은 색의 섬유를 만드는 훌륭한 예이다. 모든 수질이 퇴화하고 공기로 채워지는 것은 아니다. 그러므로 수질은 특히 공기가 채워진 공간에서 빛이 반사되기 때문에 중간에 차단된 것처럼 보인다. 어두운 공간이라고 해서 항상 색소가 퇴적되는 것(pigment deposition)을 의미하지는 않는다(**그림 1.6**).

겉질
The cortex

진피 유두의 끝 바로 아래 구역의 피질을 발생케 할 세포들 속에서 이미 미세 원섬유를 볼 수 있다. 그것들은 급속하게 모여서 군집을 형성한다. 상부 망울 부위에서 폭이 약 마이크론의 10분의 1이 되는 무리가 광학현미경 아래에서 섬유로 보일 수 있다. 이 층에서 섬유는 두가지의 특성으로 재 반응하며 일정한 -유형 엑스선에 광범위한 무늬를 생기게 한다 따라서 기본 구조의 합성은 거의 완전하다. 그 뒤에 더 촘촘한 황이 풍부한 기질(matrix)로써 발달하는데, 시스테인 연결이 있음을 가리키는 강렬한 sulphydryl(SH그룹으로 묶어진 화합물)반응이 동시에 일어난다. 표면 표피와 안쪽 뿌리집과는 대조적으로 각질유리과립 입자는 어떤 단계에서도 나타나지 않는다. 전자 현미경 검사로 실험을 한 결과 성숙한 겉질은 촘촘한 중앙 혈장(plasma)막(membrane) 또는 세포 사이의 판(10-15나노)을 함유하는, 경계선이 좁은 틈(20-25나노)으로 분리된 빈틈없이 채워진 방추 모양의 세포들(**그림 1.5**)로 구성되며, 단백질을 함유하고(proteinaceous) 세포를 함께 결합시키는 것으로 생각된다. 세포 내에서 거의 모든 미세원섬유는, 비록 일부는 느슨한 묶음으로 남아 있지만, 빈틈없이 채워지며 판(lamellae) 안에서 세로로 향하고 있다. 비스듬한 단면(section)에서 이들 동심원판은 독특한 '엄지손가락 지문(thumbprint)' 모양을 갖는다(**그림 1.11, 1.12**).

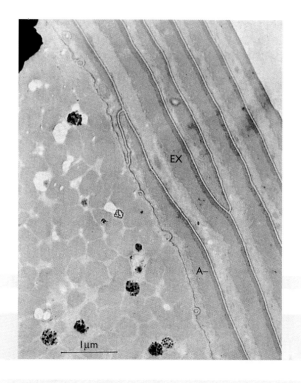

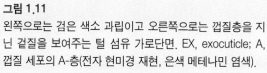

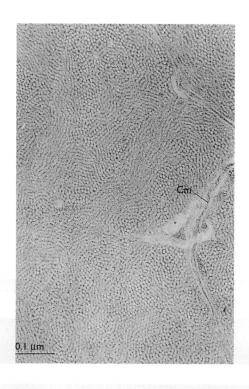

그림 1.11
왼쪽으로는 검은 색소 과립이고 오른쪽으로는 껍질층을 지닌 겉질을 보여주는 털 섬유 가로단면. EX, exocuticle; A, 껍질 세포의 A-층(전자 현미경 재현, 은색 메테나민 염색).

그림 1.12
검은 배경 기질 단백질을 지닌 미세원섬유의 세포 내 다발을 보여 주는 털 겉질(전자 현미경 재현, 은색 메테나민 염색). Cm은 세포막을 의미.

각피
The hair cuticle

각피는 5-10개의 중첩된 세포 층으로 구성되어 있는데, 각각의 굵기는 350-450나노이다(**그림 1.5**). 성숙세포는 촘촘한 각질로 구성된 가는 껍질(scales)인데, 그것은 서로 다르고 촘촘하게 안과 밖의 구역을 보여 준다. 세포 경계선 사이에 촘촘한 중심 세포내 판을 함유한 좁은 틈(30나노)이 있다. 외부로부터 껍질이 지붕의 타일처럼 겹쳐져 있는 것을 볼 수 있다. 새롭게 형성된 털의 일부분 위로, 껍질 가장자리는 온전하지만, 털이 피부에서 생성 될때 들쭉날쭉해지며 진행성으로 탈락된다('풍화작용').

개별 소피 세포(cuticular cell)의 '환경상' 바깥 표면은 매우 깨끗한 A-층을 갖고 있는데, 이것에는 고황 단백질이 풍부하다 이것은, 화학적이고 물리적인 상해로 인해 미리 파괴되지 않도록, 소피 세포를 보호한다(**그림 1.11, 1.13**).

내측 모근초
Inner root sheath

내측 모근초의 세 층은 각각 각질화 하며(**그림 1.4**), 성숙되는 비율은 다르지

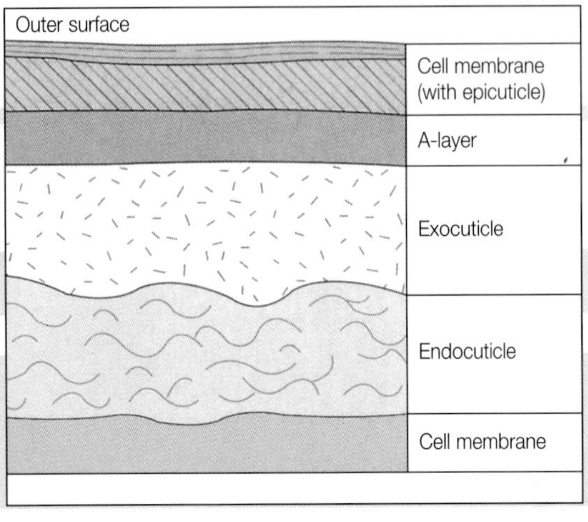

그림 1.13
털 껍질 세포 구조의 도표상 재현

만 변화의 양상은 동일하다. 미세섬유(filament)는 굵기가 7나노이며 털 겉질과는 대조적으로 무정형의 털유리질(trichohyalin) 과립이 세포질에 나타난다. 세포가 모낭을 위로 움직일 때, 미세 섬유(filament)는 훨씬 풍부해지고 과립의 숫자와 크기는 증가한다. 경화된 세포질에서는 그러나 오직 미세 섬유만 볼 수 있다.

변화는 우선 바깥 가장자리 바깥 상피층에서 일어나며 그 다음에는 가장 안쪽 모표피에서 그리고 마지막으로 속 상피층에서 일어난다. 속 상피층은 그 사이에 위치해 있다.

내측 모근초는 그 안에 있는 추정상의 털에 앞서 경화되며 그것은 결과적으로 비정상적인 털 구조를 지닌, 그리고 많은 유전적 질병에서 털줄기(hair shaft)의 결정적 모습을 통제한다고 생각된다.

외측 모근초
Outer root sheath

인간에서 외측 모근초는 두 개의 층으로 구성된다. 바깥 층에서 세포들은 점차 뿌리에서 끝까지 수적으로 증가한다. 그들은 막이 한정된 과립(granule), 즉 각질소체(cementosome)을 생성해 내며 이는 축적된다. 항털 각질 단일 세포군 항체(monoclonal)에 의해 오염되게 함으로써 수질, 피질, 각피, 외측 모근초의 변화하는 세포들은 유사한 각질의 형태를 나타내지만 외모근초의 가장 안쪽 세포 층은 독특한 모습을 나타낸다. 다양한 모발 주기 단계 동안에 외모근초 안의 세포의 진행 이동의 잠재적인 방향에 대해서는 많은 추측들이 있다.

모낭의 주기적 활동
CYCLIC ACTIVITY OF THE FOLLICLE

모낭의 활동이 지속되는 것 즉, 성장기(**그림 1.14-1.17**)는 종에 따라, 한 구역

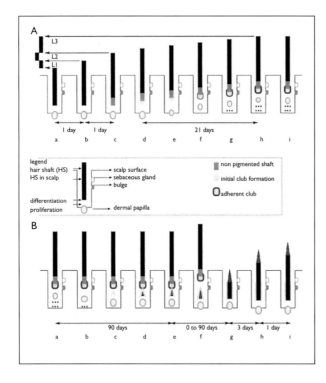

그림 1.14
사람 모낭의 모발 주기에 대한 도표 표현: (A) 성장에서 휴지로 (B) 휴지에서 성장으로.
가장 최근의 털 성장기 층계(성장기 6) 이 시기 동안 피부 표면에서 털이 보이고, 뚜렷한 모발 주기의 휴지 시기(휴지기)가 B에서 보이는 동안 A에서 자라는 것이 보인다. 이 시기 동안 새로운 모발 주기가 시작될 수 있다. 기호의 설명표(A와 B 사이)는 독자가 스스로를 인간의 모낭의 다양한 성분으로 방향을 돌릴 수 있도록 도와주는데, 그것은 성장과 휴지를 이해하는데 필수적이다.

(A) 성장에서 휴지까지
같은 모낭은 성장기의 가장 마지막에서 다양한 시기(나날)에 표현된다. 피부 표면에서는 꾸준한 나날의 털 생산(L1과 L2)을 대표하는 정상적인 색소성 털이 생산된다(a-b날과b-c).
그리고 나서 새로 합성된 털 줄기(모낭의 바닥에서 나타나는)의 색소 침착은 감소된다(c). 이 이른 사건은 모낭의 일시적인 부분의 퇴화를 선언하며 그 뒤에 증식 구획과 (d) 진피 유두의 수축에서(e) 세포의 종말 분화가 있다. 이것이 퇴행기를 특징짓듯이 후자는 털 줄기와 함께 오름 움직임을 시작한다(d-h; 21일). 털 섬유가 명백하게 늘어나는 것(L3)은 털 줄기의 밖으로의 이동을 반영한다. 일시적 모낭 부분으로부터의 상피 세포가 사라진 후 남는 것은 최초의 기저막이고 그 뒤로 보통 흐름들 또는 별들(***)로 지칭되는 진피 연결 조직이 따른다. 진짜 휴지 단계는 퇴행기가 완성되면 시작되는데, 즉, 진피 유두가 모낭의 영구적인 부분의 바닥에 인접할 때이다. 진피 유두와 팽출 간에 물리적인 상호 작용이 없을 때, 다음 주기(B를 보라)는 확실히 타협된다. 이제부터 어떤 털의 성장도 표면에서 관측되지 않는다(h-i).

(B) 휴지에서 성장으로
이 단계 동안에는 피부 표면에서 털이 자라는 것이 없는 것을 알 수 있지만(a-g), 모낭의 좀더 깊은 부분에서 현격한 변화가 발생한다. 진피 유두들은 아래로 향하는 움직임에서 팽출(줄기 세포 구역)에서 상피 세포를 확장하고 당긴다(a-b). 공간을 만들기 위해, 이전에 퇴적된 물질들은 소화되어야 한다(a-b, ***). 상피 세포는 이제 좀더 오래된 방식으로 분화를 시작하며, 안쪽 털집(c)과 껍질의 끝과 새롭게 생성된 무색소의 털 겉질과 함께 시작한다.
휴지를 취하는 털은 1-3개월 정도 모낭에 남는다(a-e); 그리고 나서는 고정은 좀더 느슨하며 마침내 완전히 분리된 털은 떨어진다(f). 흘린 털의 윤이 나는 뿌리 끝은 곤봉이다. 털 흘림 이전이나 동안 또는 이후에 새 털 줄기로 교체가 있을 수도 있다(e-f-g). 실제로 생리학적 상태 하에서는 모낭은 새로운 털 생산을 즉각 또는 오직 천천히 새로운 털 생산을 진행한다(f로부터 g까지 최대 90일). 안드로겐 유전성 탈모증 같은 조건에서는 훨씬 더 긴 간격이 재생 전에 기록될 수 잇다. 성장기의 가장 이른 단계에(단계 VI), 모낭을 통제하는 많은 조절 요인들에 따라, 미색소의 털 끝이 먼저 보이고(h), 그 다음에는 좀더 굵고 색소성의 더 빠르게 성장하는 털 섬유(i)가 온다.

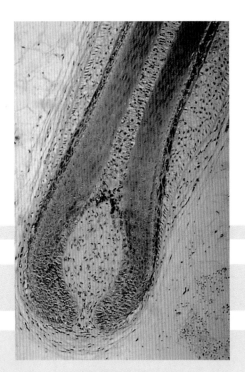 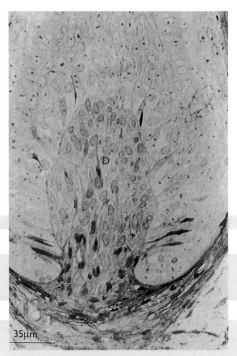

그림 1.15
모낭 - 성장기 성장 단계 6.

그림 1.16
중심부의 진피 유두(D)와 둘러싼 기질 세포 성분.

에서 다른 구역에 이르끼까지 종 내에서도, 계절과 나이에 따라 크게 다르다. 예를 들면, 쥐에서 등쪽 털(dorsal hair)은 3주에 완전하게 형성되고 더 짧은, 배쪽 털 (ventral hair)은 단지 12주면 형성되는 반면 기니아 돼지는 성장기가 20-40년간 지속된다.

인간에서 양성의 솜털 모낭(vellus follicle)의 경우, 그 활동 기간이 약 40에서 80일이다. 젊은 일본인 남성의 종말털(terminal hair)의 경우 성장기의 길이는 다리 에선 19-26주로 측정되었고, 팔은 6-12주, 손가락은 4-13주, 코밑 수염은 4-14주, 관자놀이 아래는 8-24주로 측정되었다. 코카서스 남성의 경우 넙적 다리와 팔은 각각 54일과 28일이 측정 평균치였으며 여성의 경우 그 부위 각각의 평균치는 22일이었 다. 인간의 두피 성장기는 3-7년 지속될 수 있다고 알려져 있다.

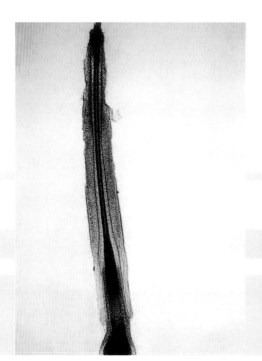

그림 1.17
뿌리모근이 붙은 채 뽑힌 성장기 털.

각 모낭은 일생 동안 반복해서 모발 주기를 거친다. 줄기 세포를 다시 활성화 시키는 것은 모든 주기가 그것의 배아 발달의 많은 부분을 반복하면서 신선한 트리코싸이트(trichocytes)의 새로운 다발을 제공한다. 즉, '젊고' 새로운 모발이 매 몇 해마다 일정하게 나는 것이다!

생장기에 뒤이어 비교적 짧은 전이 단계인 퇴행기(catagen)가 따르는데, 설치류에겐 몇 일 정도를 점유하고 인간의 두피에서는 2주 정도를 점유하며, 휴식기인 휴지기(telogen)가 온다(**그림 1.18, 1.19**). 성장기의 막바지 무렵에 두피 모낭은 점차 가늘어지고 털줄기의 기저에 있는 색소가 더 엷은 색을 띠는 것을 보여 준다. 진피 유두의 정점 부위에 있는 멜라닌세포는 멜라닌 생산을 중지하고 수상돌기를 흡수하며 기질(matrix) 세포와 구분할 수 없게 된다. 털망울 뿌리의 중간 부분은 수축된다. 수축에서 먼 부위에서 확장된 모발의 기저는 '곤봉' 처럼 각질화 되며 상피 조직의 기둥 밑에서는 피하 돌기를 볼 수 있는데 이것은 표피' 덮개' 로부터 방출된다(**그림 1.20-1.22**). 퇴행기의 시작에서부터 모낭의 연결 조직 덮개, 특히 광학현미경 하에서

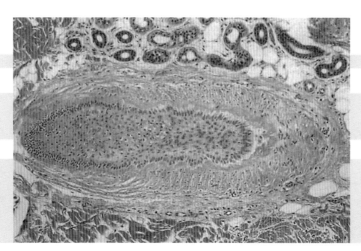

그림 1.18
성장기의 모낭 단면.

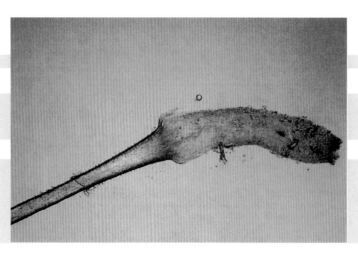

그림 1.19
퇴행기에 있는 뽑힌 털(편극광).

특유의 염색 친화력을 지닌 유리체막은 막대하게 두꺼워지며 상피 가닥(strand)에서 특유의 주름과 연관된다. 뒤이어 곤봉털은 피부 표면으로 움직이며, 늘어난 기둥을 형성하는 구별되지 않는 상피 세포에 의해 채워지는 공간을 남긴다. 추정상의 곤봉체의 상승 이후, 상피 가닥은 밑에서부터 진행적으로 짧아져, 마침내 작은 유두(nipple)로 줄어들며 두 번째 새롭게 형성된 상피 세포와 함께 옛 것과 새 진피 유두로 재조합되어 형성된다. 후자는 아마도 이 휴지기에서 도출되며 인간의 두피에서는 단지 몇 주만 지속된다. 다음 모발 주기가 시작되면 두 번째 배는 입모근에 부착

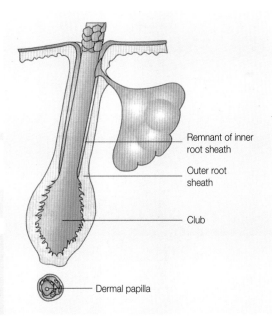

Remnant of inner
root sheath

Outer root
sheath

Club

Dermal papilla

그림 1.20
주요 성분을 보여 주는 휴지기 모낭

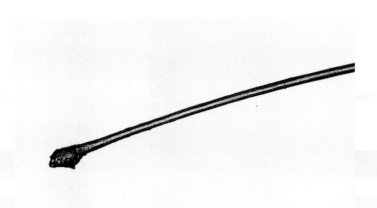

그림 1.21
휴지기에 있는 뽑힌 털('곤봉' 뿌리형태).

(arrector pilorum muscle attachment)된 인접한 줄기 세포의 팽출(bulge) 지대로부
터 형성되며 세포 분열에 의해 늘어나며 아래로 자라고 돌기에 의해 집 속에 넣어지
며 새 털망울 뿌리를 생기게 하는데, 이곳으로부터 각질화된 새 모발의 비면(dome)

그림 1.22
휴지기에 있는 뽑힌 털 - '곤봉' 뿌리형태(편극광)

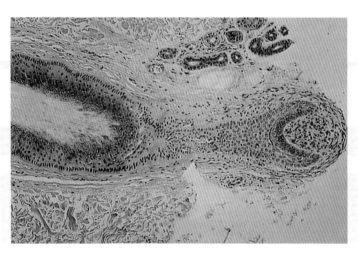

그림 1.23
이른 성장기의 모낭(단계 2).

이 생겨난다. 모든 세포 부착이 소실된 후, "옛" 곤봉털은 궁극적으로 떨어져 나가지만,적어도 쥐에서는 새로운 털이 나온 뒤에도 유지될 수 있으며, 일부 신체 부위, 특히 다리에서, 몇몇 연속적인 휴지기 모발은 쉐딩(shedding)단계 전에 유지될 수 있다. 이제는 엑소젠(exogen)이라고 불려지는 이 새로운 시기 동안에 오래된 털 섬유를 마지막으로 방출하고 쉐딩현상으로 이르게 하는, 약간의 효소적 과정도 연관이 있다고 추정 된다. 생리학적 또는 비정상적(조숙, 과도 또는 병리적) 탈모는 이제 두피 표면에서 정확히 추적할 수 있다(Skinterface 특허 2002; 측정 방법을 보라). 털줄기가 매우 가늘고 성장이 지속 시간이 매우 짧으면 많은 exogen시기의 털이 수동적으로축적되는 일이 발생할 수 있으며, 이것은 트리코스포론증(trichostasis)으로 이른다. 하나의 모낭 입구에 있는 모든 털들이 언제나 모근의 숫자 또는 모근의 활동을 반영하는 것은 아니다!

세포외 피하 돌기의 세포외 기질에서의 변화와 함께 상피 세포에서의 항원 표현의 변화는 모낭의 주기적 활동에 연관된 진피(dermal)-표피(epidermal) 간의 상호 작용 설명에 대한 단서를 제공할런지도 모른다.

성인 두피에서 각 모낭의 활동은 근접한 것과는 무관하다 그러한 양상은 섞임(mosaic)으로 알려져 있다. 어느 한 시기에, 비록 그 범위는 크지만, 평균 약 13%의 모낭은 휴지기에 있다: 기록상으로 그것은 4-24%이다. 오직 1% 또는 그 보다 적은 수가 퇴행기에 있다. 만약 100,000개의 모낭이 두피에 있고 그것들의 주기가 1,000일이라면 매일 약 100개의 털은 틀림없이 빠질 것이다. 진료에서 빠진 모발의 평균적인 복구는 다소 더 적으며 100개 이상이면 높은 것으로 간주된다. 두피 위의 모낭뿐 아니라 신체 전반의 모낭(**그림 1.24**)은 동기적이지 않으며 실제로는 다른 주기를 갖고 있다.

> **각 모낭은 근접한 것들과는 별개이지만, 동일한 성장 제어 특성을 갖고 있다.**

기니아 돼지는 성숙한 것의 털갈이가 모자이크 형으로 일어나는 것처럼 보인다는 점에서 인간을 닮았다고 말해져 왔다. 그러나 새로 태어난 동물에서 모든 모낭은 동시적으로 활동적이며, 적어도 생후 50일 동안, 그리고 어쩌면 훨씬 더 길게, 단일 섬유 유형을 생성하는 모낭은 서로 어느 정도 동기성을 보여주지만 다른 섬유 유형을 생성하는 것과는 시기가 다르다. 이러한 소견은 흥미롭다. 왜냐하면 인간에서는, 발달하는 동안 배냇솜털(lanugo hair)의 탈락뿐만 아니라 생의 초기 수개월 동안 다소 동기화된 두피 모발의 털갈이가 빈번하기 때문이다. 새로 태어난 아이들의 두

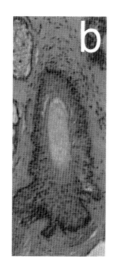

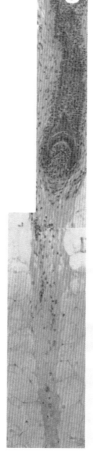

그림 1.24
모발 주기는 곧,기관의 재생이다. 두피 절개에서 전형적인 퇴행기 (a)는 그것들이 유착성의 휴지기의 레벨 또는 휴지 (b)에 이를 때까지 짜여 밖으로 나오는 오래된 모근으로 귀결된다. 연관되어 하향성의 경향을 보이며 자라는 것과 흐름을 따라 생기는 새 모낭 (c)의 재구성 - 이전 모발 주기 이후 남겨진 통로인데 - 이는 있을 수 있지만, 이전 털 줄기를 완전히 방출하는 것과 항상 연관되는 것은 아니며, 이것은 이른 성장기와 공존하는 생장기의 단계로 이르게 된다. 모발 주기 교란에서 가장 빈번한 두 사건은 연관되어 잇지 않다: 모발의 쉐딩 (shedding)현상은 새 털이 자라기 훨씬 이전에 나타난다.

피에서는 앞에서 뒤로 성장파의 통로에 대한 흔적(evidence) 또한 있다. 따라서 그것은 아마도 기니아 돼지와 인간 모두에게서, 비동기성은 점진적으로 동기성으로부터 발달하는 것일 수 있다. 털 성장 촉진제의 영향 하에서나 또는 질병 상태에서 회복된 후 털 성장의 유발 이후도 마찬가지로 참이다(급성 후발열성 휴지기 탈모, 원형 탈모증 또는 화학 치료에 의해 유발된 탈모 후). 동기화된 털 성장 덕분에 탈모가 없이 약간의 시간이 경과한 후 환자는 정상적인 탈모가 다시 나타나면 두려워할지도 모른다.

각 모낭은 내재적 리듬을 갖고 있는 것처럼 보인다. 쥐의 경우 이것은 그 부위

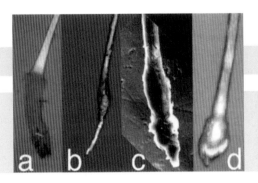

그림 1.25
초기 곤봉모는 초기의 퇴행기 동안 둘러싸고 있는 트리코싸이트와 모낭에 닻을 내리며 (a); 새로이 형성된 곤봉모는 아직은 생존하는 맨 끝에서, 생장기의 털 (d)로서 마지막으로 방출되기 전에 차별화된 세포들(b, c)의 자락을 보여준다.

가 바뀌거나 심지어 어떤 상황 하에서는 털갈이의 다른 단계에 있는 또 다른 동물에게 모낭이 이식될 때 지속되는 것으로 보여져 왔다. 휴지기 모낭에서 털을 뽑는 것은 다음 활동 주기를 불러오고 그러한 모낭은 근접한 것과의 주기에서 벗어나서 적어도 한동안 지속된다. 이러한 내재적인 통제의 성격과 탈모(epilation)나 상처가 그에 영향을 미치는 구조는 알려져 있지 않다. 가설의 하나는, 유사분열(mitotic) 억제자가 성장기 동안에 축적되고 서서히 다 사용되거나 또는 휴지기 동안에 뿔뿔이 흩어지게 된다는 것이다 다른 가설은 성장 촉진 상처 호르몬이 탈모에 의해 방출된다는 것이다. 모낭 활동을 시작한 후 남아 있는 곤봉털을 제거하는 것은 진행상 성장기에는 영향을 미치지 않지만 다음 모발의 발생을 진행시킨다는 소견은 억제제 가설과는 양립하기 어려워 보인다. 마지막으로 생리학적 상태 하에서 그것이 exogen 단계로 들어갈 때까지, 즉 완전히 떨어진 후, 휴지기 털이 모낭(follicle)에 닻을 내린 채 있는 남아 있는 명백한 흔적이 있다(**그림 1.25**).

　의심할 여지 없이, 모발 주기의 변화는 사람에게 일시적으로 탈모의 이유가 될 수 있다. 다양한 정신적, 육체적 긴장으로부터 기인될 수 있는, 앞에서 기술된 것들에 포함된 상태들 중의 일부는 많은 모낭이 성장기(catagen)로 진행되는 동시에 촉진(precipitation)되는 것도 포함한다.

　'휴지기 탈모'는 처음에 후발열성 탈모 증례를 기술하기 위해 사용되었는데, 이 안에서 곤봉털의 탈락은 발열 이후 약 3-4개월에 시작되며 약 3-4주간 지속된다. 두피생검에서 얻어지는 진행적인 탈모의 휴지기 수치는 14%에서 53%에 이른다. 6주 뒤에는 다시 생성 되었다. 이러한 현상의 특정한 예로는, 살인으로 일련의 심리적

쇼크를 겪은 어느 죄수가 유죄 평결이 있은 후 약 10주에 하루 1,000개 이상의 비율
로 탈모를 하기 시작한 것이다. 휴지기 모낭 비율의 증가를 제외하곤 어떤 조직 병
리학상의 이상도 없었다. 탈모가 유발되는 신경 내분비선이나 다른 구조의 성질은
설명이 더 필요하다. 그 상태는 산후 탈모증과 어떤 점에서는 유사성을 갖는다. 임
신 동안에 얻은 성장의 질적인 면에서, 기본 구조, 성장 요인, 면역 조절 또는 호르몬
적 영향이 무엇이든 간에 득이 되는 점은 배상되어야(reimbursed) 하지만 개별적인
또는 전체 증례에서 다 그렇게 되는 것은 아니다!

휴지기 탈모는 이제 다양하고도 극심한 육체적 또는 정신적 '스트레스'에 대
한 불특정한 반응으로 간주된다. 그것은 보통 그저 몇 개월 지속된 후 정상으로 회
복 될 수 있다. 최초 일화 후 털이 자라는 양상은 수정될 수 있으며, 일부 환자들은
모발이 결코 처음의 상태로 회복되지 않았다고도 호소한다. 탈모의 급성 유발은, 동
기화 되어 재생성 되는 다수의 모낭들을, 즉, 좀더 민감한 상태에서, 주된 호르몬 상
태에 노출시킬지도 모른다고 추측해 왔다. 이때, 모낭은 털 생성의 새 유형으로 진입
하며, 이것은 비동기화되고 만성적 진행성 탈모 과정인, 예컨대 남녀 모두에게 영향
을 미치는 안드로겐 유전성 탈모로 진입하는, 독특하고도 강렬한 방식을 구성할 수
있다.

호르몬의 영향
Hormonal influences

발모와 탈모가 신체에서 적응하는 기능과 관련된 반복 기간중 모낭 주기에
대한 일련의 호르몬의 효과와 성(sexual)적인 것 및 기타 성숙한 털의 유발에 있어서
의 안드로겐의 특별한 역할, 사춘기 이후 연관된 사회적인 성적 징후가 나타나기까
지 적응이 지연되는 것 사이에 명확한 구분을 짓는 것은 중요하다. 대부분 진료상의
문제점들은 안드로겐의 영향을 받는 부위에 집중된다. 그러나 다른 호르몬 구조에
대한 지식도 탈모의 주기 제어 뿐아니라 갑상선 이상에서의 탈모 문제, 기타 다른 탈
모의 원인들을 분석하는데 도움이 될 수 있다.

내재적인 요인에 관계 없이, 주기에 대한 전반적인 시간 조절은 역시 전신적

인 요소에 영향을 받을 수도 있는데, 그 이유는 동종 이식편(homograft) 위에 있는 모낭들은 점차 숙주와 협력하기 시작하고, 무리결속(parabiotic) 쥐들은 서로 일치하여 점진적으로 털갈이에 들어간다. 이러한 전신 제어는 아직 알려지지 않은 구성 요소를 구현하는 것일지도 모르지만, 그것은 실증될 수 있는 사실에 의해 설명될 수도 있을 것이다. 쥐에서, 난포호르몬(estradiol), 테스토스테론(testosteron), 부신 스테로이드가 모낭 활동이 시작되는 것을 지연시키고, 난포호르몬은 또한 곤봉털의 탈락을 지연시켜서, 그 결과, 털갈이는 생식샘절제술(gonadectomy) 또는 부신절제술(adrenalectomy)에 의해 가속화 될 수 있다. 역으로 갑상선 호르몬은 모낭 활동이 시작되는 것을 촉진하고 갑상샘절제술(thyroidectomy)이나 갑상선의 억제제는 털갈이로 진행 되는 것을 지연시킨다.

난포호르몬은 기니아 돼지에게서 모낭의 활동이 시작되는 것을 지연시키는 것으로 보여져 왔다. 쥐에게서 뇌하수체절제술(hypophysectomy)이 그 활동을 촉진시키며 그래서 생식샘(gonadal) 계통의 영향력은 갑상선의 영향력을 압도하는 것처럼 보인다. 시상하부(Hypothalamus)와 뇌하수체(hypophysis)는 부신 겉질과 환경적, 재생산적, 털갈이 주기 사이에서 연결하는 생식샘과 함께 갑상선샘을 수단으로 해서 그들의 영향력을 나타낸다. 이들 구조가 인간에서 어느 정도까지 작용하는지에 대해서는 알려져 있지 않다.

호르몬은 또한 생성기 모낭에도 영향을 미친다. 쥐의털을 S-시스테인과 함께 펄스(pulse) 표지한 연구에 따르면 난포호르몬과 티록신(thyroxine)은 각기 비슷하게 활성기가 지속되는 것을 줄어들게 했고, 두 개를 동시에 복용할 경우, 그들의 효과는 누적되는 것 으로 밝혀졌다. 이와는 대조적으로 난포호르몬이 털의 성장률을 감소시킨데 반해 티록신은 정반대의 효과를 보였다. 이러한 발견들은 그 두 호르몬은 활동 점이 같지 않다는 것을 시사한다.

인간의 털은 결합되지 않은 갑상선 호르몬의 수치에 심대한 영향을 받는다. 어떤 연구에서, 탈모로 고민하는 10퍼센트에 이르는 사람들은, 방사선 요오드 추적자 연구에 의해 확인된 혈청 단백질 결속 요오드 수치를 기반으로 갑상샘 저하증을 앓고 있는 것으로 진단되었다. 이들 피험자들에서 평균적인 털의 지름은 감소된데 반해 정상적인 피험자들에서는 균형있게 분포되어 있었으며, 모든 탈모인 피험자들에서 0.08nm에서 두드러진 최대치를 보였으며, 특히 갑상샘저하증인 피험자에서는 확산이 더욱 넓었고, 각각 최대 0.04와 0.06nm였다. 휴지기 모근의 비율은 갑상샘 과다증 환자의 후두부와 두정부에서 뽑은 머리카락에서 비정상적으로 높게 나타났다. 갑상선 호르몬으로 치료하자 8주 후 정상으로 회복되었다.

산후의 탈모증는, 두피 모낭의 주기에서 호르몬적으로 조정된 변화의 예처럼, 성장을 지원하는 요소의 변화에서 비롯되는 것처럼 보인다. 정상 비율보다 약 두세 배나 높은 탈모는 출산 후 약 4-6달간에 걸쳐 일시적인 탈모를 일으키게 한다. 이 때 휴지기 모발의 비율은 높으면 50퍼센트에 이를 수 있는 반면, 다른 임신에서는 5% 미만일 수 있는데, 특히 에스트로겐(oestrogen) 수치가 급속히 떨어지는, 변화된 호르몬 상태의 결과로서, 그저 정상의 약 삼분의 일 정도이다. 성장기-휴지기 비율의 변화 양상은 9년의 기간 동안 한 환자에서 세 번의 연속적인 임신을 통해 관찰되었다. 각각의 연속적인 임신에서 변화는 덜 현저해졌다. 그러나 대부분의 증례에서 그 현상은 그저 미약하게 재생 할(reproducible) 수 있을 뿐이다.

안드로겐 의존성 모발
ANDROGEN - DEPENDENT HAIR

남성에서 얼굴, 몸통, 사지 털의 성장과, 양성에서 음모와 겨드랑이 털의 성장은 명백히 남성 호르몬에 종속적이다. 사춘기와 이후 그런 털이 발달하는 것은, 광범위한 기간에서 그리고 적어도 초기에는, 고환(testicular), 부신피질(adrenocortical) 그리고 자궁 근원(sources)에서 안드로겐 수치가 상승 되는것과 평행한다. 이 상승되는 수치는 양성 모두에서 일어나고 소녀보다 소년에서 다소 가파른 경향을 나타낸다.

테스토스테론은 성인 남성 청년에서 고환의 근접 세포로부터 생산되며, 고환의 활동은 그 자체로 뇌하수체 생식샘자극 호르몬에 의해 시작된다는 것은 의심할 여지가 없다. 그러나 성장 호르몬이 결핍된 소년 소녀들은 남성 호르몬에 정상적인 것보다 덜 반응하며, 단백질의 동화 작용, 성장의 촉진과 남성 호르몬과 연관하여 테스토스테론이 완전히 효과를 갖도록 하게 할 필수적인 상승 작용 요소라는 소견은 뇌하수체(hypophysial) 호르몬이 또한 좀더 직접적인 역할을 할지 모른다는 점을 암시한다. 그러한 견해를 뒷받침 하는 것은 인간의 몸이 사춘기에 급성장 하는 것은, 호르몬 성장과 안드로겐을 모두 필요로 한다는 점과 '아동' 에서 성인의 털 양상으로의 변화하는 것은 뇌하수체절제술에 의해 막을 수 있고 개와 쥐 모두에서 프로락틴에 의해 복구될 수 있다는 것에 대한 증거이다.

고환 안드로겐의 역할에 대한 직접적인 증거(evidence)는 거세를 하면 사람의 수염이 자라는 것을 줄어들게 하는 반면, 거세한 사람이나 노인에서 테스토스테론은 그것을 자극한다는 것에 의해 제공된다. 여성은 얼굴이나 몸에 눈에 확 띄는 털이 보통 없는 편이어서 높은 수치의 호르몬이 필요한 것처럼 보이고 또 5 - 환원효소 결핍의 경우 그것은 보통 결핍되어 있기 때문에, 5 - 디하이드로테스토스테론에 대한 테스토스테론의 대사는 필수적이다. 안드로겐의 역할은 추가적으로 항남성호르몬 사이프로테론(cyproterone acetate)을 지닌 털이 많은 여성 치료에서 증명될 수 있는데, 이것은 최종적인 길이와 성장률, 지름과 허벅지 털의 수질화(medullation)의 정도를 감소시킨다. 혈장 안드로겐 수치는 낮아지지만, 활동의 주요 부분은 모낭에 있는 남성호르몬 수용체에 대한 경쟁에 의한 것처럼 보인다.

손등이나 손가락, 귓바퀴(pinnae)와 콧등처럼 음모와 겨드랑이 털의 성장 역시 안드로겐에 종속적이다. 세포사이질 안드로겐 수용체가 부족하기 때문에 유전적으로 남성이 여성으로 발달되기 위한 조건인, 고환의 여성화에서, 그리고 부신 부족을 겪는 여성들에서 이 털은 부족하다. 그러나 유형 II 불완전 남녀한몸증(hermaphroditism) 조건에서는 있는 것처럼 보이는데, 이 조건에서는 유전적으로 남성은 그들의 혈장 테스토스테론이 정상임에도 불구하고 5 - 환원효소가 결여되어 있다. 그러므로, 보다 낮은 음모와 겨드랑이 털의 성장은 그저 낮은 수치의 안드로겐을 필요로 하고 5 - 환원효소에 종속적이지 않을 것 같기도 하다.

사춘기 이후 성모의 성장을 유발하는 호르몬 원리는 두피에 안드로겐 유전성 탈모증의 원리와 비슷하다 이 얼마나 자연스럽고 경제적인가!
호르몬이 표적세포에서 어떻게 변형되고 조절 유전자 수준에서 무엇이 '풀리는가'에 많은 것들은 의존한다.

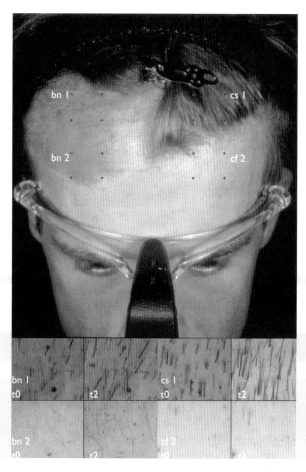

그림 1.26
이마 두피에 영향을 미치는 베커씨모반. 그리고,영향을 받는 부분은 반대쪽 두피보다 한층 심한 모낭 축소화를 보여 준다. 이마 위에 모낭들은 증가된 안드로겐 민감성에 의해 최소화됨으로 영향을 받는다. 이것은 모낭의 생물학적 반응이 두피 면에 의해 결정된다는 점과 B베커씨 모반의 존재가 미리 조정된 안드로겐에 의해 의존적 반응을 늘린다(털의 성장 잠재력을 지닌 대부분의 신체 부위에서 긍정적으로, 또는 두피에서는 부정적으로)는 점을 설명해 준다.(Van Neste D로부터 재현된 주 사례: 유전적 털 질환에서 털 성장 측정. Hair Science and technology. Skinterface, Tournai, Belgium, pp 183-189.)

안드로겐 자극을 필요로 하지 않는다는 점에서 두피의 모발은 다르다. 그러나 유전적으로 정해진 환자들에서 안드로겐은 역설적으로 사춘기후 두정부의 모발이 축소되는 것의 원인이다. 또한, 피부의 안드로겐 민감도가 증가하면 - 유전적으로 걸리기 쉬운 사람에게서 두피에 영향을 미치는 베커씨 모반(Becker's naevus)에서처럼 - 같은 전신 호르몬 요소에 노출된 다른 두피 부위보다 더욱 빠른 속도로 털은 축소될 것이다. 두피의 모낭에서 테스토스테론 수용 기관이 존재한다는 것은,곧, 여성 광범위 탈모증이, 특히 주변부의 안드로겐과다증(hyperandrogenism)의 징후가 있을 때에, 경구 항남성호르몬제에 의해 경감될 수 있다는 사실에 의해 암시된다. 안드로겐 수용체가 있을 뿐 아니라, 두피생검 표본의 조직화학에 의해 예증되듯, 그것들은 또한, 배양된 진피 유두 세포에서 직접적으로 예증된 바처럼 활발한 안드로겐 대사를 보여준다. 5α - 환원효소에 대한 부가적 필수요소는 남성 대머리 두피가 대머리가 아닌 두피보다 테스토스테론을 5α - 디하이드로테스토스테론으로 변환할 능력이 크다는 점과 유리된 모근도 유사한 능력을 가진다는 것, 그리고 이마의 앞 부분(frontal hairline)의 쑥 들어간 부분은 5α - 환원효소를 포함한 가족 남성 가성반음양(거짓남녀한몸증,pseudohermaphroditism)의 경우에는 나타나지 않는다는 점에서 증거로 제시될 수 있다. 그러나 산화 통로 역시 중요하다. 왜냐하면 시험관내에서 유리된 모근이 생성하는 대사 산물은 안드로스텐디온(androstenedione)이기 때문이다.

만약 얼굴과 신체의 모발 성장과 두피의 모발 결핍이 모두 안드로겐에 의존하고 있다면, 숱이 많은 것과 대머리인 것이 남성호르몬에 의해서인가 아니면 증강된 주변부 반응에 의해서인가 하는 의문이 일어난다. 다모증(hirsutism)이 남성 생식 능력의 기타 총징후와 연관이 있거나 또는 생리가 비정상인 것과 연관이 있을 때, 그것은 명백히 내분비선 병리학을 갖는다. 한층 더 빈번하게 다모증은 특발성인 것으로 기술되는데, 그 이유는 어떤 '중심적인' 호르몬 장애도 없기 때문이다. 특발 다모증에서 혈장 테스토스테론의 농도는 보통 정상 범위 안에 있거나 또는 조금 더 높은 안드로스텐디온이 더 자주 상승되는 것이 발견된다. 유리 안드로겐이 더 높을지도 모른다는 가능성은 성 호르몬을 묶고 있는 글로불린(SHBG)이 평균적으로 더 낮다는 것에 의해 제시될 있다. 그러나 비록 그러한 사소한 비정상적인 것이 빈번하게 다모증 상태와 연관지어지지만 그것들이 모든 증례를 다 설명할 수 있는 것은 아니다. 왜냐하면 모든 환자 중 약 40%가 전부 정상 범위 내의 호르몬 수치를 보여주는 것처럼 보이기 때문이다. 난소나 부신 기능장애의 흔적이 없는 다모증 여성은 그렇지 않은 여성에 비해 5α -안드로스텐디온 1을 네 배나 많이 배출한다는 소견은 모낭에서 증가된 5α -환원효소 활동이 연관되어 있을 수도 있다는 점을 시사한다. 이는 그러한 환자의 치골상(suprapubic) 피부가, 삼중 수소를 함유한 테스토스테론과 함께 배양될 때, 정상 여성의 피부 비율보다 4-5배가 줄어든 대사물을 생산한다는 점에서 실증된다.

남성형 대머리가 남자의 생식력의 다른 징후 또는 비정상적인 남성 호르몬 수준과 연관이 있는지 여부에 대한 문제도 비슷하게 논의된다. 그것이 가슴에 털이 덥수룩한 것과 상호 연관되어 있다는 증거는 몸의 털, 피부, 근육의 굵기 또는 피지 분비의 밀도와 연관된 어떤 것도 찾을 수 없다는 점에서 모순된다. 그러나 정상 혈장 테스토스테론에도 불구하고 대머리인 남성은 SHBG는 낮고 타액의 테스토스테론은 더 높은 경향을 갖는 것이 이따금 발견된다는 점에서 그들이 더 많은 가용한 안드로겐을 가지고 있을지도 모른다는 점을 시사한다.

대부분의 여성 광범위 탈모증은 주로 안드로겐유전성이다. 그것이 남성의 생식력과 부신 피질 또는 난소 질환으로부터 비롯되는 높은 안드로겐 수치와 연관되어 있는데 반하여, 혈장 안드로겐은 대개 한층 더 정상적이다. 그러나, 비록 정상 범위와 중첩되는 부분이 상당히 있지만, 남성의 예에서처럼, SHBG에 대한 경향은 더 낮다.

여성 유전성 탈모는, 남성 호르몬이 없다거나 또는 남성 호르몬 수용체가 없는 것으로 표현할 수 있다는 가능성은, 일부 유전자 역학(epidemiological) 연구와 함께, 이러한 견해에 도전하며 안드로겐을 암시하거나 하지 않는 다른 생물학적 요인을 지시하는지도 모른다. 전형적인 모낭 축소 과정이 다양한 최적이하의 상황 하에서 표현형으로(phenotypically) 표현되는 일정한 두피 영역에서 모낭 엉킴(commitment)도 반드시 고려되어야 한다.

인간의 털은 그 자체적으로 안드로겐에 대한 반응에서 부위마다 뚜렷이 다르기 때문에 어떤 가능한 동물 모형도 반드시 조심스럽게 고찰해야 한다는 점은 명백하다. 쥐의 코털, 게르빌루스쥐의 배쪽샘, 그리고 추측상 사자의 갈기나 또는 붉은 사슴의 갈기와 가지로 갈라진 뿔의 성장은 모두 안드로겐에 의존적이다. 비록 남성 대머리가 정말로 꼬리잘린 마카크원숭이와 흡사하다 해도, 그 모형은 특히 접근할 수 없으며, 머리 부분의 깃털이 빠지는 현상을 훨씬 더 낮고 선택할 수 있는 것으로 간주할 수는 없을 것이다. 비록 100% 성공률로 보상되는 것이 아닌 노동 집약적인 접근이기는 하지만, 실험적으로 통제되는 조건 하에서 이식 실험과 두피 이식용 조직편을 털을 제거한 쥐에게 보존시키는 것으로부터 일부 진전을 기대할 수 있다. 임상적으로 한층 알맞은 양식은, 생체내에서 모발 성장 대체 동력학을 감시하기 위해 고선명 이미지 기술을 이용, 환자들에서 장기적으로 적절하게 설계되고 통제된 연구를 행하는 것이다.

털의 유형
TYPE OF HAIR

모낭이 다르면 다른 유형의 모발이 생성될 수 있으며 어떤 특정한 모낭에서 생성된 모발의 유형은 나이와 더불어 또는 호르몬 영향 하에서 변할 수 있다. 동물은 독특하게 단단한 보호의 기능으로서 털을 갖고 있고, 많은 종류의 모낭과 섬유도 기술되어 왔다. 많은 종들은 또한 큰 코털이나 굴(sinus)에 털을 갖고 있는데, 이들은 감각을 전달하며 직립성 조직을 함유한 특수 모낭으로부터 생성된다. 인간에게서 엄격하게 비교될 수 있는 모낭은 없지만 이따금, 광범위한 감각 기능을 시사하는 구조를 지닌 모낭은 있을 수 있으며 그것들은 복부 피부에 가장 많이 있다.

동물의 유아기 털(pelage)은 대개 가늘며, 성숙해서도 그러한 '새끼' 때의 부드러운 털은, 만일 그 어린 동물의 뇌하수체가 절제되었다면(hypophysectomized), 유지된다. 뇌하수체 호르몬에서의 종의 차이에 대한 엄밀한 지식이 없는 상태에서, 성장 호르몬이나 프로락틴이 성숙한 털에 변화를 유발하는가에 대해 의문을 가지는 것은 비현실적일지도 모른다. 게다가 스테로이드 호르몬 역시 생성되는 털의 유형에 영향을 미친다.

인간에게서, 가늘고 부드럽고 비수질이고 대개 착색된 털의 출생 전 모피는 배냇솜털(lanugo)로 알려져 있는데 보통 36주의 임신기에 자궁(utero)에서 떨어진다. 그러나 태아 솜털은 희귀성 유전 신드롬 배냇털과다증(hypertrichosis lanuginose)에선 평생 유지될 수도 있다. 출생 후의 털은 양끝단의 한쪽의 경우에 두 종류로 나뉘어진다: 하나는 솜털이며, 부드럽고 무수이며(unmedullated), 때로 색소성을 띄며, 2센티 이상 긴 것은 거의 없다. 다른 하나는 종말털이며, 이것은 더 길고 거칠며, 자주 유수(medullated)이고 색소성이다. 그러나 중간 종류의 영역에 있는 것도 있다. 사춘기 이전 종말털은 보통 두피, 눈썹, 그리고 속눈썹에 한정된다. 사춘기가 지나고 남성 호르몬에 대한 반응으로서 이차 성적인 '종말' 털이 솜털로부터 발전한다. 동시에 직모인 일부 사람들에서 수염 부위 옆의 관자놀이 털은 사춘기에 더욱 거칠어지고 곱슬해질 수 있다. 두피 모발은 실질적으로 태양차단제이자 모발 퇴화가 처음으로 나타나는 징후이다. 즉, 대개 옥외 활동을 잘 견뎌낸 젊은 남성에서 굵고 색소성의 종말털이 가늘고 무색소의 솜털로 대체될 때에 그러하다.

인간의 솜털은 매우 민감하고 날카로운(subtle) 촉감 신경으로 작용하며, 다른 털 섬유도 특정 조건의 반응 - 재채기할 때의 코털과 눈깜빡거릴 때의 속눈썹 - 에서 중요하다.

> 인간의 솜털은 매우 감각적이고 포착하기 어려운 촉감의 '신경 말단'으로서 작용한다.

인종적, 개체적 변화
RACIAL AND INDIVIDUAL VARIATION

모발 성장의 유형과 양에서 광범위하고 유전적으로 확립된 변화는 인종과 사람 사이에서 모두 관찰될 수 있다. 가장 현저한 차이점은 두피 모발에서 볼 수 있다. 몽골인은 거칠고, 직모를 가지는 경향을 종종 볼 수 있고, 흑인은 곱슬한(이른바 '말린 후추 열매' 유형으로 일어난다) 머리털을 갖고 있으며 코카서스인은 일련의 결과 곱슬머리를(textures and curl) 갖고 있다. 일부 저자들에 따르면 맨눈으로 본 모발의 모양은 그것의 횡단면과 연관되어 있다. 따라서 몽골인의 모발이 가장 크고 무거우며 원형을 이루고, 흑인들의 모발은 타원형이고 코카서스인은 적당하게 타원형이고 몽골인보다 더 가늘다(**그림 1.27**). 다른 증거는 모낭의 모양이 모발의 형태를 결정한다는 것을 시사한다: 흑인의 모낭은 나선형이고 몽골인은 완전히 직선형이고 코카서스인은 이들 양 극단 사이에서 차이를 보인다. 그러나 심지어 직모형 코카서스인의 모낭도 달걀형의 횡단면을 지닌 모발을 생산할 수 있다. 집단(populations) 사이의 중요한 변형은 말이집형성(medullation), 껍질층 비늘 총계(cuticular scale count), 곱슬곱슬함(kinking)과 평균 만곡(curvature) 같은 많은 다른 측정에 대해 나타날 수 있다. 모발의 모양은, 이는 후발열성 탈모증 이후 직모가 곱슬머리로 대체된 쌍둥이의 경우 임상적으로 도해된 것처럼(**그림 1.28**), 또한 극심한 휴지기 탈모 이후에 일어나는 것 같은 광범위 탈모 이후에 변형될 수도 있다. 모발 형태가 오직 셋 또

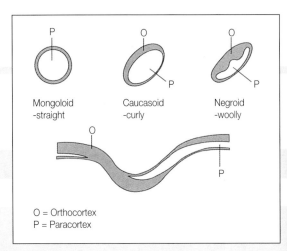

그림 1.27
인종적 털 유형

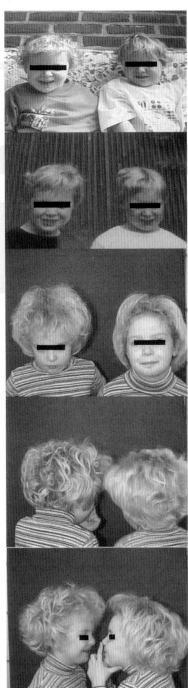

그림 1.28
알맞게 곱슬하거나 곧은 모발을 지닌 쌍둥이. 몇몇 발열후 탈모증의 심한 급성 스트레스 원인 발생 이후 모발은 몹시 곱슬하게 자라고 거의 다룰 수 없다.

는 네 개의 유전자(직모, 굽은 머리, 나선형이자 말린 후추 열매형)에 의해 제어된다는 가설은 현재 받아들여지지 않고 있다. 어느 한 편으로, 비록 유전자가 생물군계 또는 다인자 효과에 대해 반대적인 의미에서 주된 효과를 갖고 있다는 것을 받아들이더라도, 많은 유전자들이 연관되어 있다고 결론 내릴 수 있을 것이다. 다른 한편으로 모발 형태는 다인자적이지만 상대적으로 거의 유전자는 관련 되어 있지 않다고 알려져 있다.

몽골인들은 남성 여성 모두 음모나 겨드랑이, 수염과 몸통의 털이 코카서스인보다 적다. 겨드랑이 털과 일일 성장의 평균 개수에서와 같이, 굵은 수염으로 덮인 표면 부위와 일일 성장 수염의 무게는 코카서스인이 일본인보다 더 많다. 털의 양뿐만 아니라 분포 양식도 개체군 사이에서 다를 수 있다. 따라서, 허벅지와 종아리에는 있고 발에는 털이 없는 경우는 백인보다 흑인에서 세 배나 많다.

나선형으로 가장자리에서 굵은 머리카락이 자라는 것(hypertrichosis of the pinna)은 많은 남성에서 17세와 45세 사이에서 일어나는데 특히 벵골인과 스리랑카인에서 뚜렷하게 나타난다. 그 성격은 Y-연결 유전의 가능한 표본으로 유전학자에게 잘 알려져 있다. 다른 종족에서, 거의 없거나 또는 많은 굵은 머리카락이, 보통 30년 후, 나선형으로 또는 귓바퀴의 다른 부위에서 자랄 수 있다. 그 유형은 분류는 되어 왔지만 그들의 유전 양식은 알려져 있지 않다.

'털투성이 팔꿈치' (hypertrichosis cubiti) 증상도 기록되어 있다. 유전 양식은 알려져 있지 않으나, 팔꿈치 부위의 털과다증은 출행 후 곧 눈에 띈다. 그것은 5세가 되면서 정도와 심각성이 극에 달하며 그리고 나서 천천히 퇴화될 수 있다.

그러한 모발 성장 유형에서의 인종별 편차는 이제 다른 유전적 특성과 함께 정확하게 기록되고 상호 연관될 수 있다. 그것들은 의심의 여지 없이 유전적인 관심을 가지며, 눈썹의 유형에서의 어떠한 변형들처럼, 임상학적으로 시사점을 지닌 것으로 판명될 수도 있다.

연령에 따른 변화
CHANGES WITH AGE

사춘기에 종말털은 점차 솜털을 대체하면서 특정 부위에서 나기 시작한다. 소년 소녀 모두, 일차 음모는 숱이 적고 길고 푹신하며, 약간 색소성을 띠고 대부분 곧바르다. 후에 그것은 더 검고 굵고 더 곱슬해지고 면에서 역삼각형을 형성하는 쪽으로 확대된다. 영국에서의 관측들에 따르면 소년이 눈에 띌만한 최초의 음모를 갖는 나이는 평균 13.4세로 나타났고 완전한 성인 '여성' 형은 15.2세로서 생식기관이 발달하기 시작한 후 약 3년 반이다. 이와 대응하는 소녀의 평균 나이는 현저하게 더 어린, 즉 11.7세와 13.5세였다. 약 80%의 남성과 10%의 여성에서 음모는 이십대 중반 또는 그 이후까지 계속해서 퍼져 나간다. 남성과 여성의 유형에 어떤 절대적인 구분은 없고 단지 정도의 구분만이 있다. 3858명의 정상 젊은 남성에서 4.7%가 음모에 대해 수평 상위 경계(horizontal upper border)를 갖고 있고, 더욱이 10.3%는 볼록한 경계를 지닌 것으로 발견되었다. 25-34세의 여성 집단에서 3.7%가 뾰족한 끝을 가진 상단 경계를 갖고 있는 것으로 발견되었다.

겨드랑이 털은 음모가 자라기 시작한 뒤 약 2년 정도면 나타난다. 완전하게 자란 질량의 무게로 측정되는 무게는 여성뿐 아니라 남성에서도 20대 후반까지 계속해서 자라지만 어떤 나이대에서도 여성의 털은 무게가 덜 나간다. 날마다 자라는 평균량은 늦은 사춘기에서부터 20대 중반까지 증가하며 그 이후로 점차적으로 감소한다.

소년의 얼굴에 나는 털은 겨드랑이 털과 같은 시기에 최초로 나타나는데, 윗입술 가장자리에서 시작, 콧수염을 완성하기 위해 중간으로 퍼져나가고, 그 다음에 턱과 아랫수염으로 퍼진다. 윗입술, 미간과 턱 같은 중간선 위의 일부는 털이 자라지 않는다.

종말털의 발달은 다리, 넓적다리, 아래팔, 배, 엉덩이, 등, 팔, 어깨 위 등에서 규칙적 연속성을 갖고 지속된다. 목, 흉부, 등, 팔다리 위의 말단모의 분포 유형은 명확하게 구별되고 분류되어 왔다. 일부 증례에서 털의 성장 결여와 사춘기에 여드름이 없는 것은 여드름 없는 모반 또는 털이 없는 부위가 있다는 점을 시사해 준다. 종말털의 정도는 성적인 성숙기 내내 증가하는 경향을 갖지만, 대부분의 유형들은 광범위한 나이대에 걸쳐 나타난다. 성인 유형은 40세가 되기까지 습득되지 않으며 이때는 안드로겐 수치가 이미 초기 성년의 삶보다 다소 낮을 때이다. 게다가 귓털은 늦은 중년기까지는 나타나지 않으며 남성에서 자세하게 흉골의 털을 관찰한 결과 그 털은 사춘기에서 50, 60세가 되기까지 길이와 숫자에 있어서 계속 증가한다는 사실을 보여 주었다.

두피의 어떤 모낭은 나이와 더불어 퇴화되어 오직 가늘고 짧은 솜털을 만들어낸다(**그림 1.29**). 대머리의의 이러한 현상은 유전되며 남성 호르몬을 필요로 한다. 성인에게서는 거세를 한다고 근본적으로 완전히 돌아오는 것은 아니지만, 사춘기 전에 거세를 함으로써 방지될 수 있다. 코카서스계 남성의 약 삼분의 일은 30세와 40세 동안에 뚜렷하게 정의되는 탈모증의 반(patches)을 하퇴(lower leg)의 종아리 부위에서 발달시키고 종종 더 작은 반을 장딴지에서 발달시킨다. 일부는 그 부위에 털이 하나도 나지 않았다.

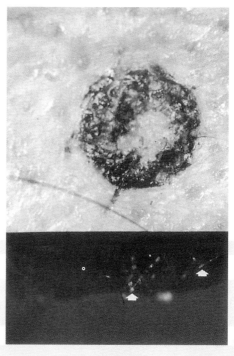

(a) (b)

그림 1.29
털 성장 평가. 대부분의 남성에서 종말털을 자라게 하는 많은 두피 모낭이 있다. (a) 맨 위 - 얼굴 위 아래 - 휴지기의 곤봉모를 가리키는 화살과 함께 측면상. 안드로겐의 영향 하에서, 이들 모낭들은 거의 눈으로 볼 수 없는 솜털을 생산하는 퇴행성-유형 모낭을 자라게 할 것이다.
(b) 위 - 얼굴 위 아래 - 수축 솜털 성장기 뿌리와 휴지기 곤봉을 가리키는 화살표와 측면상.

계절적 변화
SEASONAL CHANGES

위에서 언급한 바처럼 인간의 털이 자라는 것은 계절에 따라 차이를 보인다는 증거를 많은 관찰자들은 주목해 왔다. 계절에 따른 변화에 대한 명확하고 통계적으로 의미가 있는 자료로써 영국에 사는 젊은 코카서스 남성에 대한 연구가 제공했다. 이들 변화는 아마도 주로 몸의 온도 제어와 관련해서, 항온동물에서 여름부터 겨울까지의 외피 변화의 중요성을 반영한다. 명확하고도 통계적으로 중요한 계절 변화에 대한 자료는 유럽의 몇몇 연구도 제공되어 왔다.

> 인간의 털이 자라는 것은 서로 다른 부위에서 계절적인 변화를 보일 수 있다 - 온
> 화한 계절에서 늦봄/이른 여름의 성장은 최고조를 이룬다.

9월에는 정점에 달하고 12월에는 최저치에 이르는 두피 모발에서의 휴지기의 증거가 있었다. 이는 약간의 지연-시기와 더불어 7월에서 기록된 최고 온도와 6월에 기록된 최고의 복사열 뒤에 오는 것처럼 보였다. 광 모발계수 기법을 이용해서 이 자료는 생성되는데, 성장기 두피 모낭의 비율은 머리털을 뽑아서 확정한 것처럼 3월에 즈음해 90% 이상의 단일 최고점에 이르렀고 9월에는 점차 떨어졌다. 이 형태는 두피 전 부분에 걸쳐 공통으로 나타나는 것처럼 보였다.

환자들이 수거한 탈락된 모발의 갯수는 모낭의 활동 양식과 밀접한 관계가 있었다. 탈모는 8/9월에 정점에 달했으며 이때에는 가장 적은 수의 모낭만이 성장기에 있었다. 이때 평균 탈모는 하루 약 60개였으며 이전 3월 동안보다 두 배 이상이었으며 휴지기 모낭의 비율에서 10%에서 20%상 증가했다는 관찰과 일치했다.

비록 그러한 경향은 허벅지에서 체취한 털 지름의 경향과 비슷했지만, 성장하는 두피 모발의 지름은 계절에 따른 현저한 변화를 보이진 않았다.

수염이 자라는 비율은 계절에 따라 현저한 차이를 보였다. 1월과 2월에 가장 낮았으며 3월부터 그것은 지속적으로 증가해서 7월에는 약 60% 이상이나 높은 절정에 달했다.

허벅지 털의 성장률은 수염과 비슷한 계절상의 양상을 보여줬다. 2월에서 3월까지의 평균률은 하루에 0.27mm였다. 그리고 나서 그것은 6월에서 9월까지 하루에 0.3mm의 높이까지 올라갔으며 점차 6개월 동안 내려갔다. 성장기 모낭의 비율은 눈에 띄는, 상당히 다른 형태를 보였다. 3월과 8월에 가장 낮은 것처럼 보였고 5/6월과 11/12월에 가장 높은 것처럼 보였다. 양식은 다른 많은 온대의 포유동물과 마찬가지로 만약 모낭이 봄 털갈이와 가을 털갈이를 거친다면 정확히 예측될 수 있는 것이었다. 비록 그 차이는 덜 명확했지만, 허벅지 털의 지름은 모낭 변화의 그것과 비슷한 패턴을 보여주었다.

수염과 허벅지 털의 성장률 상의 계절에 따른 변화는 아마도 순환기 안드로겐에서 연주기 변화 또는 광주기 영향 하에서의 기타 호르몬적 변동을 반영한다. 두

피 휴지기에서의 모낭 비율의 증가와 연관된 탈모되는 증세의 정점은 테스토스테론의 레벨과도 비슷하게 연관되어 있지만, 그러한 설명은 허벅지 털 모낭의 뚜렷한 변화를 설명하기에는 불충분하다. 광주기에 의해 규제되는 다른 호르몬 요소도 아마 인간의 털 모낭을 계절적으로 갱신하는 것을 측정하는데 중요한 역할을 한다.

기본 과학에 대한 이러한 고찰로부터 이해될 수 있는 바처럼 털의 성장과 조절에 대한 우리 이해에 대해 많은 틈들이 남아 있다. 현재의 많은 털 측정 방법에 있어서의 털 생물학 연구와 발전 및 표준화는 새로운 치료를 개발하고 조사하는 일에 종사하는 이들을 도와줄 더 많은 적절한 정보를 제공할 것이다.

FURTHER READING

Blume U, Ferracin I, Verschoore M, Czernielewski JM, Schaefer H (1991) Physiology of the vellus hair follicle: hair growth and sebum excretion, *Br J Dermatol* **124:** 21–28.

Chuong CM, Hou L, Chen PJ, *et al* (2001) Dinosaur's feather and chicken's tooth? Tissue engineering of the integument, *Eur J Dermatol* **11:** 286–292.

Pagnoni A, Kligman AM, El Gammal S, Stoudemayer T (1994) Determination of density of follicles on various regions of the face by cyanoacrylate biopsy: correlation with sebum output, *Br J Dermatol* **131:** 862–865.

Robinson M, Reynolds AJ, Gharzi A, Jahoda CA (2001) In vivo induction of hair growth by dermal cells isolated from hair follicles after extended organ culture, *J Invest Dermatol* **117:** 596–604.

Stenn KS, Paus R (2001) Controls of hair follicle cycling, *Physiol Rev* **81:** 449–494.

Sundberg JP, King LE, Bascom C (2001) Animal models for male pattern (androgenetic) alopecia, *Eur J Dermatol* **11:** 321–335.

Van Neste D, Randall VA (eds) (1996) *Hair research for the next millennium* (Amsterdam, Elsevier).

Van Neste D, Blume-Peytavi U, Grimalt R, Messenger A (2003) *Hair science and technology* (Tournai, Skinterface).

Chapter 2

모발 검사와 조사
HAIR EXAMINATION AND INVESTIGATION

가려움증이나 수포성 발진을 호소하는 환자를 진료할 때 대부분의 임상의들은 신중 임상적 검사를 하고, 필요하다면 적절한 조직학적, 생화학적, 기타 실험실 조사를 충분히 합법적으로 할 수 있다. 모발 질병의 발병기전을 연구하는데 필요한 특정 기법에 대한 세부 사항은 많은 임상학자들과 병리학자들에겐 수수께끼로 남아 있는데 그 이유는 관련된 방법이 어느 한 특정 영역 내에 있지 않기 때문이다. 이 절에서는 털의 성장을 연구하는 것에 대한 임상적 방법과 털줄기(hair shafts)와 모낭(hair follicles)의 세부적인 검사에 대한 현미경적 방법에 대해 생각해 본다.

병력청취는 탈모 평가에 있어 가장 중요하다. 머리가 벗겨지기 시작하거나 또는 탈모를 호소하는 환자는 사실 모발이 탈락되는 비율이 증가하고, 단위 면적당 모발이 줄어들고, 모발 지름이 감소하거나 또는 이런 것들이 조합된 경우이다. 때때로 이것은 모발 주기가 상당히 짧아지고, 모발의 재생이 지연되거나 또는 모발 색소침착이 감소하거나 또는 처음부터 내적요인에 의한 엷은 모발로 인해 더욱 악화될 수 있다. 신중한 질문을 통한, 특별한 일련의 조사와 감별 진단으로 그 선행 요인들을 평가할 수 있다. 이러한 요인들은, 반드시 모발

질환의 진행을 정확히 평가하고 또한 치료에 의한 변화를 평가하기 위해, 수량화 되어야 한다는 점이 중요하다. 전체 모발 질량은 축적된 성장과 직접적으로 연관되어 있기 때문에, 모발 클리닉에서 쉽게 적용할 수 있는 하나의 실제적인 양식은 두피의 전체 범위를 한꺼번에 포착하는 것이다(그림 2.1). 목표 부위(머리 정수리의 흰 점, top panel; 그림 2.1) 내에서의 자세한 분석적 상관 관계를 연구하는 동안, 남성형 대머리에서 기술된 것처럼, 두피 모발 표본의 표준화는 임상적 양상을 두피 피부 적용 범위 분석을 위한 적절한 자료가 될 것이다. 최근 일련의 확인과 조사 연구에서 두피 적용범위 점수(scalp coverage scoring)(SCS; Skinterface patent PCT/EP01/06970) 방법은 다양한 임상적 목적으로 남성형 대머리 연구에 적용될 수 있을 것이다. 실제로, SCS(Scalp Coverage Scoring)가 1년이 안 된 안드로겐 탈모(AGA)의 자연적 악화를 감지할 수 있기 때문에 이 방법은 실시간으로 생체 내에서와 전체 사진 상에서 AGA 환자들의 심한 정도를 확인하는데 사용되어 왔다(그림 2.1). 이에 따라 SCS는 임상 조사원들의 인상에 의존하는 것보다는 약물의 효과로 인한 변화를 측정하는 국제 멀티센터 II-III 상 임상 조사 기간의 실질적인 도구가 되어 왔다. 총체적인 방법들은 누적 성장에 기반을 두고 있기 때문에, 이 방법은 변화를 감지하는 데 약간의 시간을 필요로 한다. 다른 방법 또한 같은 현상에 근거하지만 성장의 일부 국면을 더욱 자세히 측정한다.

예를 들면, AGA와 다모증에서, 성장기 또는 휴지기 모발 계수의 변화, 직선형 성장률, 모발의 굵기, 그리고 속질형성(medullation)과 색소는 병에 걸린 사람이 주관적으로 그 변화를 관찰하기 전에 감지될 수 있다. 모발 성장은 몇가지 쉬운 임상적 조사로 평가할 수 있다. 일일 모발 성장은 면도 후 눈금자를 갖고 측정할 수 있다. 머리 모양 때문에 일부 제한이 있지만 성장 주기의 성장기 지속 시간은 잘리지 않은 모발의 총 길이를 일일 성장률로 나누어서 계산할 수 있다. 절대적으로 정확을 기하자면, 이것은 일부 사람에서 적어도 5-7년 동안 머리카락을 자르지 않는다는 것을 의미한다! 어떤 상황에서는 휴지기와 성장기 모발의 상대적인 비율을 아는 것만이 필요할 수도 있다. 이것은 덜 세련된 평가로 남아 있으며, 뿌리를 검사하기 위해 머리카락을 뽑는 것 - 단위 면적 모발계수(trichogram)와 같은 철저한 표본 기법을 사용해서 - 으로 측정할 수 있거나 또는 두피 생검과 연속적인 단면절단 또는 모낭영상(folliculogram) 등으로 검사할 수 있을지도 모른다. 이미 탈락되기 위해 처리된 즉,

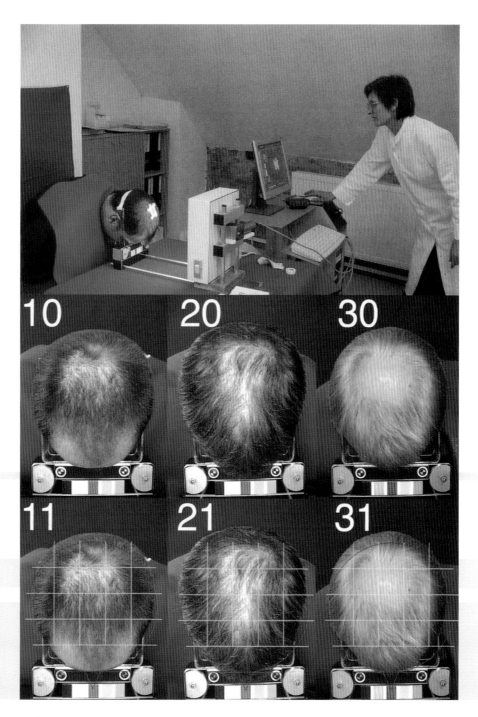

그림 2.1
남성형 대머리에서 머리 꼭대기의 전체적인 면을 포착하고 두피 적용범위(Scalp Coverage)을 평가하기
위한 표준화된 방법. 참고 격자를 통해 보이는 각 구역은 밀도 자에 대해 등급이 매겨져 있으며 두피 적
용범위(Scalp Carerage) 점수를 나타낸다(SCS 방법; Skinterface 특허 PCT/EP01/06970).

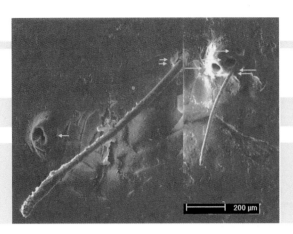

그림 2.2
탈락된 모발을 특정하게 포착하기 위한 비침습적 방법. 가늘고(오른쪽 패널) 굵은(왼쪽 패널) 탈락된 모발은 남성형 대머리인 환자에서 수거되었다. 단일 화살표는 모발 - 성장기 또는 휴지기 - 을 함유한 모낭 구멍을 확인하는 반면 이중 화살표는 완전히 분화된 곤봉털을 방출하는 탈락기 모낭을 가리킨다 (Skinterface 특허 PCT/EP02/06434).

퇴행기 모발인 곤봉모만이 오직 머리를 빗거나 감을 때 탈락된다는 사실에 주목해야 한다 - 성장기, 퇴행기 - 휴지기의 두피 모발은 너무도 단단히 결합되어 있어서 이런 절차로는 제거되지 않는다(Skinterface patent PCT/EP02/06434). 탈락되는 굵거나, 가는 단위 면적당 모발 수를 헤아리기 위해 보다 세련되고 거의 통증이 없는 수량 기법이 개발되어 있다(**그림 2.2**). 이 과정은 두피 모발을 자르지 않고도 적용할 수 있을 것이다!

명백하게 머리가 벗겨지는 증상이 없는 만성적인 모발 탈락을 호소하는 환자도 있다. 그런 환자들 또는 광범위한 탈모를 보이는 사람들은 전신 검사를 거쳐야 하며 모발 성장을 적절하게 검사해야 한다.

모발 주기의 길이 LENGTH OF THE HAIR CYCLE
-모근 검사 EXAMINATION OF HAIR ROOTS

모발 주기(hair cycle)의 길이는 오랜 시간동안 관측하고 개별 모발을 정확히 확인하는 것을 통해 연구될 수 있다. 모근 상태의 평가와 함께 모발 길이와 일일 선형 성장을 이용, 전반적인 성장을 평가하는 것이 훨씬 편리하다. 이것은 성장 주기(성장기 = 전체 길이/일일 성장)와 성장하는 모근의 비율에 대한 정보를 준다. 모근은 모발을 뽑아서 검사한다(**그림 2.3-2.8**). 털줄기들(shafts)을 꽉 잡고 털줄기들이 자라나온 방향으로 힘차게 뽑아야 한다. 이것은 모근이 변형되지 않도록 하기 위해서이다. 수술용 니들 홀더가 사용되며, 양날은 꽉 잡혀지도록 하기 위해 가느다란 고무관이나 또는 셀로판 테이프로 덮는다(**그림 2.3, 2.4**). 표본 오차를 줄이기 위해 약 50개의 머리카락을 뽑는다. 모근은 저전압 현미경(a law-power microscope) 하에서 조사된다(**그림 2.5**). 모근의 형태는 안정적인 상태로, 분석 전 건조한 포장 속에서 모발

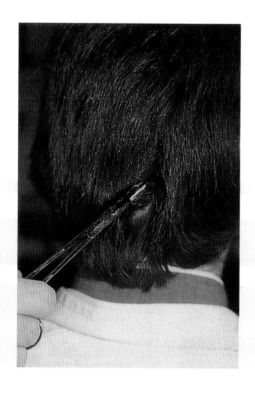

그림 2.3
성장기/휴지기 계산과 모근의 현미경검사를 위한 두피 모발 표본추출 방법.

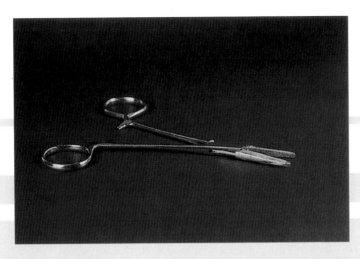

그림 2.4
그림 2.3에서와 같이 모발 표본추출에 사용되는 집게.

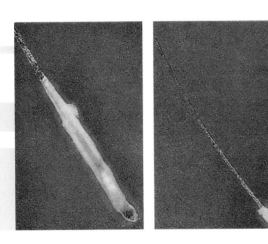

그림 2.5
모근 현미경 검사 - 성장기 6 단계(왼쪽)과
휴지기(오른쪽) 모근.

을 수주 동안 보관할 수 있다. 정상적인 휴지기 모발 계수는 정수리에서는 13-15%이
지만, 이 숫자는 부위에 따라, 나이에 따라 그리고 생리적 안드로겐의 영향과 많은 다
른 요인들에 따라 변한다. 모근의 형태 역시 중요하다: 주름지고 위축된 모근은 단백
질-칼로리 영양결핍의 특징이다(PCM=Protein-Calorie Malnutrtion).

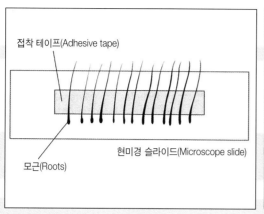

그림 2.6
현미경 검사를 위해 준비된 뽑힌 모발들

그림 2.7
모발을 뽑은 부위에서 경미한 모공 출혈을 보여주는 두피

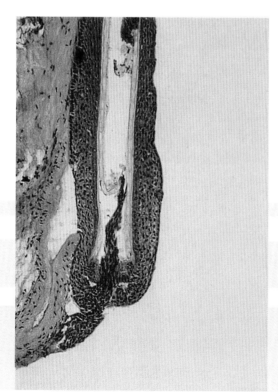

그림 2.8
그림 2.7에서의 출혈 모낭으로부터 제거된 모낭 성분

조직학적 기법
Histological techniques

특히 머리가 벗겨지기 시작한 두피를 검사하거나 또는 털줄기가 너무 짧아서 잡기 어려운 동안 다시 자라는 것을 평가할 때, 뽑는 것으로 대표할 만한 표본을 습득하는 것이 언제나 가능한 것은 아니다. 이러한 문제를 극복하기 위해 몇몇 조사원들은 조직학적, 형태계측적 기법을 고안했다(**그림 2.9**). 표준화는 잘린끝 꼬리를 지닌 아시아산 일본 원숭이와 다른 영장류에서 이루어졌는데, 이들은 "인류(Homo sapiens)"의 그것과 비슷한 AGA를 발달시킨다. 연속적인 수평 피부 단면도가 모낭의 길이를 따라서 측정되며 folliculogram은 두피의 다른 부위들을 비교하기 위해, 모낭 길이와 발단 주기를 지수로 사용해서 구성된다. 모근이 종말털에서 솜털로 변할 때 그 길이는 감소한다. 이것은 치료를 했을 때의 성장의 서로 다른 양상들과 변화를 나타내기 위해 사용되어 왔다. 남성형 대머리의 남성에 대해서 비슷한 접근이 제안되어 왔는데, 이 접근법은 피나스테라이드(finasteride) 또는 위약 플라세보(Placebo)로 경구 치료한 1년 뒤에 두피 모낭을 비교하는 방식이다(**그림 2.10**).

휴지기 탈모는, 표준화된 머리빗는 기법과 탈락된 머리카락을 세는 것과 조합해서, 휴지기 모근의 증가를 실증하는, 두피 조직학에 의해 처음에는 연구 되었다. 이러한 통제된 자료는 정상 모집단의 90%는 하루에 75개 보다 적게 탈락되는 것을 밝혀냈다.

헤딩턴 기법(Headington technique)은 4-6mm 편치 생검을 통해 채취된 두피의 수평 단면에 의해 모근에 대한 자세한 연구가 가능했다(**그림 2.11**). 이 방법은 각각의 다른 성장 국면에서의 모근의 가로 단면을 정의한다. 0.03mm 보다 적은 지름을 지닌 것으로 정의되는 솜털은 피지관의 입구 아래에서는 보이지 않는다. 성장기 모발은 내모근초(inner roots sheath)와 tricholemma에서 각질세포 괴사가 없는 것으로 구분된다. 퇴행기 모발에서는 아래쪽 외모근초에서 기저막이 독특하게 굵어진다. 휴지기 모낭은 구근 모양의 외형을 가지며 내모근초를 잃는다. 이러한 기법으로 6-mm 편치 생검은 22-30개의 모낭 단위 또는 60-80개의 종말털을 생성해 낸다. 일단 이러한 기법을 사용하는 오리엔테이션에 숙달되면 모낭 단위의 전체 수와 밀도, 모낭 구조, 발전 단계, 그리고 털줄기 지름 등에 대해 상당한 자료가 수집될 수 있다. 대

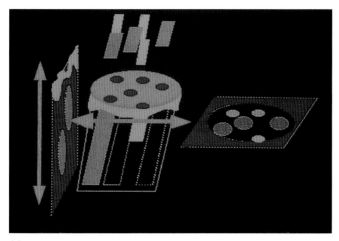

(a)

그림 2.9
(a) 두피 생검을 보기 위한 조직학적 방법 - 세로 또는 가로 단면. 중앙, 두피 표면의 6개의 개별 모낭에서 취한 6개(3개는 가늘고, 3개는 굵은)의 모발에 대한 두피 표면 생검의 개략도. 단면은 수평(모낭의 축에 대해 직각에서) 또는 수직(모낭 축을 따라서)으로도 만들 수 있다. 세로 단면에서(왼쪽) 소수의 모낭을 한 번에 볼 수 있으며 대개 오직 모낭의 일부만을 볼 수 있다. 그러므로 전반적인 모낭 활동 모습을 얻기 위해서는 많은 연속적인 단면을 검사하는 것이 필요하다. 가로 단면에서(진피-표피 이음부 아래 1.5mm에서 만들어진) 모든 모낭 단위들은 한 번에 관찰될 수 있다(오른쪽). 모낭의 지름은 섬유의 지름과 상호 연관되며, 모발 주기 단계는 쉽게 확인될 수 있다. 가장 축소된 모낭들은 상위 분절에서 연속적인 절개를 필요로 할 수 있는데, 그 이유는 그들이 언제나 1-1.5mm 깊이에 도달하는 것은 아니기 때문이다.

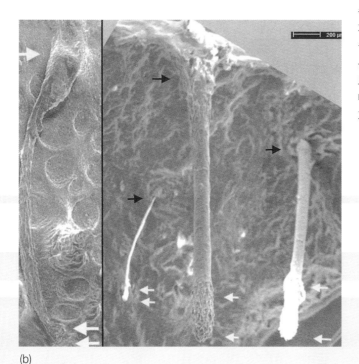

(b)

(b) 모낭영상(folliculogram) 분석을 위한 원본 두피 조직 표본 방법 후 3차원 디스플레이에서의 성장기(왼쪽 패널)와 휴지기(오른쪽 패널)의 스캐닝 전자 현미경 검사도. 모습과 모발 두께와 함께, 깊이 - 즉 미세 절단된 두피에서 표피의 기저(단일 화살표; 성장기는 흰색, 휴지기 모근은 검은색)로부터 뿌리의 가장 깊은 부분까지 - 는 개별 모근의 자라는 상태를 반영한다. 이들은 모발 성장력에 직접적으로 관련된다: 성장기의 더 짧은 지속 시간과 연관되기 때문에 휴지기에 더욱 빈번하게 휴지기에 있는 축소된 모근과는 대조적으로, 굵고 깊이 자리잡은 성장기 모근은 굵고 긴 그리고 임상적으로 중요한 모발을 생산할 것이다. 깊이 이외에도, 곤봉의 크기 역시 축소화를 반영한다(오른쪽 패널에서 흰 화살표들 사이의 거리).

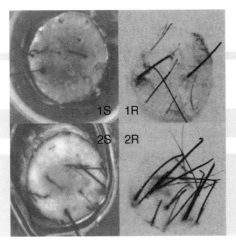

그림 2.10

Finasteride 또는 위약으로 경구 치료한 1년 후의 두피 모발과 모근의 표면도와 뿌리도.

기준선(base line)에서 같은 모발 밀도를 지닌 두 환자들에서(사진 기법에 의해 결정되듯이) finasteride(1 mg/날) 또는 위약으로 경구 치료한 1년 후의 기정의된 두피 목표로부터 생검을 했다. 표본들은 표면도(1S = 위약; 2S = finasteride)와 모낭근(1R = 위약; 2R = finasteride)을 보여주도록 처리되었다. Finateride는 대다수가 더 굵고 깊이 자리잡고 대개는 성장기 뿌리인 반면 위약은 더 위축되고, 축소된 성장기 뿌리와 심지어는 더 높은 휴지기 비율을 보여 준다.

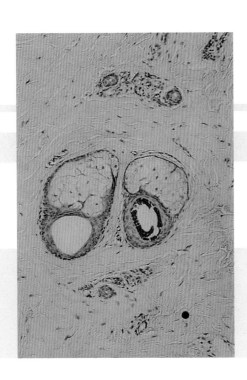

그림 2.11

피지관 수준에서의 모낭 구조의 가로 단면

조표준에서 모낭 90% 이상이 성장기에 있었으며 10% 보다 적은 수의 솜털이 있었다. 이제는 비슷한 결과를 두피 조직을 손상시키지 않고 세포 내에서 성장 과정을 감시할 수 있도록 하기 위해 콘트라스트가 증강된 phototrichogram을 갖고 습득한다.

　뿌리의 양은 최초에 피부의 수평 단면을 이용해서 계산한다. 이 방법은 단면간의 부피가 절단된 원추 모양에 근사하며, 전체 부피는 조각의 합으로 구성된다고 가정했다. 기질의 부피는 전체 뿌리에서 유두(Papilla)의 부피를 감하고 계산되었다. 이러한 방법으로 정상 모발에서 유두(Papilla)는 $338 \times 10^3 \mu m^3$ 이고, 1220개의 세포를 함유했으며, 기질(matrix)은 $3379 \times 10^3 \mu m^3$ 에, 유사분열에서 139개의 세포를 갖고 있었다. 기질의 부피는 유두의 높이와 비례한다는 사실이 발견되었다. 진피 유두와 쥐와 생쥐의 완전히 자란 털의 부피 사이에 항시적인 관계가 발견되었다. 인간에서 기질의 부피와 진피 유두 사이의 비율은 대조표준에서는 15이고 남성형 대머리에선 18이라는 사실이 발견되었는데, 후자에서 균질적인 위축을 나타낸다. 어떤 질병의 상태에서, 가느다란 털이 진피 유두가 비정상적으로 심하게 위축된 상태로 부터 자란다. 그러한 증례에서, 예를 들면 trichorhinophalangeal (TRP) 증후군의 경우 VM/VP 비는 32이다. 이는 모발 성장의 패턴을 좌우하는 진피 유두의 크기가 압도적으로 중요하다는 사실을 가리킨다. 상피 조직의 상당량이 상태가 양호함에도 불구하고 실제로는, TRP 증후군에서는 극히 가는 모발이 생성된다. 더 앞서의 방법은 저전력 현미경 하에서 교정된 모세혈관 미세피펫에서 물의 선상 전위로 뿌리의 부피를 측정했다. 뿌리의 부피 추정과 단백질 함유는 직접적으로 비례하며 체중 감소와 매우 상호 연관돼 있다.

모낭 동력학
FOLLICLE KINETICS

모발 성장은 세포 증식과 성숙 과정이 조합된 최종 결과이다. 전체 세포가 제거되고 구조적으로 보존되기 때문에, 그것은 모낭에 의한 완전분비에 비유될 수 있는데, 이것은 수개월 또는 수년간 지속되는 갑작스런 활동으로부터 일어난다. 그러므로, 조직 층에서, 궁극적인 성장의 측정은 기질세포동역학의 검사에 의해서 이루어진다. 동역학 활동을 판단하는 두 가지 방법이 있다. 증식 지수들과 중기 정지이다. 전자는 주어진 시간에 활발하게 나뉘어지는 세포 수의 총계이고 후자는 주어진 기간 동안 유사분열에 들어가는 세포의 수의 총계이다. 증식 지수는 세포 주기 내에서 특정 단계에 세포의 비율을 측정할 훨씬 간단한 방법을 제공한다. 합성(S 단계)과 유사분열(M 단계)은 가장 쉽게 감지되고 표지 지수(S phase)와 유사분열 지수(M phase)에 의해 측정될 수 있다.

유사분열 지수
Mitotic index

유사분열 숫자는 밀랍으로 처리된 절단면 위에서 셀 수 있다. 유사분열 지수란 관찰한 유사분열 숫자를 총 세포수로 나눈 값이다. 유사분열에는 네 단계가 있다: 전기(prophase), 중기(metaphase), 후기(anaphase), 종말기(talophase). 초기와 늦은 단계는 식별하기 어려우며 구분을 위한 기준은 반드시 명확하게 정의되어야 한다. 전체 종자층 기질(entire germinative matrix)을 교체하는데 이르면 23시간 정도 걸리는 것으로 측정되었다.

표지 지수
Labelling index

DNA(S기)를 합성하는 세포들은 ^{3}H-티미딘을 포함하는데, 이것은 이제 자기방사선술(anioradiograghy)로 시각화 될 수 있다(그림 2.12). 자기방사선으로 인화된 후 나타나는 표지는 베타 입자의 방사로 인해 핵 위에서 은색 과립으로 보인다. 유감스럽지만 배후 방사선 간섭을 제거할 지라도 여전히 이 기법에는 많은 위험이 남아 있다. 이 방법은 시험관 내에서 ^{3}H-티미딘(2.5시간 동안 92 MB/ml)을 함유한 중간 크기의 피부 조각들을 배양함으로써 수행될 수 있고, 생체에서는 ^{3}H-티미딘 184 MBq/ml을 진피 내로 주사하고 일정 시간 경과 후에 생검을 함으로써 수행될 수 있었다. 결합되지 않은 티미딘은 재빨리 제거되었고 오직 S기에 있는 세포들만이 주입된 티미딘과 결합하였다. 역동적 연구를 위해 결과는 반드시 다수의 사람들로 부터 외삽법에 의해 추정되어져야 한다. 왜냐하면 ^{3}H-티미딘의 다중 주사는 매우 독성이 강하기 때문이다. 표지 지수는 수량 1000개의 세포 표본에서 표지된 세포의 비율이

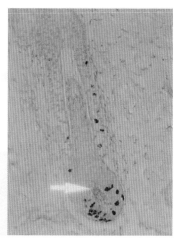

그림 2.12
DNA 합성 부위를 보여주기 위해 radiolabelled thymidine으로 염색하였고(왼쪽 화살표) 단백질 (protein) 합성을 보여주기 위해 radiolabelled cystine(오른쪽 화살표) 염색한 성장기모근.

며 동적인 사건의 정적인 평가를 제공해 준다.

> 모발기질의 동력학이 전반적으로 중단되는 일 없이, 억제되는 경우, 모발의 지름이 좁아지는 것은 명확하며, 이러한 현상은 성장 억제를 수량화 할 수 있는 가장 쉬운 방법이다.

중기 정지
Metaphase arrest

stathmokinetic 약제를 복용함으로써 세포들을 중기에 멈추게 할 수 있다. 양들에 관한 초기 연구는 서로 다른 계절에서 성장하는 것에 대한 연구를 위해 전신성 colcimid를 이용, 수행되었다. 중기 핵을 지닌 세포는 계수가 측정되었고 전체에 대한 비율로서 표현되었다(중기 지수). 유사분열 방추를 방해하는 빈크리스틴 (vincristin)은 아마도 가장 뛰어난 약물일 것이다. 그것은 돼지의 피부 털이 자라는 것을 검사하는데 사용되어 왔지만 인간의 털에 대해서는 사용되지 않아 왔다. 용량 반응곡선(dose-response curve)은 그것을 사용하기 전에 반드시 계산되어야 하며, 이는 오직 편평상피에 대해서만 행해져 왔다. 중기 지수의 증가율은 유사분열에 들어가는 세포의 수에 비례하는데, 즉, 주사시와 조직을 표본 채취하는 사이의 시간에서 세포가 태어나는 비율에 비례한다. 중기 지수는 따라서 표지 지수와 다르며 표지 지수는 세포 생성에 대한 어떤 정보도 없이 단지 정적인 측정만을 제공한다. 중기 정지 기법은 세포 생성 비율의 측정을 제공해 준다. 그것은 한층 정확하고 계몽적인 방법이며 모낭을 연구하는 데 반드시 사용되어야 한다.

털줄기 길이와 지름 측정
HAIR SHAFT LENGTH AND
DIAMETER MEASUREMENTS

털줄기는 길이와 지름의 매개변수를 사용해서 측정되며 이들 측정치를 갖고 부피는 공식인 $\pi r^2 l$로부터 계산될 수 있는데, 여기서 r은 반지름이며 l은 길이다. 모발의 무게는 부피에 대해 비교 가능한 양이지만, 수염깍는 방법, 세안, 그리고 상피 부스러기를 제거하는 것에 대해서는 반드시 주의 깊게 표준화 되어야 한다. 길이를 재는 가장 쉬운 방법은 털을 표백하거나 깎고 나서 염색되지 않은 털이나 그루터기에서 그 이후 자라는 것을 재는 것이다. 면도는 휴지기의 털을 제거하는 이점이 있으나 부적절한 기전에 의해 살속으로 자라는 털이 있을 때는 다소 불편을 초래할 수 있다. 그러므로 어떤 실험실은 날카로운 가위로 두피 표면에 가까운 곳을 잘라내는 것을 더 좋아한다. 모발을 뽑으면 털줄기가 피부를 뚫고 자랄 때까지, 성장에서의 다양한 지연을 유발하기 때문에 유용한 방법이 아니며 동물 실험에 의하면 털을 뽑을 경우 선형 털 성장을 변형시키고 임의적인 성장기의 성장 단계를 한 동안 동시적으로 발생시킬 수도 있다는 점을 시사한다.

선형 성장의 측정에 널리 사용되는 두 가지 방법이 있다. 눈금을 가진 모세관 튜브(**그림 2.13**)와 거시촬영술(macrophotography)이다. 이 두 방법 모두 면도 후에 사용되면 반복할 수 있으며 관측자 사이에서 훌륭한 상관 관계를 제공한다. 모세관 튜브 기법은 쉽고 저렴하며 정확하게 눈금이 매겨진 튜브만 있으면 된다. 거시촬영술(macrophotography)은 확대와 방향성이 일정하게 유지되며, 처리 과정에서 확대 시 어떤 차질도 유발하지 않는다는 점을 확실하게 해줄 장치를 필요로 한다. 이것은 임상적 속도의 장점이 있다. 털들은 전체 길이가 보일 수 있도록 확실히 하기 위해 투명 유리창으로 카메라 광학 렌즈 앞에서 피부에 대해 납작하게 누른다. 기름을 첨가하면 모발 색조와 두피 배경 사이의 대비를 더욱 강조 한다. 모발과 두피 사이의 대비가 감소될 때(예를 들면 흰머리 또는 코카서스인의 솜털과 진한 피부를 지닌 사람의 검은 머리), 대부분의 촬영적 방법(비디오 촬영 또는 CCD 포착 같은 파생법)은 대조를 강화한 방법보다 덜 적절한 것으로 판명되었다. 모발 총계수, 시기 결정, 사진을 통한 방법으로 모발의 굵기 측정 등은 연속적인 두피 표본을 아래에서 밑바닥까지 연속 절개하는 것을 이용하는 조직학에 의해 생성되는 것들과 동일한 것으로 밝혀졌다. 방법들 간의 차이는 생물학적으로나 임상적으로나 어느 쪽도 적절한 것으로 고려되지 않았다. 오랜 기술 개발 후 우리는 이제 고품질의 방법을 고안했는데, 이것을 모발 성장 측정에 대해 임상적으로 적용하는 것은 의사와 환자 간의 의사 소통을 위한 중요한 도구가 되었다: 숫자는 진단이나 예후와 환자와의 치료 선택 사항을 논의하는 데 귀중한 것이다.

털줄기 위 기준점들은 ^{14}C-glucose와 ^{35}S-cystine과 같은 방사성동위원소를 합

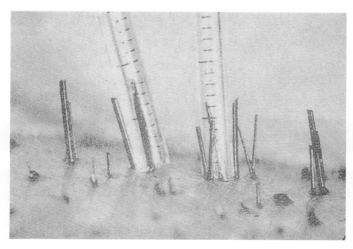

그림 2.13
눈금이 매겨진 모세시험관을 이용한 모발 성장 측정

일화한 후 자가방사선술에 의해 만들어질 수 있다. ^{35}S-cystine은 털망울(bulb)이 흡수하는 게 아니고 각질 형성 구역으로 직접 들어가는 것처럼 보인다. 생쥐에서, ^{35}S-cystine을 사용할 경우, 2분 뒤 상당한 방사능을 볼 수 있으나, 감지할 수 있는 활동은 30초 내에도 측정 가능하며, 이는 즉각적인 섭취를 시사한다. 2일 뒤 다수의 방사선은 각질 형성 구역 위에 있는 털줄기에 있으며 6일 뒤엔 피부 표면 위에 있다. 모낭 내의 어떤 방사능도 16일 뒤에는 측정 가능하지 않다. ^{35}S-methionine을 기니아 돼지의 정맥내, 경구로, 그리고 등위 정한 부위에 도찰(塗擦)하는 것을 통해, 일부 저자들은 각 형태의 투약과 함께 털줄기 표지에서 동일한 유형을 발견했다. 비록 그 부위로 피부내 주사되는 방사선표지는 연구되어야 하지만, ^{35}S-cystine 방법은 인간에서도 사용될 수 있다; 투약의 다른 경로는 적당하지 않다.

모발 잘라내기는 길이나 지름을 측정하기 위해 사용될 수 있으며 저전력 현미경에 탑재된 눈금 대안렌즈 십자선을 이용해서 측정될 수도 있다. 미세측정기는 털이 너무 부드럽고 저압착력을 내기 때문에 사용될 수 없다. 털은 반드시 캐나다 발삼(balsam)이나, 공기 중에 노출되면 유리처럼 단단해지는, 고점성 플라스틱인 Depex를 사용해서 유리 현미경 슬라이드 위에 장착되어야 한다. 대안으로는, 모발을 페트리접시에서 물 위에 떠다닐 수 있게 하고, 각각의 모발을 2차원적으로 지름을 측정하기 위해 주사기 바늘 속으로 당겨 넣을 수 있게 하는 것이다. 77과 39 μm(평균 최대와 최소 치수) 사이의 지름의 변이를 정상 모발에서도 찾을 수 있기 때문에 이 점은 타원 단면에서 중요하다. 다양한 조사원들이 털망울에서 털줄기까지 여러 부위에서 털의 지름을 측정했으며, 만약 외모근초 위에서 측정을 한다면, 비록 휴지기보다는 성장기에 더 크겠지만, 털의 지름은 털줄기 전반에 걸쳐 일정하다는 점을 발견했다. 두피 모발 측정값은 근위부 40mm에 대해 변치 않음을 보여 준다. 휴지기 모발은 망울 쪽을 향해 끝이 점점 가늘어진다는 사실을 주목해야 한다.

습도 때문에 부풀어 오르는 것과 털줄기의 타원형 가로 단면에 의해 모발의 지름을 측정하는 것이 복잡해질 수 있다. 몇몇 털의 평균 지름이 필요할 때 비록 우리가 오류를 알리기 위해 이러한 것들을 발견한 것은 아니지만 일부 장치들을 이러한 문제점을 극복하기 위해 고안되었다. 각각의 모발을 아교나 갈고리로 잡아 고정시켜서, 현미경 하에서 회전이 가능하도록 해주는 각각의 세포들이 사용되었다. 털줄기의 지름은, 길이를 따라 일정하지 않다는 것이 오랫동안 알려져 왔다. 이것은

20mm의 섬유를 따라 측정된 큰 지름과 작은 지름의 대표적인 수로부터 결정되었다. CE-PTG와 모발 지름의 현미경적 측정을 이용한 비교 연구를 하는 동안, 우리는 현미경 검사법이 잘 수행되지 못했다는 사실을 깨달았다. 놀랍게도 우리는 매우 가느다란 털이 다양한 단계에서 자라고 - 표본 추출 - 전시하는 과정을 견디고 점차적으로 벗어날 수도 있다는 것을 관찰했다! 또한 단면절단 기법을 사용할 때는, 그 목적이 무엇이든, 표본 추출에서 결과 전시까지 모든 요소를 고려했는지 확실히 하라. 다른 기법은 진동 공명과 레이저 빔 회절을 포함한다.

털의 무게는 인간과 동물 모두에서 털 성장 지수로서 사용될 수 있다. 무게는 기름과 인설의 영향을 받을 것이어서, 표준화된 방법이 반드시 확립되어야 한다. 이 방법은 다모증에서 소량의 항남성호르몬(anti-androgen) 치료 결과인 털 성장에서의 적은 감소를 측정하는데 적절하다.

털줄기 형태 HAIR SHAFT MORPHOLOGY
-솜털 지수 VELLUS HAIR INDEX

모근에 대한 안드로겐 자극은 솜털을 종말털로 또 그 역으로의 변환을 조정한다. 이 때문에 종말털에 대한 솜털의 비를 다모증에서의 모발 성장 지수로 사용할 수 있다. 피부의 한 부위를 면도하여(약 5cm×5.5cm, 하지만 범위를 정확히 정할 필요는 없다), 털줄기를 현미경으로 검사하고, 솜털의 비를 기록한다. 지수는 다모증과 비다모증 여성으로부터의 결과를 비교해 도출되지만, 현재 그것이 항남성호르몬 치료로 인한 미묘한 변형을 감지할 수 있을 정도로 적절하게 민감한지의 여부는 알려지지 않고 있다. 대규모 측정 프로그램(64,000개 이상의 털 지름을 측정하는 것)을 최근 우리 저자들 중의 한 사람(Van Neste 박사)이 머리가 벗겨져 가는 환자들에서 완성했다. 위약과 비교했을 때 finasteride 복용 후 비록 8%나 더 두꺼운 털이 있었지만 그 연구는 finasteride와 위약 치료 사이의 절단된 털 지름 분포에서 통계학적으로 현저한 차이는 보여주지 못 했다(12개월의 연구). 이것은 기저선에서 휴면 중인 모낭이 가는 털을 만들 수 있다는 점을 시사하며, 상대적인 실험 방법으로는 결코 감지되지 않는 변형된 생물학적 반응으로서, 기정의된 부위에 대한 포괄적, 분석적 방법을 통해 보고된 임상적으로 향상된 다른 결론과는 대치된다.

명확히 정의된 목표 모낭 모집단을 정확한 방법을 사용하여 반복적으로 측정하는 것이 매우 중요하며 또한 이는 모낭의 임상적 조건과 동력학적으로 직접적인 관련이 있다.

복합 측정
Compound measurements

Phototrichogram은 위(**그림 2.6, 2.9a**)에서 기술된 성장 매개변수의 일부를 합성적으로 측정한 것이다. 성장의 표현을 더욱 역동적인 표현의 공식으로 만들기 위해 개발되었다. 그 용어는 일부 저자들이 그들의 서로 다른 개념, 생검된 조직의 가로의 지름과 털 주기 상태를 측정하는 기법을 기술하기 위해 사용해 왔다.

덜 침습적인 수단은 단위 부위 당 털 숫자, 털줄기 지름과 성장, 모근 주기 시기(root-cycle stage) 등의 복합적인 측정을 함께 대조하는 것을 포함한다. 60배로 확대할 수 있게 특정하게 설계된 현미경이 사용된다. 이것은 피부 표면에 놓여지는데, 이 표면은 무대로서의 역할을 한다. 두 개의 대안렌즈가 사용되는데 하나는 0.25mm까지 눈금이 매겨진 마이크로미터 눈금을 지닌 것과 4mm²의 부위를 정의하는 세망을 함유한다. 관찰 부위를 이제 면도하고 5-10일 뒤 성장의 길이를 위해 재검사 한다. 전처럼, 뽑아서, 모근 상태를 측정한다. 이 기법을 사용하여 새로 출생한 아이, 사춘기 전 아이, 성인, 임신한 여성, 음모와 겨드랑이 털에서 성장의 정상 패턴에 대한 자료가 수집되어 왔다. 반복가능성이 있는 부위를 그림으로 나타내기 위해 형판(Stencil)을 사용해 왔다. 일부 조사원들은 35-45mm² 더 큰 부위에서 털을 개별적으로 뽑기 전, 표본 날짜를 포함 3일 동안 강력한 세정과 머리 빗는 프로그램을 포함시키고 또 두 평면에서 털줄기 지름을 측정함으로써 모발계수를 수정해 왔다.

모발계수(trichogram) 측정은 유용한 연구 도구였다 - 그것들은 다양한 변수가 많고, 비침습적 기법으로 특정 표적으로부터 완전 표본이 취해지지 않는다면 모발계수는 임상 연구 목적을 위해서 포기하는 편이 나을 것이다!

한층 발전한 것은 촬영 방법(빛이 머리카락과 피부와 함께 특이하게 상호작용)으로 모발 총계를 헤아릴 수 있도록 하기 위해 증강된 대비를 사용하는 것이다. 만약 적절하게 눈금이 매겨진다면, 측정값 들은 광학현미경을 갖고 한 것만큼 정확하다. 사진 접근의 장점은 그들이 전적으로 비침습적이며 대표적인 표적 표본(100여개의 모낭)은 쉽게 분석될 수 있고 시간에 따라 반복적으로 모니터 될 수 있다는 것이다(**그림 2.14, 2.15**).

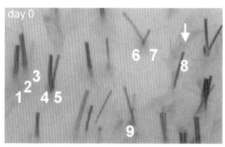
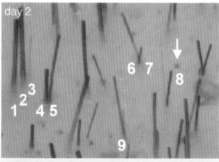
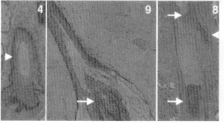

그림 2.14
명암대비가 보강된 광모발계수(CE-PTG) 기법(위쪽 패널)은 모발 성장 측정을 위한 조직학(아래쪽 패널)과 완벽하게 일치한다.
광모발계수로 모발 성장을 평가. 시간 0에서(0일), 모발은 두피 표면 가까이에 결찰되며 사진 촬영된다. 주어진 시간 후(저자의 경험으로는 48시간, 즉 2일), 같은 두피 부위는 다시 촬영된다.
둘째 날의 실질적인 신장은 모발 성장을 반영하며 굵은(1,2,5) 그리고 가느다란(7) 모발에서 성장기를 가리킨다. 보통의 신장은 가늘어지는 모발(3)에서 퇴행기를 반영한다. 어떤 신장도 굵고(4) 가늘어지는 모발(6)에서 휴지기를 반영하지 않는다. 굵은(4) 또는 전형적으로 작은(9) 휴지기 모발이 탈락 후, 탈락기의 빈 모낭은 눈에 보인 채로 남을 것이다(0일과 2일에 8 화살표, 그리고 조직학 8에 있는 위쪽 화살표, 아래쪽 패널). 새 모낭의 형성은 오직 조직학(8)적으로만 함께 볼 수 있다. 새로 형성된 모낭은 성장기의 초기 단계를 보여 준다. 아래 화살표는 굵고 축소화된 모낭을 가리키는 반면 위쪽 오른쪽 화살표 머리는 가늘고 축소화된 모낭을 보여 준다. CE-PTGs로 그러한 빈 모낭을 추적하면 수일 혹은 수주 내에 새롭게 자라는 모발을 보여줄 것이다(See Later).

털을 잡아 뽑을 수 있을 가능성
Hair pluckability

PCM을 앓고 있는 아이들에 대한 연구에서, 이 상태의 모발은 완전하게 색소 침착이 되지 않으며 가늘고, 숱이 적으며, 직모이고 쉽게 뽑힌다는 점이 오랫동안 알려져 왔다. 그러므로 모발의 성장기/휴지기 비율, 털줄기 지름 그리고 망울(bulb) 형태를 사용하는 PCM 평가를 위해 쉽게 얻을 수 있는 조직의 원천으로 생각해 왔다. 소위 발모기(trichotillometer)는 개별 머리카락을 잡을 집게와 0에서 62g까지 1.4g 간격으로 눈금이 그어진 저울을 가진 용수철 힘측정계(a spring dynamometer)로 구성된 뽑는 도구이다. 이 도구는 털의뽑는 힘을 측정한다. 10가닥의 털을 뽑는데 드는 평균적인 털뽑기 힘이 정상과 영양 부실 어린이에서 평가되었으며, 혈청 알부민 수치와 상호 잘 연관된 것으로 발견되었다. 정상적으로 털을 뽑는데 드는 힘은 36g 보다 큰데 반해 단백열량부족증(kwashiorkor)에선 19g보다 적었다. 이 측정은 털줄기 지름과도 잘 연관돼 있는데, 이 털줄기 지름이 또한 '모발 성장'의 훌륭한 지표이다. 이 기법을 이용하는 것은 어떤 훈련이나 연구소 설비를 필요로 하는 것이 아니어서, 권장되고 있다. 부위별 탈모력은 두피, 눈썹, 속눈썹, 겨드랑이와 치골 부위의 털을 측정해 왔다. 그러나 이 기법은 모발의 성장 상태의 변이(성장기나 휴지기)를 측정하기 위해 여전히 정상 모발에 대해서 엄정하게 측정할 필요가 있다. 왜냐하면 대체로 '조악한' 기술은 실험적 오류의 폭이 넓기 때문이다. 최근 연구에서도 휴지기 모발이 성장기 모발보다 뽑는 데 힘이 더 든다는 것을 보여 준다. 그러므로 클리닉에서 광범위하게 사용되기 전에 이 손쉬운 방법은 반드시 비판적으로 고려되어야 한다.

> 모근 상태 방법에 의해 생성되는 관련 자료는 탈모 또는 두피 기능 이상에 대해서는 불충분한 자료이다.

새로운 접근은 정확한 부위로부터 특히 느슨하게 붙어 있는 모발을 뽑아서 보여 주었다. 이 기법은 심지어 발모기(trichotillometer)보다 적용하기 쉬우며(한 번에 털 하나씩), 생리학적인 조건 하에서 단위 부위당 퇴행기 모발만을 반영한다(**그림**

2.2). 다양한 병리학적 조건에서 이 방법을 이용한 현재의 평가는 느슨하게 부착된 또는 퇴행하는 성장기 모발이 흉터가 있거나 혹은 없을 수도 있는 염증성 두피 이상으로부터 추출될 수 있다는 것이다. 이것은 임상적 조사의 새로운 장을 연다: 방법뿐 아니라 숫자의 해석과 환자에게 전하는 메시지에서의 전달은 반드시 충분하게 전달되어야 하며, 다소 짧은 시간에 나타난 임상적으로 관련된 변화인 경우 충분히 민감해야 한다(6개월에서 1년; 아래를 보라).

성장 패턴 분석
Growth pattern analysis

대부분의 포유동물은 계절에 따라 털갈이를 하는 털 성장의 동시성이 있다. 두미(cephalocaudal) 방향으로 퍼지는 쥐에서의 털 성장은 털줄기 색을 물들이는 염색약을 복용시킴으로써 관찰할 수 있다. 이는 명백히, 털갈이를 하지 않는 사람에서

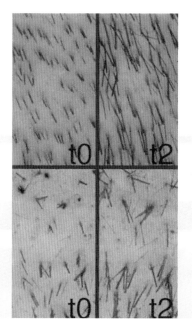

그림 2.15
대비(Contrast)가 보강된 광모발계수(CE-PTG;t0 = 0일 그리고 t2 = 2일) 기법은 만성 광범위 탈모를 호소하는 이들 두 여성 환자에서 모발 성장 잠재력에 있어 커다란 차이를 보여 준다.
모발의 성장과 가늘어지는 현상 외에도, 그들은 자연 대비, 방향, 빈 모낭의 수와 두 아래 쪽 패널에서 모낭 구멍의 감소된 수에서 위쪽 두 패널과 비교했을 때 차이를 보인다. 두피 표면에 대한 자세한 분석은 모낭의 과거력과 미래의 잠재력에 대해 많은 것을 말해 준다.

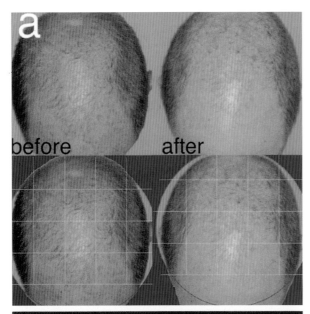

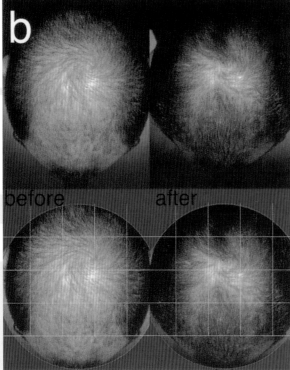

그림 2.16
두피 적용범위 점수(Scalp Corerage Scoring=SCS): 두피 모발 감시를 위해 임상적으로 유용한 도구. (a) 위쪽 네 개 패널: 머리 꼭대기를 보여주는 두 개의 전역 사진의 비교 검사는 위약 로션을 6개월 사용한 후 극적으로 악화되는 모습을 증거로 보여 준다(위쪽 패널). 외부 참고치를 적용해보면(아래쪽 패널)은 시야 각이 그 두 시점에서 정확히 같지 않다는 점을 재빨리 감지한다. 동일한 목표 부위가 재검사될 때, 여전히 SCS의 악화는 있는데, 임상적 상태를 반영하는 것이지만, 그 수치들은 더욱 정확하다.
(b) 아래쪽 네 개 패널: 사진들이 정확히 같은 위치에서 찍히면, 아래쪽 패널의 독해는 좀더 극적인 향상을 중앙 부위에 보인다. 즉 안드로겐에 민감한 부위에서 괄목할만한 두피적용 범위의 개선을 보여준다. 이것처럼 인상적인 재생은 경구용 부신피질 호르몬 요법을 그만둔 뒤 6개월 이내에 발생할 수 있다.

는, 받아들여질 수 없는 치료법이다. 인간에 대한 임상적 설정에서 털 성장의 변화하는 유형을 측정하는 것은 한층 용이하다. 몸(다모증)과 두피(AGA)의 안드로겐 의존적인 모발 성장의 유형은 공식적으로 정의되어 있으며, 등급 체계도 심각성의 다양한 정도에 따라 공식화 되어 있다. 이 점수들은 결정하기는 쉽지만 관측자의 편견에 상당 부분 영향 받기 쉽다. 하나의 상이 곧 하나의 수(1image=1number)라는 복잡성을 깨면서, 우리는 환자와 관찰자 사이에서 3차원적 상황 판단에 대한 고유의 대조 표준를 갖고 더 작은 영역에 대한 점수를 매기는 방법을 고안했다(**18개 장소까지; 그림 2.1, 2.16**). 이 대조 표준은 모든 단계의 머리카락 밀도와 색의 변화를 조화시킨다. 누적 모발 성장은 두피 피부 검출을 더욱 어렵게 함으로써 간접적으로 산출될 것이다. 적절하게 훈련받은 임상의는 처방된 치료법이 환자에게 도움이 되는지 안 되는지를 확인할 직접적인 정보를 갖고 있다. 더욱 숙련된 방법은 모발 동력 상태를 더욱 상세히 밝혀줄 것이다.

모발과 모낭 현미경 검사
HAIR AND HAIR FOLLICLE MICROSCOPY

털줄기(hair shaft) 현미경 검사는 많은 비정상적인 것을 진단하기 위해 필수적이다. 특히 진균 질환과 선천성, 유전성 털줄기 장애, 그리고 모발 풍화를 평가하는 데에 필수적이다.

모발의 진균 질병을 진단함에 있어서 뽑힌 모발은 20% 방수 염화 칼륨 수산화물(aqueous potassium hydroxide) 용액에 담긴다. 만약 현미경 검사가 30분 이내에 수행된다면 40%의 dimethysulphoxide(DMSO)를 첨가하면 맑게 하는 시간의 속도를 더 빠르게 할 수 있다. DMSO는 이 시간을 초과하면 false-negative 결과를 유발할 수 있다. 왜냐하면 균사 파괴가 일어날 수 있기 때문이다. 독창 유형(kerion type)의 감염은 피부의 광범위한 염증 변화에도 불구하고 뽑힌 털줄기의 근위 부분에서 오직 분절 홀씨(athrospores)만를 보여 줄 수 있다.

광학 현미경 검사
Optical microscopy

털줄기에 대한 일반적인 광 현미경 검사는 유전성, 선천성 털줄기 이상 진단에 있어 필수적이다. 내적인 털줄기 변화를 평가하기 위해서는 오직 뽑은 모발의 근위 1-2cm를 반드시 검사해야 하는데, 이유는 더 먼쪽의 변화는 고유의 것이 아닐 수 있고 불특정 풍화에서 기인한 것일 수 있기 때문이다. 모발은, 만약 그것들이 추가적 연구에 필요한 것이라면 건조한 상태로 진열될 수 있겠지만, 일상적으로 전송된 광 현미경 검사에서는 건조하게 전시된 모발의 표면은 빛을 산란시킬 수도 있다. 만약 표준 봉입제(standard mounting medium)를 사용한다면 더욱 자세히 볼 수 있고 더 높은 배율도 가능하다; 염화칼륨 수산화물 (potassium hydroxide)과 물은 만족스럽지 않다. 일반적으로 광 현미경 검사로 보이는 '색' 변화는 색소 변화 때문에 또는 빛을 전달하지 않아 어두운 부분을 보이는 구조적인 변화 때문일 수 있다. 만약 반사광이 사용된다면, 환상백모(pili annulati) 같은 구조적 질병에서 어두운 부분은 어렴풋해진다. 색소침착 변화는 이 기법에 의해 변경되지 않는다. 일상 광 현미경검사를 사용하는 주의깊은 검사는 임상적 실습에 필요한 대부분의 정보를 제공해 준다.

편광 현미경 검사는 모발의 생화학적 구성에 관한 추가적 정보를 제공해 줄 수 있으며 상세한 구조적 변화가 더욱 명확해질 수도 있다. 이 방법을 사용하면 굴절지수(refractive index)와 섬유의 이중 굴절(birefringence)(모발 축에 대해 평행이고 수직인 굴절 지수 사이의 수치적 차이)를 결정하는 것이 가능한데, 모발에서의 내적 구조의 방향성(orientation)에 의해 초래되는 물리적 현상이다. 신경외배엽 증상 복합체(모발 유황 이영양증) 환자로 부터 모발을 검사함에 있어서, 편광 현미경 검사는 교차 편광판 사이에서 모발을 비추는 데 있어 놀랄 만큼 밝고 어두운 지역을 드러내 주었다. 현미경 단계를 약 10도(최대 소거 위치가 각 면에 대해 5도씩) 돌리면 밝고 어두운 지역을 역전시킨다. 편광판의 진동 방향과 평행한 모발 축을 가진 교차 편광판 사이에서(최대 소거, 즉 0도), 그 모발은 호랑이 줄무늬 혹은 갈짓자 형의 - 모발을 보여준다. 이러한 비정상은 심각한 황 및 고수준 황 (기질) 단백질 결핍과 연관되어 있다. 편광 현미경 검사는 구조적으로 비정상인 많은 모발들에서 사용되어 왔다. 편광에 의한 색 변화는 전송된 빛에 따라 보다 명확하게 비정상적인 것들을 보여준다.

광학 현미경 검사법의 섬세함은 다양한 특수 기법을 통해 증강될 수 있다. 인설 유형은 모발 원주나 또는 적절한 플라스틱 물질 속에서 모발을 인쇄함으로써 자세히 검사할 수 있다. 인쇄는 전체 외주가 다 보여지도록 해주는 매개체 속에서 모발을 굴림으로써 만들 수 있다. 단색 나트륨 광을 이용한 간섭 현미경 검사는 세세한 표면 변화 검사를 한층 쉽게 해 준다.

전자 현미경 검사
Electron microscopy

광학 현미경 검사는 해상도에 있어서 약 0.2 μm에 한정되며 초점의 깊이가 좁다. 투과 전자 현미경(transmission electron microscopy) 검사는 매우 높은 해상도도 가능하며(생물학적 물질에 대해서는 2nm까지 아래로) 보통 표본 굵기보다 더 큰 상의 깊이를 지닌 초점을 갖는다. 일반적으로 전자 현미경 검사 준비는 모낭의 검사에는 적절할지 모르나 모낭 속에서의 각질 모발의 존재와 모발 구조의 성향은 최고의 해상도와 의미 있는 결과를 얻기 위해 일상 절차를 수정할 필요가 있게 만든다. 유리 칼로 절단하기에 부족하다: 다이아몬드 칼은 왜곡 없이 모발의 초박 부위를 절단하는 데 필요하다. 이것은 전자 현미경 검사 실험실에서 언제나 얻을 수 있는 것은 아닌 매우 숙련된 절차이다. 모발은 균일한 전자 밀도를 보여주며 해부학적 세부 사항을 보여주기 위해서는 중금속으로 염색되어야 한다. 우라닐 아세트산염과 납 구연산은 전체 구조가 보여 지도록 해주며 dodecatungstophosphoric 산은 외피세포간질(cortex matrix) 단백질과 외피 세포막의 추가적인 세부 사항을 보여준다. 모발 섬유의 가로 단면에 대해, 암모니아오염 은 또는 은 메테나민 염색은, 특히 시스틴을 염색시키는데, 시스틴이 풍부한 외소피(exocuticle)와 외피세포간질 단백질을 눈에 띄게 함으로써 더욱 많은 대조를 만들어 낸다(**그림 2.17**). 이미 유용하게 다른 많은 장기의 조직에 적용된 다른 전자 조직화학적 방법은 아직까지는 완전히 모낭 질병에 활용되지 않고 있다. 이것은 효소 체제의 확인과 그 국소적 위치 및 항원-항체 반응을 포함한다.

스캐닝 전자 현미경 검사법은 그것의 작동 양식상 매우 다양하며 표면 구조

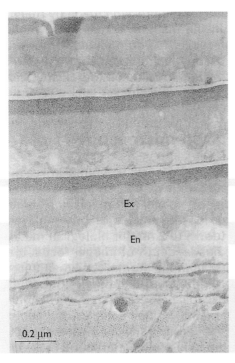
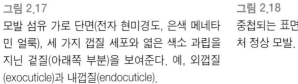

그림 2.17
모발 섬유 가로 단면(전자 현미경도, 은색 메네타민 얼룩), 세 가지 껍질 세포와 엷은 색소 과립을 지닌 겉질(아래쪽 부분)을 보여준다. 예, 외껍질 (exocuticle)과 내껍질(endocuticle).

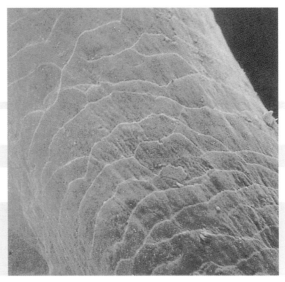

그림 2.18
중첩되는 표면 껍질 세포(cuticular cells)를 보여주는 뿌리 근처 정상 모발.

(그림 2.18), 요소의 구성(만약 X선 미량 분석 부착이 가능하다면), crystalline make-up, 전기 및 자기적 표본의 성질에 대한 풍부한 정보를 제공해 준다. 그러나 스캐닝 전자 현미경 검사법 또는 더욱 세련된 색 스캐닝은 연구 도구이며, 모발의 미세 구조에 대해 임상 의학자가 필요로 하는 모든 세부 사항은 광학 현미경 검사 방법에 의해 습득될 수 있다는 사실은 아무리 강조해도 지나치지 않다. 또한 요소 분석은 연구 도구로서 선택된 증례(예를 들면 녹색 모발)에 대해 흥미로움을 남기지만 특정 영양 보조제나 올리고-요소를 섭취하도록 처방하도록 뒷받침할 진단적 기법으로 간주될 수는 없다. 이를 사용하는 것은 상업적이고 유사 또는 비과학적 목적과 연관된다.

모낭 현미경 검사
Follicular microscopy

비록 유용한 조직해부학적 결과가 얻어질 수 있다 하더라도 생검 기법은 반드시 주의깊게 고려해야 한다. 생검은 털망울(hair bulb)을 자르는 것을 피하기 위해 피부밑 지방층까지 깊숙이 들어가야 한다(**그림 2.19**). 절개된 조직의 표피 표면은 반드시 조직이 곱슬해지는 것을 피하기 위해 구겨지지 않는 종이에 놓아야 하며 즉시 고정제에 넣어야 한다. 만일 세로로 모낭을 자르는 것이 요구될 때는 바람직하다면 그것에 아교를 바르거나 종이에 핀으로 고정시킬 수 있을 것이다. 그 이유는 모낭은 굳어지기 전에 휘기 쉽고, 이는 결국 진피내에서 교차 절개를 하는 것으로 이어지게 할 것이기 때문이다. 펀치 생검(6mm)과 여러 층에서 수평 절개를 하는 것은 조직을 얻은 부위에서의 모발 주기 상태에 대해 더욱 역동적인 정보를 준다. 처리 후, 고정된 조직은 세로의 모낭 단면을 얻을 기회를 최대화 하기 위해 절단 전에 주의깊은 방향 설정을 필요로 한다. 일상적인 파라핀왁스에 고정된 조직은 모낭 내에서 세포학적

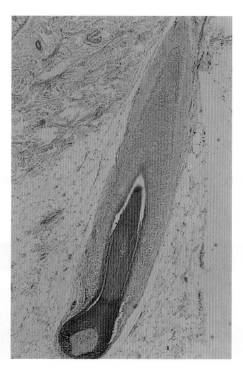

그림 2.19
성장기 6단계에서의 모낭 - 더 깊이 있는 구성부분은 지방조직(Subcutaneousfat)에 있는 것처럼 보인다.

세부 사항을 보여주는데 있어서 전적으로 만족 할만 했던 적이 결코 없었다. 가능한 곳에서는, 일상적인 전자 현미경 검사시 조직을 반드시 고정시켜서 고정액에 넣어야 하며, 세포학적으로 더욱 뚜렷함을 주기 위해 1 μm 단면을 절단해야만 한다.

> 스캐닝 전자 현미경 검사는 흥미롭고 교육에 도움이 될 수는 있다. 그러나, 임상 실습에서 중요한 미세구조 변화는 일상 광학 현미경 검사로도 재빨리, 쉽게, 그리고 저렴하게 얻을 수 있다는 점을 유의하라!

Haematoxylin과 eosin 염색법은 모낭에서 다양한 세포층에 대한 일반적 세부 사항을 밝혀준다. 다른 조직화학적 염색들도 다양한 세포층의 모양을 특정하게 증강시킬 수 있다. 내부 털집(internal root sheaths)의 아래 쪽 경계 지점은 김자염색(Giemsa stain)을 흡수하며, 이것은 각질화된 안의 모근초를 특히 검푸른 색으로 물들인다. 모낭내(intrafollicular)의 모발 껍질은 톨루이딘블루(toluidine blue)와 로다민 B(Rhodamine B)로 물들며, 처음에는 추정한 모발의 주변을 둘러싼 엷고 푸른 층으로 보인다. 밴기슨 염색법(Van Gieson stain)은 휴지기 모근에서 모발과 곤봉을 노란 색으로 물들인다. 곤봉을 둘러싸고 있는 조직은 PAS 염색을 지닌 갈색 계통의 붉은 색인 반면, 로다민 B 염색은 껍질(cuticle)을 어렴풋이 푸른색으로 염색하고, 둘러싼 tricholemmal 층을 광택나는 붉은 색으로 염색한다.

비정상 모발 각질에 대한 유용한 검색 기법은 아크리딘 오렌지(acridine orange) 또는 thioflavin T중 어느 하나를 사용하는 형광법이 있다. 정상 모발 각질은 묽은 아크리딘 오렌지를 지닌 푸른색 형광을 발하는 반면, 변형된 각질, 예를 들면 결절털찢김증(trichorrhexis nodosa)에 있는 모발의 끝과 단백열량부족증에 있는 비정상 모발, 또는 풍화된 섬유 등은 붉은 색 또는 오렌지색 형광을 낸다. Peracetic Oxidation과 thioflavine L 형광 방법은 시스틴에 있는 이황화물 결합을 염색하여 성숙한 각질 부위가 외껍질(exocuticle) 또는 피질에서 감지될 수 있도록 해준다. S-H 결합은 특정하게 fluorogenic maleimide N-(7-dimethyl-amino-methyl-coumarinyl)-maleimide(DACM)에 의해 감지될 수 있는데, 이것은 S-H 결합을 한데 결합한 것에 대해서만 형광을 발한다. 이 기법은 냉동시킨 조직을 필요로 한다. DACM의 방출 최대치는 트립토판 같은 단백질의 방향성 잔류물의 어떤 것과도 중복되지 않는다.

동일 초점 현미경 검사의 피부학적 적용에서 첫 번째 단계는 현재 적용되고 있다. 이 방법은 조직의 매우 미세한 수준까지 초점을 맞출수 있기 때문에 두꺼운 표본을 검사할 수 있다. 만일 특정하게 적용시킨다면, 동일 초점 현미경 검사는 생체내에서 활용될 수 있으며 100 μm의 심도까지 모낭을 눈에 보이게 할 수 있다. 이 분야에서 더 이상의 진전을 기대해 본다.

또한 자외선(UV)이나 레이저 빛, 초음파와 기타 기법을 이용한 정밀한 생체내 접근법은 유용한 정보를 만들어낼 것이다. 임상의학적 전망은 진단 또는 예후에 관한 정보의 측면에서 무엇이 유용한지 가려내기 위해서는 더 긴 시간을 필요로 할 것이다.

FURTHER READING

Barth JH (1991) Investigations of hair, hair growth and the hair follicle. In: *Diseases of the hair and scalp*, 2nd edn (Oxford, Blackwell Scientific Publications), pp 588–606.

Birch MP, Messenger JF, Messenger AG (2001) Hair density, hair diameter and the prevalence of female pattern hair loss, *Br J Dermatol* **144**: 297–304.

Leonard C, Sperling MD (2001) Hair density in African Americans, *Arch Dermatol* **135**: 656–658.

Leroy T, Van Neste D (2002) Contrast enhanced phototrichogram pinpoints scalp hair changes in androgen sensitive areas of male androgenetic alopecia, *Skin Research and Technology* **8**: 106–111.

Rushton DH, de Brouwer B, De Coster W, Van Neste DJJ (1993) Comparative evaluation of scalp hair by phototrichogram and unit area trichogram analysis within the same subjects, *Acta Derm Venereol (Stockh)* **73**: 150–153.

Van Neste D (1993) Hair growth evaluation in clinical dermatology, *Dermatology* **187**: 233–234.

Van Neste D, de Brouwer B, De Coster W (1994) The phototrichogram: analysis of some factors of variation, *Skin Pharmacol* **7**: 67–72.

Van Neste D, Fuh V, Sanchez-Pedreno P et al (2000) Finasteride increases anagen hair in men with androgenetic alopecia, *Br J Dermatol* **143**: 804–810.

Whiting DA (1993) Diagnostic and predictive value of horizontal sections of scalp biopsy specimens in male pattern androgenetic alopecia, *J Am Acad Dermatol* **28**: 755–763.

Chapter 3

탈모/모발 형성 이상
HAIR LOSS /HAIR DYSPLASIAS

이번 장에는 확연하게 적거나 또는 눈에 띄게 가늘어지는 것이 있거나 없는, 또는 정상적인 양보다 더 적은, 여러가지 비정상적인 현상들이 이번 장에 포함되어 있다. 여기서 기술된 많은 구조적 본질은, 예컨대 과도하게 깎이는 것 같은, 이차적인 여러가지 요인에 따라, 정상적인 양의 모발을 갖게 되거나 그렇지 않을 수 있다.

선천적 유전적 탈모증
CONGENITAL AND HEREDITARY ALOPECIA

발달 원인으로 인한 전체적 또는 부분적인 모발결핍이 여러 임상형태로 나타날 수 있는데, 명백히 격리된 결함으로서 또는 광범위하게 다른 이상과 연관된 것으로서, 매우 여러가지 임상적 형태로 나타난다.[1-3] 논리적 분류는 반드시 조직학적 세부 사항과 유전적 조사에 기반을 두어야 한다. 그러나 이러한 일들은 불행하게도 거의 수행된 적이 없다. 일시적으로, 순수하게 임상적인 분류는 명백하게 정의된 유형을 적어도 임상의가 이해할 수 있게 해준다는 점에서 유용하다.

> 네명의 아이중 한명은 '대머리' 로 태어난다 - 모발이 자라는 동안의 선천성 모발 결함이 임상적으로 명백해지기 위해서는 1년 이상이 필요할 수 있다.

국한성 탈모증
CIRCUMSCRIBED ALOPECIA

선천적 원인의 국한성 탈모증은 대개 피부 또는 표피 모반의 모든 층이 국소 무형성된 것의 결과이다(**그림 3.1**). 그러나 그 밖의 부속물들이 정상적인 발달을 하며 전반적으로 정상인 피부에서 모낭 무형성증이 역시 나타날 수도 있다.

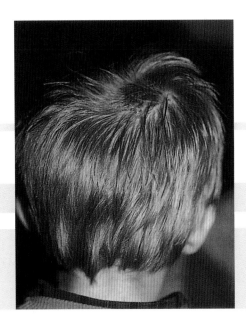

그림 3.1
두피 표피 모반

완전 탈모증
TOTAL ALOPECIA

단독 이상으로서의 완전 탈모증
As an isolated abnormality

완전 탈모증 만의 결함으로서의 나타나는 경우는 염색체 형성 유전자에 의해 결정된다(**그림 3.2**). 우성 또는 불규칙한 우성 유전이 일부 가족에서 일어날 수 있다. 그 두 개의 유전자형은 표현형상으로는 구분할 수 없는 듯이 보이지만 자세히 조사하면 차이를 밝힐 수 있다. '완전'이란 용어는 상대적이나, 비록 모발이 있다 해도 극소수이다. 선천적 탈모증으로 진단된 많은 격리된 증례와 가족들은, 최초의 보고들을 재검토했을 때, 다른 증상의 예들인 것으로 발견된다: 많은 사례들이 땀흘림외배엽형성이상(hidrotic ectodermal dysplasia)을 갖고 있다.

태아의 피모상태(被毛狀態)가 정상이었더라도 성년에서의 모낭은 결여되어 있다. 피지샘은 정상보다 더 작다. 드문드문 있는 몇 개 안 되는 모발이 살아남을

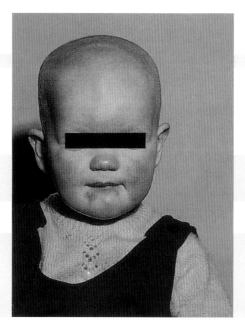

그림 3.2
선천성 두피 털감소증(완전).

때, 그 털줄기의 구조는 정상으로 보인다.

임상적 특징

두피 모발은 출생 시에는 대개 정상이지만 1개월에서와 6개월째 사이에 사라지는데, 그 이후 더 이상 자라지 않거나 또는 매우 불규칙적으로 성장한다. 어떤 증례에선 출생 시에 두피에 완전히 모발이 없는 상태였으며 그 상태로 남아 있었다. 눈썹, 속눈썹, 전신의 털 역시 없을 수도 있지만, 소량의 음모와 겨드랑이 그리고 드문드문한 눈썹과 속눈썹 등은 종종 있다. 치아와 손발톱은 정상이며 전반적인 건강, 지능과 기대 수명은 손상되지 않는다.

관련된 결함이 있는 경우
With associated defects

완전 또는 거의 완전 탈모증은 유전적 증후군에서는 드물다.

유전조로증
Progeria

두피와 신체의 털이 총체적으로 결여되어 있다.

땀흘림외배엽형성이상
Hidrotic ectodermal dysplasia

완전 또는 거의 완전 탈모증은 손발바닥 각질피부증(palmar plantar keratoderma) 그리고 두껍고 변색된 손발톱과 함께 나타난다. 존재하는 어떤 모발도 구조상으론 정상이나, 대게 평균보다 더 지름이 가늘다.

모이나한 증후군
Moynahan's syndrome

이 상염색체 열성 증후군은 남자 형제에서 기술되어 있는데, 정신 지체, 간질, 그리고 두피가 완전히 대머리인 것이 함께 나타난다. 모발은 2-4세 사이의 아동기에 다시 자랄 수도 있다.

각질 낭을 동반한 무모증
Atrichia with keratin cysts

털이 없는 생쥐에서 발견되는 조건과 비교될만한 이 희귀 증후군은 주로 소녀들에서 주로 보고되었지만 유전 양상은 알려진 바 없다(**그림 3.3**). X-염색체 관련 변종이라고 추측되기도 한다. 완전한 그리고 영구적인 탈모증은 최초의 피모상태가 떨어진 후 발달한다. 5세에서 8세 사이의 어느 나이에서도 매우 많은 작은 각질의 구진이 나타나며 처음에는 얼굴, 목과 두피, 그리고 점차로 팔다리와 몸통의 더 넓은 부위에 나타난다. 조직학적으로 구진은 벽이 두꺼운 각질 낭(cysts)이다. 낭무모증은 비타민 수용체의 변종과 함께 기술되어 왔는데, 이 둘은 모두 산후 모낭 주기를 통제하는 유전적 통로에 함께 있을 지도 모른다는 점을 시사한다.

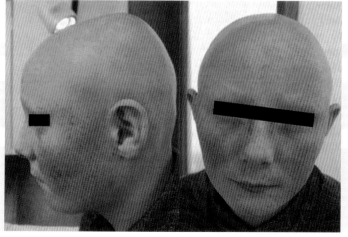

그림 3,3
각질 낭이 있는 무모증. 새로 태어난 아이에서 정상 두피와 몸의 털은 결함성 모발 대체의 결과로 영구적으로 상실된다. 현미경 검사 모낭 낭들은, 여기 있는 것처럼, 그러나 임상적으로는 눈치챌 수 없는(조직학은 안 보임) 임상적으로 눈에 보이게 되려면 수년은 걸릴 수 있다.

Baraitser 증후군
Baraitser's syndrome

이 상염색체의 열성 증후군은 출생 때에 있던 일부 솜털 같은 두피 모발이 소실되는 것에 이어서 거의 완전한 탈모증을 보이기 시작한다. 정신적, 육체적 지체가 동반되어 있을 수 있다.

털감소증
HYPOTRICHOSIS

사회적으로 충분히 당혹스러울 정도지만 임상적으로 권고할 정도는 아닌, 선천적 털감소증이 흔하며, 아마도 상염색체 우성유전자에 의해 결정되는 것 으로 보인다. 연관된 결함이 없이 선천성 털감소증이 극심한 경우는 드물다. 우성 유전은 기록은 되어 있지만 많은 증례들이 간헐적으로 발생해 왔다. 많은 독특한 증후군들이 있다.

털감소증은, 보통 기타 외배엽 결함과 연관된, 많은 유전적 증후군의 흔한 특징 중의 하나이다.[1] 대부분 모발이 듬성듬성할 뿐 아니라 구조적으로도 비정상이다. 털감소증이 가장 두드러지게 나타나고 구조적 결함이 뚜렷이 구별되며 성격이 잘 나타나는 곳에서, 염주털이나 열전모(熱轉毛)로서, 이 증후군의 이름이 도출되었다. 다른 증후군에서는 드문드문한 두피 모발은 부차적이고 때때로 변하기 쉽게 발현하며, 털줄기 결함은, 비록 임상적으로는 전체에 걸쳐 나타나지만, 통상 흔히 덜 뚜렷하다. 모낭은 드물고 크기가 줄어들며, 털줄기는 부서지기 쉽고 색소침착저하 상태가 된다. 각질화에서 장애의 성질은 알려지지 않았다.

> 선천성 털감소증은 모낭 수가 줄어드는 것과 진단상의 증례를 혼합 진단한 것이다: 더 작은 모낭 또는 '부서지기 쉬운' 비정상적 모발 또는 두 가지 모두를 말하며 이는 반드시 모든 증례에서 평가되어야 한다.

임상적 특징

　　　털감소증이 비정상적인 것으로 나타날 때, 출생 시의 두피 모발은 양과 질에서는 정상이지만, 최초 6개월 동안 떨어지며 다시는 적절하게 대체되지 않는다. 드문드문하고 가늘며, 건조하고 부서지기 쉽고, 길이는 거의 10cm를 넘지 않는다. 눈썹, 속눈썹, 솜털은 없을 수도 숱이 적을 수 있거나 또는 정상일 수 있다. 비록 그 상태는 대개 영구적이지만, 드문 증례로 사춘기에 호전되거나 회복되는 일도 발생한 적이 있다.

　　　어떤 가족에서는 모발이 5세나 또는 그 이후가 될 때까지는 정상이며, 이 때 성장이 지체되거나 두피가 25세 즈음에 거의 완전 대머리가 될 정도까지 두피가 진행성으로 벗겨진다.

　　　털감소증이 항구적이거나 빈번한 특징인 다수의 유전 증후군은 표 3.1에 나열되어 있다. 보통 모발이 드문드문할 뿐 아니라 가늘고 부서지기 쉬우며 자주 색소침착이 적게 된다. 털줄기는 종종 결함이 있지만 어떤 일관된 잘 특징지어진 것도 구조적으로 결함을 보여주지 않을 수 있다. 아직 완전하게 정의된 것은 아니지만, 이 중 털감소증이 다른 결함과 연관되어진 많은 증후군 들이 있다.

> 많은 고유한 털감소 증후군이 있다 - 이 분야는 우표 수집과 다소 비슷하며 현대의 유전 자 연구를 촉구한다.

모낭각화증을 지닌 털감소증
Hypotrichosis with keratosis pilaris

　　　모발은 태어날 땐 분명히 정상이지만 2~6달 사이에 출생피모가 떨어진 후에는 둘째와 여섯 째 달 사이에 만족할만큼 자라지 못하고 드문드문하고 짧고 부서지기 쉽고 빈약하게 색소침착된 상태로 남아 있게 된다. 눈썹과 속눈썹은 정상일 수도 또는 드문드문할 수도 있다. 뒤통수 부위와 목에 모낭각화증이 있으며, 때로는 몸통과 팔다리에도 있다. 손발톱, 이, 그리고 전반적인 신체 발달은 정상이다. 모발은 염주나 또는 그 외의 독특한 비정상을 보이지 않는다. 모낭각화증은 탈모가 점점 늘고 수염 위축이 함께 나타날 수 있다(**그림 3.4-3.6**).

모낭각화증과 흑색점(lentiginosis)을 동반한 털감소증(Hypotrichosis with keratosis pilaris and lentignosis)

이것은 사춘기나 사춘기 이후에 곧 털감소증으로 발전하며, 폐경이 될 때까지 진행된다. 겨드랑이털과 음모는 완전히 소실된다. 두피와 겨드랑이에 모낭각화증이 있고 손톱은 부서지기 쉽고 세로선이 생기고 얼굴중심흑색점증이 있다.

표 3.1 유전 증후군에서의 탈모증 또는 털감소증
(Alopecia or hypotrichosis in hereditary syndrome)

	주요 임상적 특징	모발 특성
땀흘림외배엽형성이상	손발톱이 굵어지고, 선이 생기고 변색됨; 손발바닥 각질피부증	두피 모발이 드문드문하고 가늘며; 완전 없을 수도 있다
유전조로증	첫해에는 정상, 그리고 심한 육체적 성장 지연; 노인 얼굴; 가늘고, 마르고 주름진 피부, 새 같은 특징	완전 탈모증
염주털	주로 뒤통수나 목덜미에 모낭각화증	출생 시 정상; 후에 부서지기 쉽고 염주 모양의 길이 1~2cm 모양의 털; 현미경검사 진단; 모발이 굵어짐으로써 자연적으로 향상될 수 있음
열전모	모발결함이 주로 나타나거나 모발결함만 나타남. 둘째 또는 셋째해에 발병기록됨	모발이 드물고 부서지기 쉬움; 빛에 반사되면 번쩍거림 현미경 검사 진단
땀없는(땀저하)외배엽 형성이상	주로 남성; 땀이 줄어듬; 함몰된 코; 원뿔치아; 부드럽고 가늘게 주름진 피부	드문드문하고 건조하고 짧은 두피 모발과 눈썹; 모발은 가끔 정상이지만 밀도가 줄어듬
로트문드-톰슨 증후군	뺨, 손, 발에 3~6개월 부터 홍반, 이어서 다형피부병;	두피 모발 드뭄; 눈썹, 속눈썹, 몸에 털이 매우 드뭄 빛에 민감
베르너 신드롬	얼굴과 사지에 피부경화증 같은 변화가 얼굴과 사지에 나타남.	20세 전에 때이른 회색모발화; 청소년기부터 진행성 탈모
할러만-슈트라이프 증후군	머리뼈이상증, 아래턱뼈 무형성; 난장이증	출생 시엔 정상; 후에 반점형 탈모증과 함께 드문드문함; 가끔 봉합.
마리네스코-쉬외그렌 증후군	소뇌조화운동불능; 정신적 지체; 백내장; 짧은 키	두피 모발이 가늘고 드문드문하고 짧음; 색소침착저하증

네터톤 증후군	양성 모두 해당; 아토피 습진이 Peanut에 발적할 수 있음	숱이 적고 부서지기 쉬움; 가끔 '대나무털', 함입 또는 결절 털찢김증
연골-모발 형성저하증	난장이증, 골격 이상	숱이 적고 부서지기 쉽고 가늘고 밝은색을 띄며 모발이 정상이거나 완전히 없음
Trichorhinophalangeal 증후군(유형 1-11)	배모양의 코	머리숱이 적고 가늘고 부서지기 쉽다(정상일 수 있음)
AEC 증후군	눈꺼풀유착, 외배엽형성이상, 입술갈림증과 입천장갈고리함	머리숱이 적고, 뻣뻣
EEC 증후군	손발 결여, 외배엽형성이상, 입술갈림증 그리고/또는 입천장갈고리	머리숱이 적고, 뒤틀리며 불규칙한 표면(다중관)
모낭피부위축증	모낭 함몰 기저세포모반; 바닥 세포모반	머리숱이 적고 가늚
멩케 증후군	성장 지체; 소뇌변성 증상	머리 숱이 적고, 부서지기 쉽고, 빈약하게 침착됨; 현미경검사로 보면 꼬여 있음

Rook AJ와 Dawber RPR(편저)의, 모발과 두피 질병(옥스포드, Blackwell Scientific 출판부, 1998)에서 수정한 자료임.

위의 것과 좀더 희귀한 증상에 대한 자세히 기술한 것에 대해서는 Sinclairet al[1]과 Sinclair와 De Berker[3]을 보라.

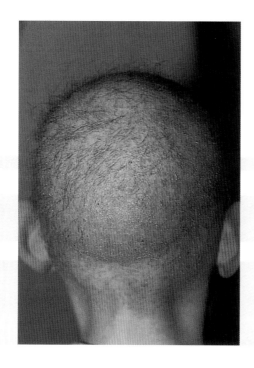

그림 3.4
중증 탈모인 위축털각화증.

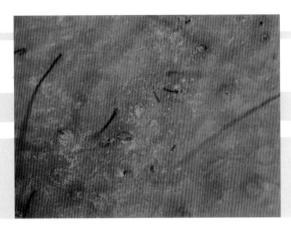

그림 3.5
탈모털각화증 – 현저한 모낭각화증이
뚜렷함.

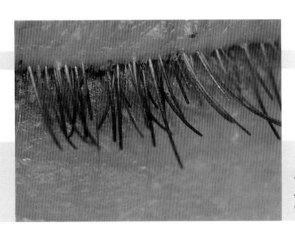

그림 3.6
그림 3.5에서와 같이 눈꺼풀 가장자리에
있는 탈모털각화증.

눈꺼풀낭, 치아결핍, 털감소증
Eyelid cysts,hypodontia and hypotrichosis

이 세 가지 선천성 징후들은 극히 드물고 대개는 간헐적이다.

Trichorhinophalangeal (TRP) 증후군

두 유형의 TRP 증후군이 보고 되어 있다: 하나는 가족에 관한 것이며, 보통 상염색체 우성 유전을 보여 주고, 다른 하나는 성질상 간헐적이다(**그림 3.7-3.12**). 현저한 증상은 코가 배 모양 인 것과 손발의 끝마디뼈가 점진적으로 휘어지는 것이다. 그 외의 변화들이 위턱뼈(maxilla)에 대한 형태 연구에 의해 기록되었고, 엉덩이는 모양이 바뀌는 것으로 보고 되었다. 수지(족지)뼈의 변화는 'Chapeau de gendarme' 로 기술된 형상으로 진단할 수 있다.

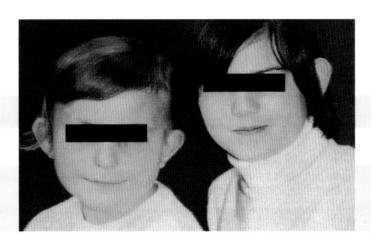

그림 3.7
병에 걸린 형제의 Trichorhin-
ophalangeal 증후군 얼굴.

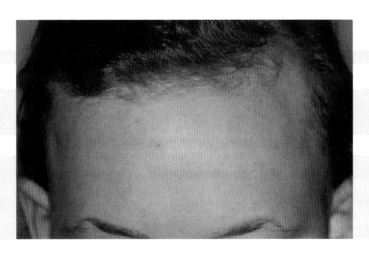

그림 3.8
Trichorhinophalangeal 증후군
- 어느 정도의 털감소증.

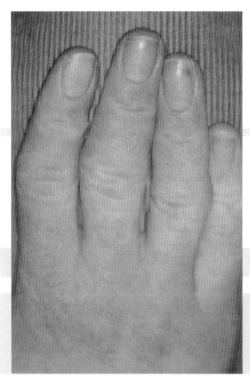

그림 3.9
Trichorhinophalangeal 증후군 - 독특한 손 변형.

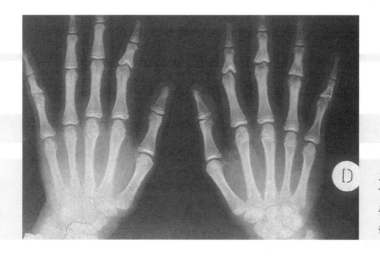

그림 3.10
Trichorhinophalangeal
증후군 - 그림 3.9에 있는
손의 방사선사진.

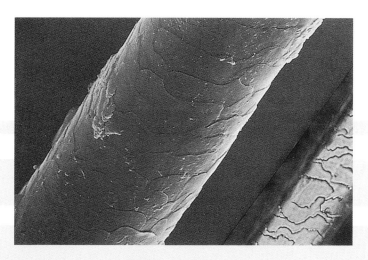

그림 3.11
Trichorhinophalangeal 증후군에서의 모발 피질 변화(스캐닝 전자 현미경사진
위; 광 현미경도 아래).

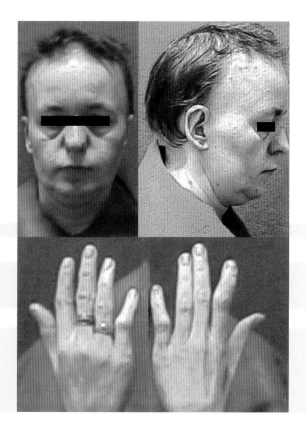

그림 3.12
Trichorhinophalangeal 증후군. 일부
환자는 앞서 사진에서처럼 34세의 나
이에 보인다; 그 이상의 탈모와 손 변
형의 악화. 남성 환자에서 이 형은 보
통 머리벗어짐과 혼동될 수 있다.

빈모-안면 혈관종 증후군
Hypomelia, hypotrichosis, facial haemangioma syndrome

이 'pseudothalidomide' 증후군은, 아마도 상염색체 열성 유전자에 의해 결정되는데, 사지가 전반적으로 줄어드는 결함, 얼굴 중간의 모세혈관 모반 및 머리숱이 적은 silver-blond와 연관되어 있다.

유형 털감소증 Marie-Unna

이 희귀하지만 뚜렷이 구별되는 증후군(**그림 3.13-3.18**)은 보통염색체 우성 유전자에 의해 결정된다. 병에 걸린 사람들은 태어날 때 정상이거나 완전하게 또는 거의 완전하게 모발이 없을 수도 있다. 모발은 거칠고, 납작하고 불규칙적으로 꼬인 모발이 두피에 나타날 때인 세 번째 해가 될 되기까지 모발은 숱이 적어지거나 적은 채로 남거나 또는 없다. 이 거친 모발은 사춘기에 접어들면서 점차, 모낭이 진행성으로 위축되는 과정에 의해, 소실된다. 탈모는 두피 가장자리와 정수리 부분에서 가장 많이 되지만(**그림 3.13, 3.14**) 파편(patch)형태일 수도 있다. 속눈썹, 눈썹, 전신의 털은 숱이 적고 종종 태어날 때부터 거의 없다. 이따금씩 마리-운나 증후군

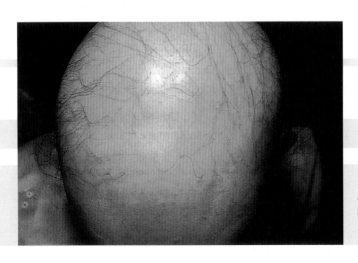

그림 3.13
Marie-Unna 증후군 - 남아 있는 모발은 철사 같다.

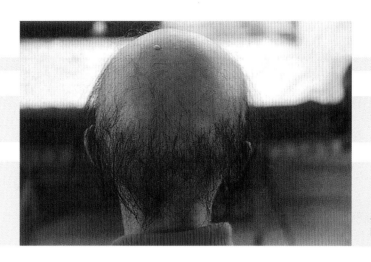

그림 3.14
Marie-Unna 증후군.

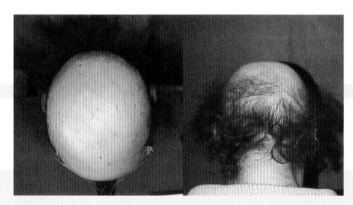

그림 3.15
Marie-Unna 증후군. 이따금, 심한 탈모인 가족 Marie-Unna 털과다증에 대
해 유사한 양상이 간헐적인 증례에서 발생한다; 손발톱 결합의 존재는 이질
성을 가리키는지도 모른다.
다음 허락을 받고 재현함: Van Neste D, 유전적 모발 질환에서의 모발 성
장 측정. In: 모발 과학과 기술, 183-189쪽.

과 유사한 간헐적인 증례가 심각한 탈모를 동반해서 일어난다**(그림 3.15)**. 총체적
인 육체적 정신적 발달은 정상이다. 스캐닝 전자 현미경검사는 털줄기가 거칠고,
불규칙하게 꼬이고 뒤틀려 있다; 이것은 대개 독특함으로 진단된다**(그림 3.18)**. 일
부 증례에선 거칠고 뻣뻣한 검은 모발이, 소실 되기 전에는 다소 가발처럼 보인다.

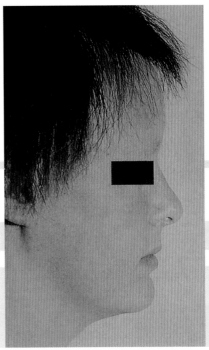

그림 3.16
Marie-Unna 증후군.

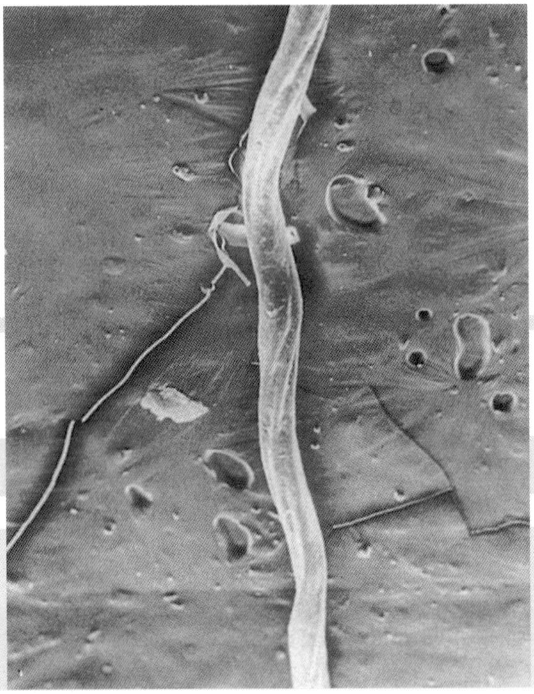

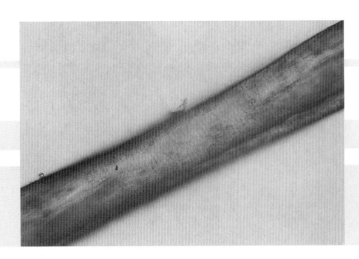

그림 3.18
Marie-Unna 증후군 - 병에 걸린 모발의 스캐닝 전자 현미경도.

그림 3.17
Marie-Unna 증후군 - 병에 걸린 두피 모발의 광학 현미경도.

아미노산 대사 장애에서의 털감소증
Hypotrichosis in disorders of amino acid metabolism

아미노산 뇨증을 지난 많은 장애에서 모발에 색소침착이 저하 되어 있으며 또한 종종 가늘고, 부서지기 쉽고 숱이 적다. 가늘고 숱이 적은 모발은 페닐케톤뇨증(phenylketonuria), 아르기닌호박산뇨증(arginosuccinic aciduria), 과라이신혈증(hyperlysinaemia), 호모시스틴뇨증(homocystinuria)에서 일어날 수 잇다.

많은 증례에서 여러가지 외배엽 결함을 지닌 동류의 털감소증이 보고 된다. 일부 많은 증후군이 확인되는 증후군의 일부 형태를 나타낼 수도 있지만, 추가적으로 구별되는 많은 증후군들이 확인되고 특징을 구별지어야 할 것이다.

털감소증의 감별 진단
Differential diagnosis of hypotrichosis

뽑은 모발을 현미경으로 검사하면 더 많은 독특한 구조적 결함, 예를 들면 열전모(pili torti), 염주털(monilethrix), 환상백모(pili annulati) 같은 결함들을 제외할 것이다. 기타 외배엽 결함을 반드시 조심스럽게 조사해야 하고 친척들도 검사해야 한다.

선천성 원인의 국한성 탈모
CIRCUMSCRIBED ALOPECIA OF CONGENITAL ORIGIN

발달상 원인의 국한성 탈모에 대한 감별 진단은, 만약 믿을만한 병력을 알 수 있다면, 거의 어려움이 없다. 병력이 없을 때는, 원형 탈모와 후천성 흉터탈모증을 반드시 고려해야 한다:

1. 가장 흔한 형태는 모반모양(naevoid)이다. 표피 모반(**그림 3.19**)은 통상 모발이 없으며 사마귀모양이나 또는 부드럽게 나타나지만 약간은 굳은 플라크이다. 비흉터탈모증 지대는 때로 멜라닌세포모반 주위에서 나타난다.

2. 모든 피부층 무형성은, 두피 아래와 흔히 정수리 부위에서 다소 함몰된 흉터의 원형 또는 직선 형의, 선천 결함을 일으킨다(**그림 3.20**).

3. 뚜렷한 염증 변화에 의해 선행되지 않는 흉터탈모증의 불규칙한 부위는 가성원형탈모증(pseudopelade)으로 알려진 증후군이다. 가성원형탈모증

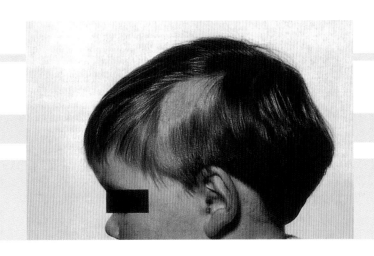

그림 3.19
표피 모반.

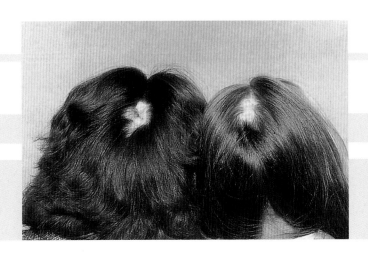

그림 3.20
자매에서의 피부 무형성.

은 어떤 유전적 증후군, 예를 들면 색소실조증과 Conradi 증후군 같은 것과 연관되어 초창기 영아 시절에 발현할 수 있다.

4. 국한 비흉터 탈모증은 흔하지 않다. 형성저하증(hypoplasia)과 일군의 모낭 무형성증의 결과이다. 두피는 임상적으로는 정상이며 조직학상으로는 모낭의 수가 줄어든 것을 제외하고는 어떤 변화도 보여주지 않는다. 언제나 존재하는 모낭은 보통 작고 종말털이라기 보다는 솜털이다. 최초의 피모상태는 정상이며 삼개월에서 육개월 사이에 반점이 발현한다. 그러나 만약 그것들의 수가 작고 완전한 대머리가 아니라면, 상당히 나중까지는 눈에 띄지 않을 수 있다.

몇몇 임상 형태가 나타난다. 수직 탈모증에서 출생시 정수리 부위에 작고 가끔 불규칙적인 탈모증 반점이 나타난다. 그것은 피부무형성(Alopecia cutis)과 혼동될 수 있지만, 부속물이 없는 것과는 별도로, 그 피부는 정상이다. 할러먼-슈트라이프 증훈군(Hallemann Streiff syndrome)의 한 구성원인 봉합 탈모증에서, 다중반점의 머리뼈봉합 부위에 있다. 삼각탈모증은 보통 형태에서 앞 머리털이 난 언저리 바로 안쪽(그림 3.21, 3.22)과 앞의 기저부쪽의, 이마관자놀이에 가로누워 있는 삼각형 부위에 완전히 대머리이거나 또는 숱이 적은 솜털로 덮여 있다. 드물지만, 유사

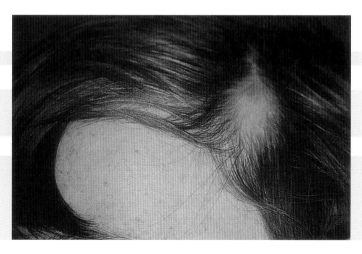

그림 3.21
삼각 탈모증.

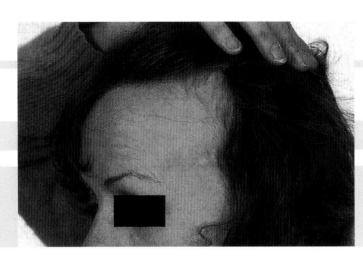

그림 3.22
삼각탈모증의 다른 예.

그림 3.23
두피 피부모양기형낭
유피낭.

한 삼각반은 목덜미 위에서도 발생한다.

단독 또는 복수의 완전 탈모증 또는 털감소증의 작은 반들은 이따금 다른 부위에서 발생할 수 있지만, 자주 눈에 띄지는 않는다. 희귀한 선천 피부모양기형 유피낭(dermoid cyst)은 납작하고 흉터가 없는 원형의 대머리반으로 퇴행할 수도 있다(**그림 3.23**).

털줄기 이상
ABNORMALITIES OF HAIR SHAFT

털줄기의 구조적 결함은 심각한 미용상의 장애를 초래하기에 충분할 정도로 명백하거나 또는 작은 외상(과도한 풍화)에 의해서도 모발에 비정상적인 손상을 입게 하기 쉬울 수도 있다. 그것들은 또한 유전적 또는 후천적 대사 이상의 결과일 수도 있고, 따라서 이러한 질환을 진단하는데 귀중한 단서를 제공한다.

가장 편리한 털줄기 이상(異常)에 대한 분류는 쉽게 부서지는 것이 많아지는 것과 연관된 것과 그렇지 않은 것으로 나눈다. 이러한 구분은 유용하다. 왜냐하면 오직 전자만이 반점형 또는 광범위 탈모증을 임상적으로 나타내기 때문이다.

아무리 적은 수가 남아 있다하더라도 비정상 모발을 지닌 증례에서 보통 편광현미경검사는 필수적이다! - 편광이 결함 부위를 강조해서 보여준다.

더 부서지기 쉬워진 구조적 결함
Structural defects with increased fragility

염주털
Monilethrix, beading of hair

'염주털' 이란 용어(**그림 3.24-3.31**)는 이십 세기 초에 처음으로 사용되었다. 그럼에도 불구하고 몇몇 초기 보고에서 그리고 심지어는 훨씬 최근 것에서도 현미경 검사의 유사점들로 인해 염주털을 다른 털줄기 결함, 예를 들면 결절 털찢김증(trichorrhexis) 또는 열전모(pili torti) 같은 것과 혼동할 수 있다.

염주털의 유전적 성격은 상태가 처음 확인 된 후 곧 인지 되었다. 상 염색체 우성(autosmal dominant) 전달은 무수히 많은 가계(pedigree)에서 예증되어 왔다. 우성 유전자의 정상 보인자(carrier)로 추정되는 것의 출현은 증명되지 않았는데, 왜냐하면 5%의 비정상을 가지고 있는 부모는 쉽게 정상으로 간주 되기 때문이다.

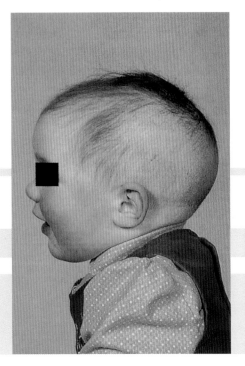 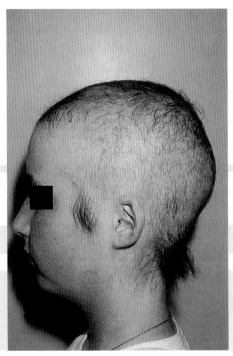

그림 3.24
염주털.

그림 3.25
염주털의 또 다른 예.

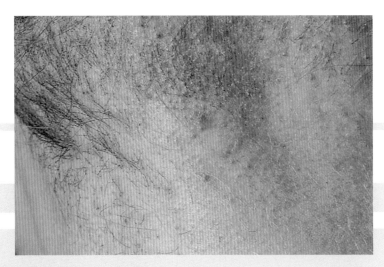

그림 3.26
염주털 - 탈모와 모낭 각질 '덮개'를 보여줌.

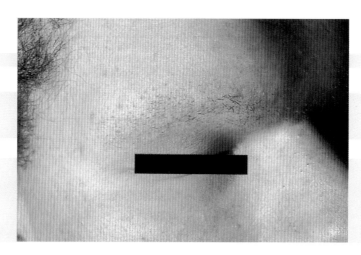

그림 3.27
염주털 - 눈썹이 영향을 받음.

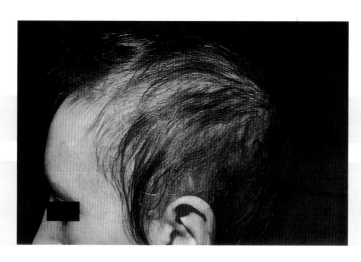

그림 3.28
염주털 - 임신 중 약간의 모발이
다시 자람.

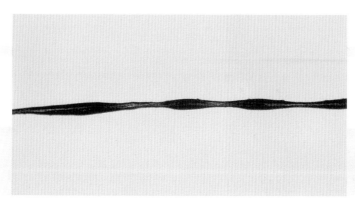

그림 3.29
염주털 - 염주형 털
(광학 현미경도).

유전자는 높은 투과도를 갖고 있는 것처럼 보이지만 다양한 표현도를 갖고 있다. 몇몇 가계는 상 염색체의 열성의 특성을 암시했다. 비정상 유전자는 각질 형성을 담당하는 12번 염색체의 긴 팔(long arm)에서 발견된다. 각질 유전자 내의 다양한 변종(hHb6, hHb1)은 다음과 같이 기술되어 있다. 양부모 모두 염주털을 가진 기술된 한 가족에서 아이 중 셋이 매우 심하게 영향을 받았는데 그 이유는 그들이 hHb6 변종에 대해 동종접합우성(homozygous)이기 때문이었다.

> 현저한 모낭각화증(keratosis pilaris)을 보이는 짧거나 부러진 두피 모발은 언제나 거의 항상 염주털이다.

병리학

털 줄기는 염주 처럼 되어 있고 쉽게 부서진다. 0.7-1.0mm 간격의 타원형 결절은 정상 두께를 갖고 있거나 정상 지름보다 약간 적다. 이들 결절들 사이의 두께는 더 얇다. 더 좁은 마디 사이(**그림 3.29, 3.30**)에 의해 격리된다. 털은 마디 사이 공간에서 갈라진다. 그들 사이의 결절과 간격의 폭은 단일 가족 내부에서도 약간의 변이를 보여준다. 스캐닝 전자 현미경 검사에 의하면 결절과 일부 마디 사이는 정상적으로 겹쳐진 스케일 패턴을 보여주지만 대부분의 마디 사이는 세로 능선을 보

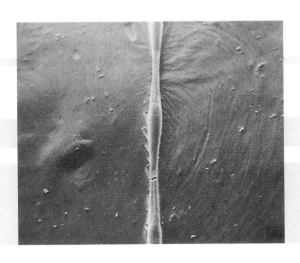

그림 3.30
염주털 - 염주털(스캐닝 전자 현미경도)

여준다. 마디 사이는 두께가 얇을 뿐만 아니라 세로 세포내의 피질 각화성 단백질 (cortical keratinous protein)이 분포상 불규칙 하기 때문에 갈라진다. 만약 이것이 구부림이나 비틀림 같은 물리적 요인을 잘 견뎌내지 못하면 당연히 갈라지고 상당히 빠르게 깎인다.

조직학적으로 모낭은 일반적인 모낭의 모양과는 달리 각각 결절과 마디 사이와 일치하는 넓고 좁은 부위(그림 3.31)와 모낭각화증을 보인다. 전자 현미경 검사에서 변화는 각질화 구역에서 볼 수 있다. 더 깊은 곳의 털줄기 세포막은 주름(fold)이 지고, 특히 손상(breakage)이 발생하는 더 좁은 마디 사이에서 주름이 진다. 심지어 가장 가느다란 털은 두피 내부에서도 손상될 수 있다. 손상된 털줄기는 모낭내(infundibulum)에서 쉽게 빠져 나오지 못 한다. 그것들은 외모근초를 부숴지게 한다. 이것은 일종의 이물육아종(foreing body granuloma)을 일으키는데, 붉은 뒤통수 구진의 독특한 특징의 하나이다.

결절 형성의 구조를 조사하고 그것을 모발이 자라는 일간 비율의 연관성을 조사하려는 시도가 있었는데, 서로의 다른 연구들이 상충되었다. 일부는 성장과 연

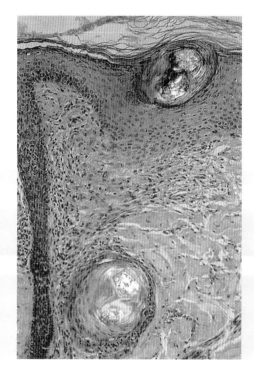

그림 3.31
염주털-모낭 염주화(왼쪽)와 각화과다증(오른쪽)을 보여주는 단면. (HE 염색법.)

관된 어떤 결절 형태도 보여주지 않았으며 그 외의 연구들에선 결절 복합체당 24-48시간 성장을 보여 주었다.

항유사분열제(antimitotic agent)를 간헐적으로 복용하면 염주털과 흡사하게 정상 구역과 교호하는 수축된 구역이 교대로 나타나게 된다. 염주형 털(moniliform hairs)은 또한 원형 탈모증의 초기 단계에서도 나타날 수 있다. 가성염주모 (pseudomonilethrix)에서 간헐적으로 보이는 납작한 털줄기와는 쉽사리 구별된다.

전자 현미경 검사 연구는 외상에 털줄기가 쉽게 영향 받을 가능성이 높은 것 (일찍 털이 깎이는 것)이 털이 정상 길이로 자라지 못하는 데 중요한 요소라는 것을 보여주었다.

임상적 특징

염주털은 시작하는 나이와 심각성과 경로에서 상당한 차이를 보여 준다(**그림 3.24-3.28**). 이러한 차이가 부분적으로 다른 유전자형과 서로 연관되어 있는지 아닌지를 확증할 충분한 정보는 아직 없다. 그러나 흔하게 보고되는 상 염색체 우성 형태 내에서 많은 변화가 있다.

출생 시에 모발이 확연하게 비정상일 수 있지만 가장 일반적으로는 정상이며 생의 첫 한달 동안에 비정상 모발로 진행성으로 교체된다. 다른 증례에서는,정상모발이 부서지기 쉬운 염주 털이 나타나는 꼭대기에서부터 각질 모낭 구진으로 정상 모발로 교체 된다. 모낭 각질과 비정상 모발은 목덜미와 뒤통수에서 가장 흔하지만 두피 전체를 포함할 수도 있다(**그림 3.26**). 전형적인 증례에서 취약하고 거친 각질 마개(plug)의 짧은 그루터기가 특징적이며, 진단에 유용하다. 일부 증례들에서 눈썹(**그림 3.27**)과 속눈썹, 음모, 겨드랑이털, 그리고 전신의 털이 영향을 받을 수도 있다.

일부 조사원들은 정신박약(oligophrenia)과 손발톱 그리고 치아 결함과의 연관이 중요한 것이라고 시사해 왔다. 그러한 연관이 퇴행 표현형(recessive phenotype)의 특징일 수 있는데, 염주털을 가진 사촌 사이에서도 정신박약과 빈약한 육체적 발달이 역시 기록되었기 때문이다. 소아 백내장 역시 발생할 수 있다.

아미노산 대사 비정상에 관한 보고는 상반된다. 아르기닌호박산뇨 (argininosuccinicaciduria)는 기술 되었지만 연구에서의 기술적 오류가 후에 감지

되었다. 이뇨 아미노산 양식은 보통 상염색체 우성 유형이나 격리된 증례에서 정상
적이다. 소변에서 식별할 수 있을 정도로 과다한 아스파르트산(aspartic acid)와 아
르기닌 산(arginine)이 보고 되었다.

치료

어떤 것도 사용되지 않았지만 경구용 레티노이드(retinoid)는 모발이 약간
다시 자라게 유도할 수 있다. 그러나 이것은 모낭각화증에 의해 방해를 받는 모낭
에 대한 영향의 결과일 수도 있다. 이발 외상의 감소 뒤에 약간의 향상되는 일이 뒤
따를 수 있는데, 이는 화학적, 물리적 손상으로부터 '깎임'이 줄어들기 때문이다. 비
록 자연적으로 향상되거나 완전히 회복되는 일도 있고, 임신 중에도 향상되는 일이
보고 된 적이 있지만 많은 환자들에서 그 증세는 거의 변치 않고 평생 지속 된다(**그
림 3.28**). 그리세오풀빈(griseofulvin) 또는 경구와 국소 레티노이드가 또한 일시적
으로 일부 정상 모발의 성장을 회복시킨 적이 있다.

가성 염주털
Pseudomonilethrix

모발 상태가 너무 좋지 않거나 부서지기 쉽다고 불평하는 환자를 보는 일은
흔한 일이며, 만약 문제의 환자가 어린 아이라면, 고전적인 줄기 결함을 제외하기
위해 모발 현미경 검사는 일상적인 방법이다. 더 나이든 아이나 어른에서도 또한
그것은 일상적인 방법이어야만 한다. '가상 염주털'이라는 이 증후군은 처음 남아
프리카에서 유럽 또는 인디안 의 후손인 사람들에서 보고 되었다. 그 증후군의 상
태는 확실치 않다; 약간의 줄기 훼손은 거의 확실히 인공적이다(**그림 3.32-3.34**).

탈모증은 8세 이상부터 발현하기 시작하며 병에 걸린 사람들에서 모발이 없
는 것은 결함의 결과로 보일 수 있으며 이것은 상 염색체 우성 유전자에 의해 결정
되며, 모발이 솔질, 빗질, 또는 기타 이발 방법 등의 손상에 쉽게 부서진다. 현미경
검사로 다음 세 개의 변화 중 하나 또는 가끔 두 개를 볼 수 있다; (1) 전자 현미경
검사를 통해 줄기에서 함몰 돌출 모서리로 판명되는 불규칙한 결절 형태의 가성염
주털(pseudomonilethrix); (2) 줄기가 펴지지 않고 불규칙하게 25-200°로 꼬임; (3)
그렇지 않았으면 정상인 줄기에서 솔 비슷한 끝으로 갈라짐. 모낭각화증은 없다.

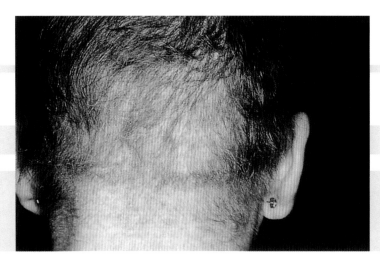

그림 3.32
가성염주털.

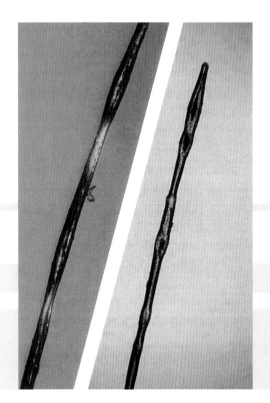

그림 3.33
가성염주털 모발 - 편극광(왼쪽)과 전송된 광선
(오른쪽).

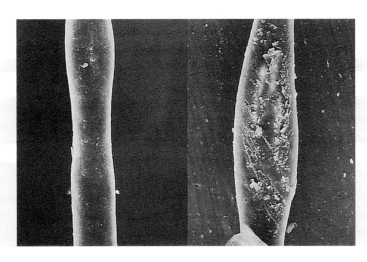

그림 3.34
가성염주털 모발
(스캐닝 전자 현미경도).

대부분의 권위자들은 현미경 검사에서 보이는 가성 염주털의 변화는 인공적인 것이라고 믿는다. 그것들은 정상 모발에서 겸자(tweezer)나 집게(forceps)로부터의 외상에 의하거나 또는 두 개의 유리 슬라이드 사이에 가로놓은 모발을 납작하게 누름으로써 생길 수 있다. 가로놓인 모발에 의해 유발되는 한 줄기의 함입은 정확히 가성염주털의 모습을 닮는다. 선천적으로 부드럽거나 또는 부서지기 쉬운 모발에서 가성염주털이 중요한 질병관련 인공물로서 나타날 수 있다.

> 가성염주털은 현미경 검사상 보이는 매우 특징적이고 다양한'부서지기 쉬운'모발의 영양 실조 인공물이다.

열전모
모발의 꼬임, Pili torti

모발이 납작해지고 불규칙한 간격으로 완전히 긴 축 둘레를 따라 완전히 180도 회전한다(**그림 3.35-3.38**). 스캐닝 전자 현미경 검사를 통해 꼬인 모발이 많은 독특한 형태로 나타나며 꼬임이 많은 다른 줄기 결함과 연관이 있을 수 있다는 점을 명확히 했다. 다양한 각도의 이따금씩 있는 꼬임이 있는 것은 유전적으로 '확

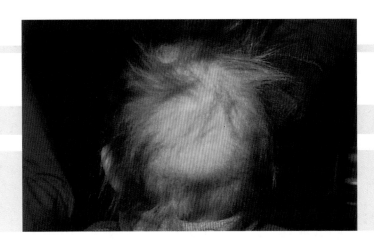

그림 3.35
열전모

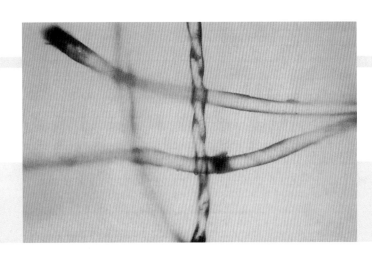

그림 3.36
열전모 - 꼬임과 약간의
풍화를 보여 주는 건조
하게 올려놓은 모발들.

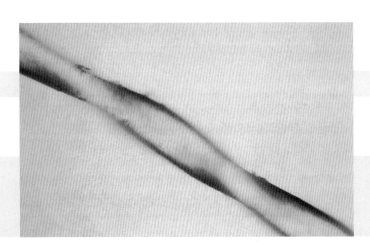

그림 3.37
열전모 - 모발 꼬임.

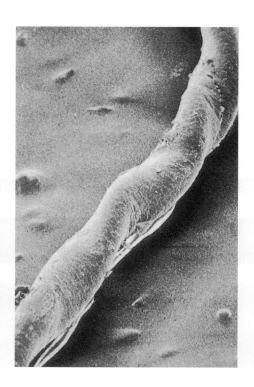

그림 3.38
열전모 - 모발 꼬임 (스캐닝 전자 현미경도)

실한'열전모 에서 나타나는 비정상으로 받아들여지진 않는다. 많은 이상증 (dystrophy)과 각질화 모낭 부위의 뒤틀림은 털줄기 '내경(bore)'을 바꾸어 놓을 것이며 때로는 180도 미만의 불규칙한 꼬인 모습을 보일 것이다.

'열전모'라는 용어는 다수의 모발 꼬임(180도)이 현저한 징후인, 선천적 또는 유전적 증후군에만 국한되어야 한다. 불규칙한 꼬임은 다른 모발 결함이 있는 많은 증후군에서도 흔하다.

꼬인 모발이 특징인 몇몇 증후군들이 있다.

■ 멩케의 증후군(Menkes'syndrome): 장(intestinal)에서 X유전자의 열성 전송에 유전적 결함이 있어서 모발이 엷은 색을 띠며 꼬인 모발의 형태를 나타낸다. 여성 보인자는 경미하게 영향을 받을 수 있다. 이 병은 Xq13인 염

색체 위에 위치되어 있다. Cu2+의 수송을 맡고 있는 ATPase의 결함에 의해 유발된다. 현미경 검사상, 모발의 꼬임은 열전모와 같으며 아미노산 결함 모발 분석은 황(sulphur)함유가 높은 단백질 합성에 심각한 교란이 있음을 보여준다.

- 비외른슈타드 증후군(Bjornstad's syndrome): 감각신경난청과 함께 꼬인 모발. 상염색체 우성 유전으로 생각 된다.
- 바젝스 증후군(Bazex syndrome): 꼬인 모발, 털감소증, 얼굴에 털집피부위축증(follicular atrophoderma)의 기저세포암종(basal cell carcinomas).
- 크랜달 증후군(Crandall's syndrome): 꼬인 모발과 생식샘저하증(hypogonadism)과 동반된 난청. 반성 열성 유전이 있을 수 있음.
- 땀저하 외배엽 형성 이상증(hypohidrotic ectodermal dysplasis): 특유의 얼굴과 치아 결함을 동반한 꼬인 모발.
- 가성 염주털(Pseudomonilethrix): 상 염색체 우성인 염주털을 명백히 지닌 사람이나 가족과 연관된 꼬인 모발.

이런 증후군을 지닌 환자들이 제외될 때, 오직 '순수' 열전모 환자들만이 남게 되지만, 이런 증례들이 균일한 군을 구성하지 않는다는 증거가 있다. 모발은 부서짐과 당겨짐에 저항하는 능력에 있어 환자마다 상당한 변화를 보여준다: 에를 들면 어떤 환자에서 모발은 심하게 풍화하지만 다른 이들에서는 그렇지 않다.

정신 지체, 열전모, crystine에서 모발 각질 결핍인 결절 털찢김증(trichorhexis nodosa)은 함께 연계되어 있는 것이 드물다. 그러나 이상적 열전모는 정상 시스틴 함량을 갖고 발생할 수 있다.

조기에 시작된 '전형적인' 열전모가 단순 결함으로 나타나는 사춘기 이후에 모발 길이는 호전될 수 있으며, 이 경우 유전은 상 염색체 우성 유전자에 의해서이다. 그러나 근친 부모(consanguineous parents)의 형제가 영향을 받는 경우도 있고 열성 유전이 의심될 수 있는 경우도 있다.

모낭을 뒤트는 국소 염증 과정으로 인해 뒤틀리고 꼬인 모발이 발생할 수 있다. 이러한 모발은 흉터 탈모증의 반점 모서리 주변에서 또는 두피의 외과나 성형 수술을 한 후 생긴 상처의 가장자리를 따라 발견될 수 있다. 후천적 열전모 유형 변화는 경구 레티노이드에 의해 발생될 수 있지만 이 모발은 꼬였다기보다는 엉켜 있다(kinked).

초기의 보고에서는 병에 걸린 모발들이 납작해지고 줄기를 따라 불규칙한 간격으로 긴 축 주변에 180도 꼬인다는 점이 강조되었다. 부하시전곡선(load-extension curve) 은 메리노 양털을 닮았으며 모발이 정상보다 쉽게 부서진다. 조직학상 유일한 비정상은 모낭의 굽이(curvature)이다. 스캐닝 전자 현미경 검사를 해보면 비록 극심한 풍화 변화가 흔하고, 모발의 '내경' 은 가로단면에서 보면 전형적으로 달걀 모양이고 타원형이지만, 털줄기는 정상으로 보인다.

임상적 특징

모발은 태어날 때는 보통 정상이다가 석달째가 되면서 점차 비정상 모발로 대체되거나 또는 2년 또는 3년이 되어서야 대체된다. 모발의 약한 정도 에서는 증례마다 다양하며 따라서 임상적 상태에 따른다. 병에 걸린 모발은 부서지기 쉬우며, 5cm 또는 그 이하로 떨어져 나갈 수 있는데, 상처를 덜 받은 부위에서는 좀더 길게 자란다. 그러므로 전체 두피에 걸쳐서 짧고 거친 모발이 보일 수 있고, 특히 후두부 부위에는 불규칙 하게 부분적 으로 국소적인 대머리로 보일 수 있다. 이에 영향을 받은 모발은 빛에 의해 '스팽글'처럼 보일 수 있는데 이는 불규칙 하게 납작해진 머리카락이 각기 다른 각도에서 반사를 하기 때문이다.

반면, 다른 외배엽 결손은 열전모(pili torti)와 연관이 있을 수 있다. 모발 각화증(keratosis pilaris)가 가장 흔히 나타나지만, 손발톱 이영양증, 치아 이상, 각막 혼탁(corneal opacities)과 정신적 지체가 모두 연계성을 가지고 있다. 코르크마개 모양의 모발은 임상의학적으로나 현미경 검사적으로 분리 할 수 있다.

진단은 모발이 잘 부서지거나 건조할 때 의심할 수 있다. 반사된 빛에 의해 반짝거리는 모습은, 오직 그 모발이 적어도 중증도에서 심하게 영향을 받지만 쉽게 부숴져 버리진 않지만 드문드문한 그루터기를 만들 정도 일 때 나타난다. 몇몇 모발의 현미경적 검사도 확진 할 수 있다.

브뢴슈타드 증후군/크랜달 증후군
Björnstad's syndrome/Crandall's syndrome

이 질환에서는 열전모가 감각신경난청과 연관되어 있다. 탈모는 대개 영아기부터 시작되지만, 8세가 되기까지도 눈에 띄지 않을 수 있다. 모발 손실의 심각성 정도와 청각 손실의 심각성 정도는 서로 상관 관계가 있다. 현미경 검사상 모발은 길게 고랑이 되어 있고 불규칙하게 꼬여 있다. 유전 양식은 상염색체 열성으로 추측 되어 진다.

증례들에서는 황체 호르몬과 성장 호르몬 결핍으로 인한 이차적 성기발육부전이 동반된 경우가 보고 되어 왔다. 가계도는 이 증후군이 상염색체 열성유전으로 유전됨을 제시 해 준다.

네테턴 증후군
Netherton's syndrome

최초의 보고에서는 홍반성 각질이 일어난 피부병을 가지고 있는 소녀에게서 마치 대나무처럼 매듭이 있는 부숴지기 쉬운 머리카락을 가지고 있는 것이 보고 되었다. 하나의 증후군에서 두가지 특징이 점차 확실 해 지는데 이는 '대나무 머리카락' ('bamboo hairs')과 네테톤 증후군의 대부분의 예에서 '선상활모양비늘증'ILC(ichthyosis linearis circumflex)이다(그림 3.39-3.41). 네터톤 증후군의 대부분 예에서 선상활모양비늘증(ILC)을 동반되지만 몇몇 예에서는 보통비늘증(ichthyosis vulgaris) 또는 두 조건을 전부 가지거나 또는 비늘피부증모양홍색피부증(ichthyosiform erythroderma)을 동반 하기도 한다. ILC는 따라서 다양한 심각성의 유형과 정도를 지닌 털줄기의 결함과 함께, 이 증후군은 지속되는 것이 특징이다.

네터턴 증후군의 유전은 다양한 표현형을 지닌 상염색체의 열성 유전자에 의해 결정된다. 여아들이 남아들보다 더 많이 걸린다.

네터턴 증후군의 두 가지 진단적 증상은 선상활모양비늘증과 오목하고 '대나무' 유형의 모발 결절이다.

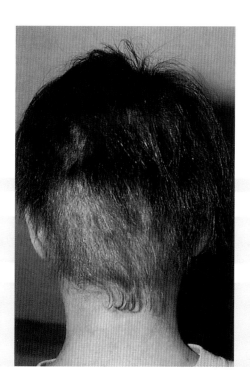

그림 3.39
Netherton 증후군

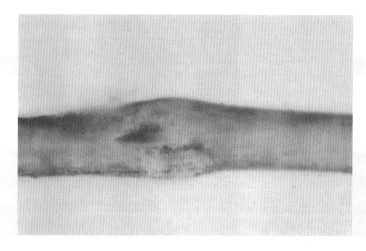

그림 3.40
Netherton 증후군 -
대나무 결절을 보여
주는 모발.

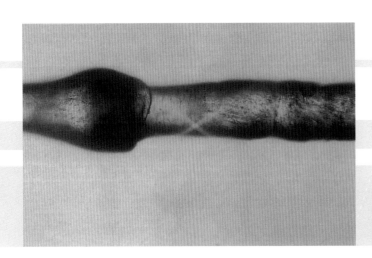

그림 3.41
Netherton 증후군 - 오목
결절을 보여 주는 모발.

병리학

조직학적 변화는 최근까지도 진단에 도움이 되지 않는 것으로 간주되어 왔지만, 이제 일정한 형을 지닌 병변에서, 상부 종자층(malpighian layers)에서 세포의 호산성 퇴행(eosinophilic degeneration)이 있다는 사실이 보고되어졌다. 아마 당단백질(glycoprotein)인 이 호산성 물질은 이상각화증적 각질층(parakeratotic horny layer)에서도 보인다. 전자 현미경 검사에서 국부 각질화의 장애의 심각성은 일관적이며 독특하다: 결합체 당김미세섬유 복합체(desmosome tonofilament complex)는 줄고 ― 막을 씌우고 있는 과립은 결여되며, 촘촘하고 둥근 몸통은 있다. 각질층은 그것의 층판 구조를 상실한다.

털 줄기를 스캐닝 전자 현미경으로 검사하면 비틀림 결절(torsion nodules), 오목한 결절(invaginate nodules) (함임털 찢김증(trichorrhexis invaginata))과 결절 털찢김증을 생성하는 초점 결함을 볼 수 있다. 만약 그 오목한 결절이 안에서 '갈라지면(break)' 모발 모양은 그 끝에서 골프 티(tee)를 닮을 것이다(de Berker sign).

임상적 특징

환자는 주로 피부 변화나 또는 숱이 적고 부서지기 쉬운 모발에 대해 호소할 수도 있다. 일반화된 비늘벗음(scaling)과 홍반(erythema)은 태어날 때 또는 이른 영아기 때부터 있을 수 있으나 홍반의 정도와 크기와 지속성은 매우 다양하다. 어떤 사례에선 홍반이 매우 작고 일시적이다. 몸통과 팔다리에서의 가늘고 건조한 비늘은 발진과도 연관되어 있으며, 각질의 가장자리부터 서서히 형태를 달리한다. 아토피의 징후는 상당한 소수의 사례에서, lgE 수치가 증가하고 '유형 1' 알레르기 항원에 약하며 그와 연관된 사례에서 많이 보고되고 있다.

결절 털찢김증
Trichorrhexis, weathering of hair

도입 introduction

털찢김증은 소위 모발이 '풍화'된, 상처에 대한 털줄기의 독특한 반응으로 가장 잘 생각된다(그림 3.42-3.48). 상처의 정도와 빈도가 충분하면 그것은 정상 모발에서도 유발될 수 있다. 소피 세포(cuticular cell)는 파열되고 기질 세포가 결절을 형성하기 위해 밖으로 벌리도록 해준다. 비록 모발이 구성상 비정상적으로 부서지기 쉽다 해도, 털찢김증은 그러나 비교적 사소한 상처에 뒤이어 일어날 수 있으며, 이 경우 손상은 모발이 나오는 두피 표면에 더욱 가깝게 보인다. 모발 미용 방법의 외상이 종종 원인이 되어 왔다. 긁힘은 생식기 부위(genitocrural region)의 털에서 동일한 변화를 야기할 수 있으며, 일광의 누적 효과는 매년 여름 계절에 따라 다시 발생하게 하는 결과를 보여주어 왔다. 수염 부위에서는 알칼리성의 비누를 사용하

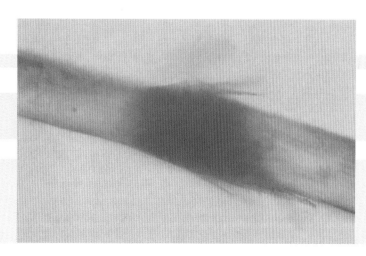

그림 3.42
결절 털찢김증 - 건조해서 붙인 모발
(광학 현미경도).

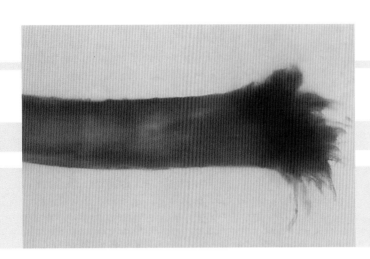

그림 3.43
결절 털찢김증 '붓'끝을
보여 주는 모발.

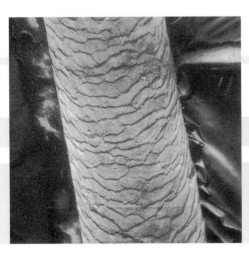

그림 3.44
결절 털찢김증 뿌리 끝에서, 대부분 풍화되지 않은
모발(스캐닝 전자 현미경도).

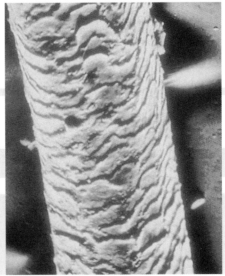

그림 3.45
결절 털찢김증 이른 표면 껍질 풍화를 보여 주는
털 줄기.

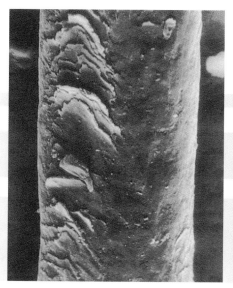

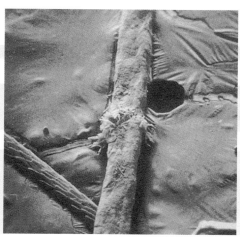

그림 3.46
결절 털찢김증 많은 표면 껍질 세포의 상실을
보여 주는 그림 3.45에 대해 먼쪽 털 줄기.

그림 3.47
결절 털찢김증 - 결절을 보여 주는 털 줄기.

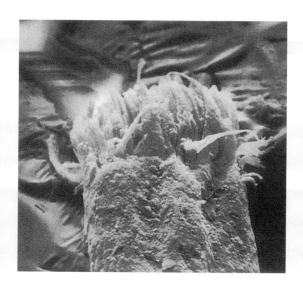

그림 3.48
결절 털찢김증 페인트 솔끝 형태를 보여
주는 모발(그림 3.43을 참조).

는 것이 원인일 수도 있다.

털줄기의 선천성, 유전적 결함은 결절 털찢김증을 형성함에 있어 선행 요인이 될 수 있다. 그것은 가성염주털에서, 네테톤 증후군에서 또는 환상백모(pili annulati)에서도 일어날 수 있다. 결절 털찢김증은 희귀성 대사 결함인 아르기닌산 호박뇨가 특징이며, 이것은 정신 지체와도 관련이 있다. 이 상태에서는 아르기니노수키나아제(argininosuccinase)라는 효소가 결핍되어 있다.

결절 털찢김증은 모발에 있어 분명하게 격리된 질병으로서 일정한 가족력에서 발생할 수 있다. 결절 형성과 골절은 최소 외상에 의해서 유발되며 생의 최초 수 개월 동안에 발달한다. 매우 드물지만, 전자 조직 화학 연구는 모발을 형성하는 데 장애의 증거를 보여준다. 전자 조직 화학 검사는 시스틴과 연관된 모발 피질의 구상 기질 내부에 있는 - 케라틴 사슬 형성에서 장애의 증거를 보여준다.

단순한 결절 털찢김증에서, 줄기는 광학 또는 전자 현미경 검사에 의해서는 정상으로 보일 수 있거나 또는, 근위부 1cm를 별도로 하고, 줄기의 양상은 '닳아서 찢어지는' 듯한 징후를 보일 수 있다. 결절에서 껍질은 부풀고 세로로 균열을 내면서 갈라진다. 만약 골절이 결절에 가로 축으로 발생하면 즉, 털갈림증(trichoclasis)이 발생하면서 모발의 끝은 페인트용 솔처럼 갈라진다.

> 결절 털찢김증은 후천적으로 발생하지만, 신체에 잠재되어 있는 모발의 질병은 결절 털찢김의 발생에 대해 선행 요인으로 연결 될 수 있다.

임상적 특징

털줄기의 유전적 결함을 복잡하게 만드는 결절 털찢김증에서 모발은 쉽게 부서져서 두피의 크고 작은 부분에 단지 부러진 그루터기만을 보여주며, 탈모증은 꽤 전반적일 수 있다. 외상이 더 큰 역할을 하고 이미 존재하는 줄기의 부적절성은 작은 역할을 하는 흔한 조건에서, 세 가지 주요한 임상적 표현들이 있다. 첫째, 환자는 근위부 결절 털찢김증을 보일 수 있는데, 이는 종종 우연히 발견되며, 오직 소수의 약간 흰 소절(nodule)이 흩어진 모발의 끝부분 가까운 곳에서 보인다. 둘째, 만약 많은 모발이 영향을 받으면 환자는 모발이 거칠고 부서지기 쉽다고 호소할 수 있다. 셋째 임상적 형태는 기술은 잘 되어 있지만, 그 예를 찾기 매우 드물다; 두피, 콧수염이나 수염의 국소 부위에서, 일부의 털이 부러지고 다른 털들은 하나에서 5 또는 6개의 소절을 보여준다.

진단

선천성 형태는 반드시 그 외의 줄기 결함과 구별되어야 한다. 말초 부위에서 시작되며 비듬 또는 심지어 치아 감염증의 요인을 자극할 수도 있다. 모든 증례에서 진단은 주의깊은 현미경 검사에 의존한다. 샴푸는 별도로 하고, 지나친 물리적, 화학적(성형의) 외상은 반드시 피해야 한다.

모발 유황 이영양증
Trichothiodystrophy

모발 유황 이영양증(TTD)라는 용어는 황 함유량이 비정상적으로 낮은 부서지기 쉬운 모발을 기술하기 위해 만들어졌다. 서로 다른 증후군의 특징이 다양한 군보다는 단일한 것을 나타내는지, 또는 이 특징을 공유하는 독특한 군인지의 여부는 아직 확실하지 않다(**그림 3.49-3.58**).

부서지기 쉬운 모발과 연관된 다양한 증후군 복합체는 모발 유황 이영양증과 연관해서 생각해 왔다:

1. 부서지기 쉬운 모발, 지능적인(intellectual) 손상, 생식력의 감소와 짧은 신장(BIDS).

2. 비늘증(ichthyosis)BIDS(IBIDS).

3. 감광성(photosensitivity)과 IBIDS(PIBIDS). 이것의 빛에 대한 민감성은 색소성 건피증(xeroderma pogmentosum: XP)에 상응하는 세포의 DNA 복구 결함을 지닌 TTD와 연관될 수 있다. 그러한 경우에는 비늘증이 IBIDS의 그것과는 다른 것처럼 보인다. 그러므로, 기본 구조에 대한 더 심층적인 정보가 없는 상태에서 한층 실용적인 분류는 A에서 F라는 범주를 갖고 제시되었다(**표 3.2**). 그리고, DNA결함의 복구에 대한 관찰은 여전히 모든 경우에서 다 행해지고 있다.

TTD는 따라서 XP뿐 아니라 코케인(cokayne) 증후군을 포함하는 일군의 장애에 속한다. 뉴클레오티드의 절제와 복구의 체계, 특히 전사인자 TFIH에서 결함이 있다고 보고되어 있다.[9] TFIH는 두 가지 기능을 갖는다: 바로 DNA 복구와 DNA 전사인데, 신생물이 XP에서처럼 발현되면, DNA 복구는 불완전하게 되어 있다. TTD에서는 오직 전사만이 비정상이다.

또한, 이것은 상염색체의 퇴행화된 유형이라고도 보여진다.

표 3.2 모발 유황 이영양증의 분류에 대한 지침

A	격리된 선천성 모발 결함
B As type A+	손발톱 이상(1994년까지 보고 안 됨)
C As type B+	정신 지체
D As type C+	성장 지체
D' As type D+	가계 연구에서 생식력 감소
E As type D'+	비늘증
E1	층판 비늘증(선천성 유형)
E2	보통 비늘증(후천성 유형, F에서 흔함)
F As type E2+	빛에 민감
	DNA 복구 평가
	색소성 건피증 세포를 상보 연구
	색소성 건피증 상보성 집단−D에서의 그것과 비슷한 결함

어떠 신경외배엽 증후군에서도 모발에서 그 흔적이 미미하게 보이더라도 항상 두피 모발 광학 현미경 검사를 행하도록 하라 - 만약 TTD, BIDS, IBIDS 또는 PIBIDS가 진단된다면, 모발은 그것을 보여줄 것이다; 몇 분만 간단히 관찰하면 복잡한 증례를 범주화 하기에 충분하다.

병리학

모발은 부서지기 쉽고 심하게 풍화된다. 외상을 입으면 그것은 아마 깨끗이 부서지거나(**털찢김증; 그림 3.55, 3.56**) 또는 결절 털찢김증(trichoschisis)을 다소 닮은, 그러나 개별 방추 세포에 명백하게 노출되지 않는, 결절을 형성할 수도 있다. 모발은 납작해지며 다소 리본이나 신발끈 같은 다양한 모습으로 꼬일 수 있다(**그림 3.57**). 스캐닝 전자 현미경 검사로 모발이 납작해진 것을 볼 수 있고, 때로는 그 자신 위로 접힌 것도 보인다(리본처럼). 줄기는 능선과 장식적인 세로홈을 지니고 불규칙적이며, 표피 비늘은 반점형으로 없어진다. 편광 현미경 아래에서 모발은 밝고 어두운 부위를 교대로 보여준다(**그림 3.56**). 투과 전자 현미경 방법을 사용하면 털 줄기에서 고황 단백질이 양적으로 감소하고 이 단백질이 표피 세포의 바깥 부분으로 이전하지 못 하는 것을 볼 수 있다. 생화학 검사를 통해 보통 고황과 초고황 단백질의 합성이 결여되고, 새로운 저분자 질량 단백질이 출현하는 것을 명확하게 볼 수 있다. 이 질병의 작동 원리에 대해 제안된 사항은 다른 조직에서 다른 기능을 제어하는 조절 유전자에서의 결함이다. 이는 또한 중앙 신경 체계와 번식력 감소의 연관을 설명해줄지도 모른다.

임상적 특징

모발은 숱이 적고 짧고 부서지기 쉽지만 탈모증의 정도에는 상당히 차이가 있다(**그림 3.49, 3.50, 3.52, 3.53**). 충판 비늘증이 있을 수도 있다. 손발톱은 자주 비정상이며, 부드럽고 납작한 숟가락 모양으로 휘어진다(**숟가락 손톱; 그림 3.51**). 정

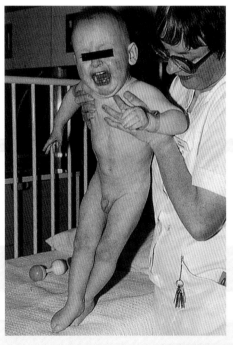

그림 3.49
모발 유황 이영양증 아이 - 모발 증상과 경직이 뚜렷하다.

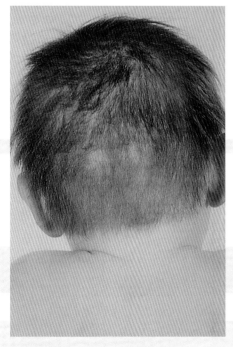

그림 3.50
모발 유황 이영양증 - 짧고 부서지기 쉬운 모발.

그림 3.51
모발 유황 이영양증 - 숟
가락 손톱을 지닌 가느다
란 손톱들.

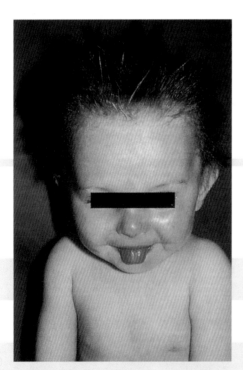

그림 3.52
광과민성을 지닌 모발 유황 이영양증.

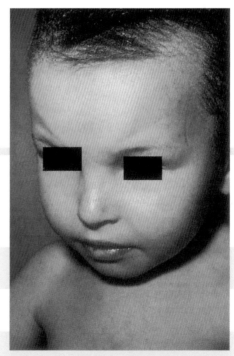

그림 3.53
광과민성을 지닌 모발 유황 이영양증(8년 뒤에 보
인 그림 3.52에서와 같은 환자).

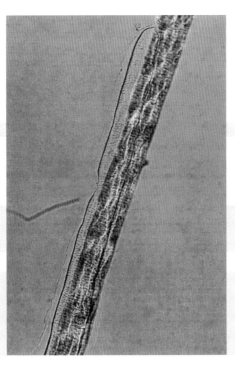

그림 3.54
모발 유황 이영양증 - 편극광 하에서의 모발 특유의 줄무늬 모양.

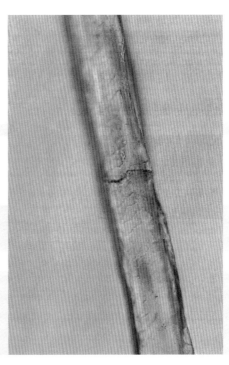

그림 3.55
모발 유황 이영양증 - 가로 틈새(trichoschisis)를 보여 주는 모발.

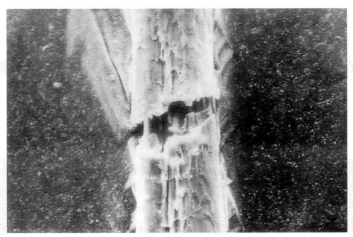

그림 3.56
모발 유황 이영양증 가로 틈을 보여 주는 모발 (스캐닝 전자 현미경도).

그림 3.57
모발 유황 이영양증 풍화
된 리본 모양의 모발.

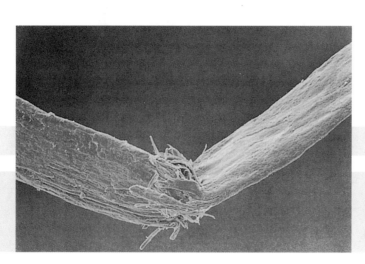

그림 3.58
모발 유황 이영양증 - 결
절 털찢김증의 모습.

신적 육체적 발달은 정상일 수 있지만 하나 또는 모두가 약간이나 보통, 또는 심하
게 지체된다. 추가 증례가 연구되기까지는 모발 유황 이영양증을 보이는 증후군 과
의 관계는 추측에 불과하다.

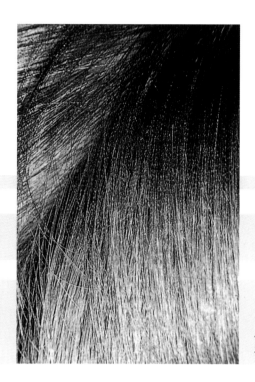

그림 3.59
환상 백모 - '모래'같은 모발 모양.

마리네스코-쉬외그렌 증후군
Marinesco-Sjögren syndrome

이 희귀한 상염색체의 퇴행 유전 증후군은 또한 소뇌운동 실조증(cerebellar ataxia), 말더듬증(dysarthria), 육체적 정신적으로 지체되는 양상과 선천성 백내장을 포함한다. 치아는 비정상적으로 생기고 측절치(lateral incisors)가 없을 수도 있다. 손톱은 납작하고 가늘며 무르다. 모발은 숱이 적고 색소저하되어 있으며 짧고 부서지기 쉽다. 현미경 검사를 하면 가로 골절-trichoschisis-이 금방이라도 골절이 생길 것 같은 형태를 관찰 할 수 있다. 편광에서 모발은 불규칙하게 굴절된다. 두피 생검은 정상적인 성장기 모낭을 보여주지만 내부 모근초는 불완전하게 각질화되어 있다.

부서짐이 증가하지 않는 구조적 결함
Structural defects usually without increased fragility

환상백모, 고리 모양의 모발
Pili annulati, ringd hair

이 비정상적인 모발은 길이를 따라 밝은 띠와 검은 띠를 교대로 보여주는 모발 특징을 갖지만('모래' 같은 모습), 다른 것들은 정상인 모발들이다. 환상 모발의 유전은, 비록 상염색체 퇴행 유전이 드물게 검출되기는 하지만, 상염색체 우성 유전자에 의해 결정되는 광범위한 가계에서 나타난다. 푸른 모반과 환상 모발은 가족의 일부 구성원에 연관된 것으로 보여졌으나, 그 두 조건은 분리되었다.

광학 현미경 검사에서 비정상 붉은 띠는 정상 밝은 띠와 교대로 나타난다(그림 3.60). 빛에 반사된 비정상 띠의 밝은 모습은 피질에서의 공기의 공간 때문이다(그림 3.61). 성장률은 측정되고 하루에 0.16mm인 것으로 알려 졌는데, 이는 평균 정상 비율보다 적은 수치이다. 부하대열(Breaking stress) 분석은 환형 모발에서 의미있는 비정상적 소견을 보이지 않았지만 골절은 항상 정상 띠 속에 있다.

전자 현미경 검사 연구는 비정상 띠에서 피질에 두루 임의로 분포된 공기가 주입된 공동(cavities)의 집단은 피질 세포 내의 거시세섬유(macrofibrils) 사이에 놓이고 더 큰 공동의 경우 피질 세포를 대체하는 것처럼 보인다. 한 가족에서 채취한 모발은 스캐닝 전자 현미경 위에서 '조약돌' 모양을 보이는 비정상적인 표면 껍

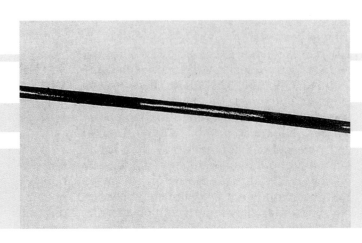

그림 3.60
환상 백모 - 모발 띠; 검은
단면 비정상(전송된 광학
현미경 검사).

그림 3.61
환상 백모 비정상 띠(위); 모발 가로 단면의 스캐닝
전자 현미경 검사(아래) - 왼쪽은 정상 밀도 겉질;
오른쪽은 공간으로 찬 겉질.

질을 보여 주었다. 전자 조직화학 방법은 이러한 소견을 확인해 주었다: 껍질 세포
는 주름 속으로 밀려난다. 비정상 교대 띠는 임의로 생성되는 것처럼 보이며 성장
의 특정 주기에 관련된 것처럼 보이지는 않는다.

환상백모는, 비록 최근에 기저 막 부위에 더 이른 털집 결함이 있다는 점이
시사되었지만, 전통적으로는 교대로 나타나는 일차 각질 결함 때문인 것으로 생각
되어 왔다.

> 환상백모에서, 전반적인 '모래' 모양을 별도로 하면, 모발은 대개 임상적으로는 정
> 상이다.

임상적 특징

환형 모발은 매우 다양하게 부쉬지는 정도를 보인다. 부쉬지는 것이 경미하
고 비교적 영향 받은 모발이 거의 없을 때, 그 상태는 일부러 찾으려 할 때에만 발
견할 수 있다. 만약 많은 모발들이 영향을 받고 부쉬지는 정도가 크다면, 어린나이
에서도 짧은 모발이 눈길을 끌 수 있고, 빛에 반사되면 '띠 모양의' 모래 같은 줄기
모습도 쉽게 감지될 수 있다. 겨드랑이 털은 이따금씩 영향을 받는다.

진단은 병에 걸린 모발에 대한 현미경 검사를 통해 쉽게 확진된다. 간헐적인

말이집형성(medulation)과 환상백모를 구분하는 것은 중요하다. 속질의 중앙에 위치하는 것과 반대로 후자에서는 검은 마디가 표면에 있다.

예후 *Prognosis*

결함 정도가 나이와 함께 증가하지 않는다는 점에서 예후는 양호하다.

양털 모양 모발
Woolly hair

양털모양털은, 흑인이 조상이 아닌 사람에서, 두피 전부(**그림 3.62**) 또는 일부(**그림 3.63, 3.64**) 에서 다소 단단하게 감겨진 모발이다.

1. 유전적 털실모발. 이 질환의 유전은 상염색체 우성 유전자에 의해 결정된다.
2. 가족적 양털모양털. 이 유전적 결정은 결론을 내릴 수는 없지만 그 상태는 부모가 정상인 형제에게서 발생했다. 상염색체의 퇴행 유전이 있음직하다.

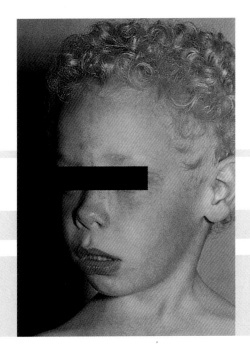

그림 3.62
양털 모발 - 코카서스 인체에서 '흑인' 양상.

3. 대칭성 국한성 탈모증(symmetrical circumscribed allotrichia)은 별개의
   증후군처럼 보여진다.

4. 양털모양 모반. 이것은 국한성 발달 결함이며 태어날 때부터 있으며, 명백
   히 유전적으로 결정되지 않는다(**그림 3.63, 3.64**).

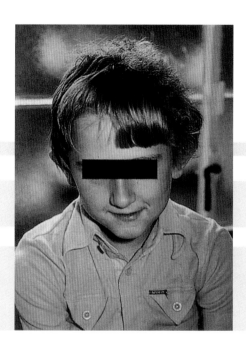

그림 3.63
양털모양털 모반.

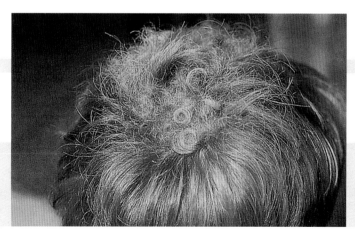

그림 3.64
양털모양털 모반 - 그림
3.63과 같은 환자.

유전적 양털모양털 *Hereditary woolly hair*

일부 혈통의 병에 걸린 사람에서 모발의 지름은 줄어들고 부숴지기 쉬우며, 결절, 혹은 털찢김증을 보일 수도 있다. 과다하게 곱슬한 모발은 출생시부터 그 양상이 뚜렷하거나 또는 이른 영아기에 또렷하다. 실질적으로 돌돌 말린 모발은 더 적을 수도 있겠지만, 외모상으로 흑인인 것처럼 기술되어 왔다(그림 3.62). 한 가족 내에서의 심한 정도는 일정하지 않다. 일부 사례에서는 모발이 무르고 쉽사리 부서진다.

가족성 양털모양털 *Familial woolly hair*

모발의 지름이 현저하게 감소하며, 모발 색상 또한 흐리게 착색된다. 모발은 무르고 스캔 전자 현미경 검사에 의하면 피질이 깎이는 듯한 징후를 보여 준다. 또한 어떤 사례에선 가늘고 단단하며 곱슬하고 일정치 않게 착색된 모발을 선천적으로 지니고 태어나지만, 그 모발은 2 또는 3cm 이상으로는 결코 자랄 수 없다.

대칭성 국한성 탈모증 *Symmetrical circumscfibed allotrichia*

양털모양의 모반으로 보고된 사례 중 일부에서 대칭성 국한성 탈모증으로 이미 보고된 사례가 있었다. 청소년기 이후 귀 윗부분에서 뒤통수 부위에 걸친 두피의 모서리 주변으로 확산되는 불규칙한 띠모양으로, 모발은 굵어지면서 점차 수염처럼 변화한다. 많은 사람들은 이를 후천성 진행성 엄킴털(acquired progressive kinking)이라고 일컫는다. 증상은 사춘기에 나타나고, 때로는 남성형 대머리의 증세와도 일부 일치하기 때문에, 안드로겐에 의한 구조 때문이라고도 추측할 수 있다. 이것이 모낭에 직접 작용하는지 아니면 부속기관 진피 위에서의 직접적인 작용 때문인지는 확정되어야 한다.

양털모양털 모반 *Woolly hair naevus*

두피에서 침범된 모발은 다른 곳보다 더 가늘다. 비정상 모발에 대한 전자 현미경 검사는 피질이 없음을 보여준다; 결절 털찢김증은 있을 수 있다. 두피의 국한된 부분에 있는 모발은 날 때부터나 또는 이른 유아기부터 단단히 말려져 있다

(그림 3.63, 3.64). 침범된 부위는 전반적인 성장에 비례하여 커진다. 비정상 모발은 색에서 두피의 다른 부위의 것보다 약간 더 얇을 수 있다. 보고된 증례 중 절반 이상에서 표피 모반(epidermal naevus)은 있었지만 같은 부위에 있는 것은 아니었다. 양털모양털 모반은 눈의 결함과도 연관이 있어 왔다.

모발의 후천성 진행성 꼬임
Acquired progressive kinking of the hair

두피 모발의 후천성 진행성 꼬임(APK)은 극히 희귀해 보이지만 많은 증례들 중 기록되지 않았을 수도 있다. 그것은 아마도 수염털과 동의어일 것이라고 추측 되기는 하지만 양털모양모반과 혼동했으나 APK는 청소년이나 성인이 되어야 증 세가 나타나고 수년의 기간에 걸쳐 진행성으로 확산된다는 점에서 임상적으로 구 별된다(그림 3.65, 3.66).

> 많은 사례에서 볼 수 있듯이, 후천성 진행성 꼬임은 안드로겐 탈모증에 선행하는 하나의 징후로 받아들일 수도 있다.

그림 3.65
후천성 진행성 꼬임.

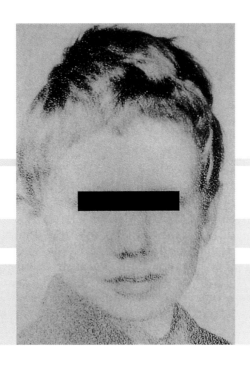

그림 3.66
그림 3.65와 같은 환자 - 3년 전의 더 곧은 모발.

병인과 병리학

APK의 원인은 알려진 바 없다. 아직까지는 그것이 유전적으로 결정된다는 것에 대한 증거도 없다. 병변내 두피 부위의 모발은 정상 두피에서보다 더 가늘거나 굵을 수 있고 그들이 불규칙적으로 분포된 꼬임과 반만 꼬인 모발의 형태를 보여준다. 성장기의 지속은 일부 사례에서 감소된다.

임상적 특징

환자는 점차로 두피 한 곳의 모발이 꼬이며, 결에서는 진행성 변화가 일어나고 있다는 것을 지각하게 된다. 검사를 하면 하나 또는 그 이상의 두피 부위의 모발이 철사처럼 뻣뻣하고, 거칠고 멋대로이며 광택을 잃고 있다. 정상과 비정상 모발 간에 정확한 경계선은 없다. 기술된 몇몇 증례에서 후천성 꼬임은 보통 남성 대머리의 발달에 선행한다. 여성에서는 정상 모발 중간에 APK의 작은 형태가 같은 질환군으로 나타날 수 있다.

빗을 수 없는 모발 증후군
Uncombarible hair syndrome

이 증후군은 또한 유리 섬유 모발(spun glass hair), cheveux incoiffables 또는, 소관 삼각모발(pili trianguli) 등으로 알려져 있다. 그것은 매우 독특한 줄기 결함인데, 이 결함은 듀프레와 그의 동료들(**그림 3.67-3.72**)에 의해 맨 처음 기술된 것

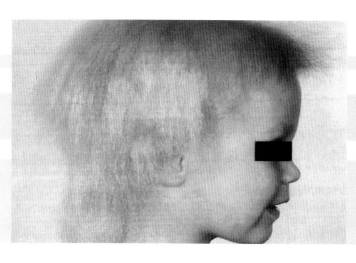

그림 3.67
Cheveux incoiffables -
빗을 수 없는(제멋대로인)
모발 증후군.

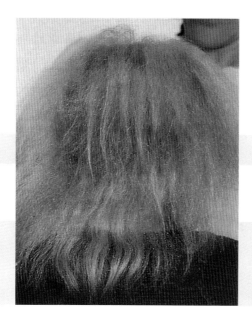

그림 3.68
Cheveux incoiffables의 또 다른 예.

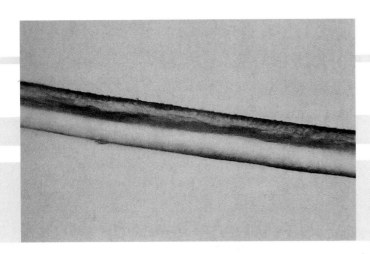

그림 3.69
Cheveux incoiffables에
서의 털 줄기 - 한 면을
따라 있는 세관 '고랑함
몰'(광학 현미경도).

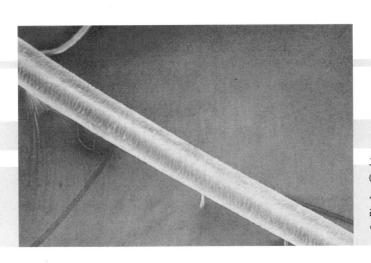

그림 3.70
Cheveux incoiffables에
서의 털 줄기 한 면을 따
라 있는 세관 '고랑함몰
'(스캐닝 전자 현미경도).

처럼 보이지만 더 많은 증례들이 그 이후 보고 되었다(**그림 3.63-3.72**). 유전 양식은
추정상 우성 상염색체이다.

병리학

현미경 검사로 보면 모발은 다소 정상으로 보일 수도 있다. 스캐닝 전자 현
미경 검사에서 조직학적인 두피의 수평 절개 검사를 하면 삼각형 또는 콩팥-모양
(**그림 3.71**)의 줄기의 모습과 또한 잘 정돈된 세로의 오목한 형태의 관을 뚜렷이 관

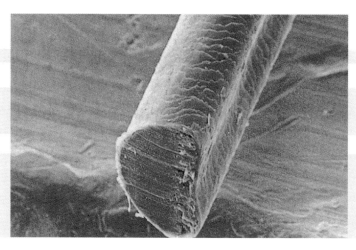

그림 3.71
세로의 '관'과 콩팥 모양
의 거의 삼각형인 가로 단
면을 보여 주는 cheveux
incoiffables에서의 털 줄
기(스캐닝 전자 현미경도).

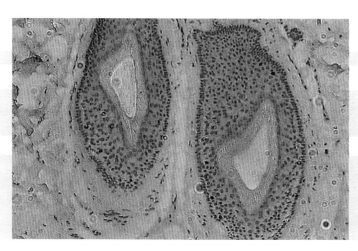

그림 3.72
Cheveux coiffables에서
의 모낭 조직학 - 모낭의
삼각형 가로 단면이 뚜렷
하다.

찰할 수 있다(**그림 3.71**). '눈물소관과 삼각모발' 이란 용어가 이러한 결함을 기술
할 용어로 제시되었다. 털 눈물소관은 모든 증례에서 존재하며 삼각모발은 다수에
서 그리고 약간의 꼬임은 소수에서 존재한다. 기형의 진피 유두는 내부 뿌리집의
모양을 바꾸는데, 이는 (중앙에서 형성하는 모발 앞에서) 삼각형의 가로 단면 모양
으로 굳는다. 모발 모양은 점차 굳어서 모근을 보완하는 모양으로 변한다.

임상적 특징

3개월에서 12세의 나이에 최초로 비정상이 뚜렷해질 수 있다. 모발은 양에서 그리고 때로는 길이에서 정상이지만, 모발은 거칠고 무질서하고 제 멋대로의 모습이다(그림 3.67, 3.68). 일부 증례에서는 이러한 노력들로 인해 모발이 부서지지만, 부서짐의 증가가 항상 특징은 아니다. 모발은 종종 다소 독특한 은색 블론드 색이다. 눈썹과 속눈썹은 정상이다.

임상적 모습은 대개 독특하다. 광학 현미경 검사에 의하면 진단은 삼각 모발을 볼 수 없으면 믿을 만하게 입증되지 않는다. 전자 현미경에서의 모습은 독특하다. 비록 경구 바이오틴(biotin) 치료가 제시된 적은 있지만, 어떤 치료법도 알려져 있지 않다.

직모 모반
Straight hair naevus

직모 모반에서 흑인 두피의 국한된 부위에서 모발은 곧고 가로 단면에서는 둥글다(그림 3.73). 비정상 모발은 표피 모반과 연관돼 있을 수 있다. 스캐닝 전자 현미경 검사에서 껍질 비늘은 작게 보일 수 있고 그것들의 문양은 해체된 것처럼 보일 수 있다. 이것이 cheveux incoiffables의 국소 형태로 제시되어 온 것이지만, 모발 현미경 검사상의 변화는 삼각형이거나 특정적이지 않다.

느슨한 성장기 모발 증후군
Loose anagen hair syndrom

이 독특한 상태는 성장기 모발이 느슨하게 박혀 있고 쉽게 두피에서 잡아당겨 뽑히는 특징을 보인다.[10] 대다수의 환자는 2-9세 사이의 아이들이며 대부분은 소녀들이다(그림 3.74); 상염색체 우성 유전을 시사하는 가족군이 기술되어 있다. 뽑혀진 모발은 외부 뿌리집이 없는 기형이다. 조직학은 헉슬리와 헨리의 내모근초의 때이른 각질화를 보여준다. 모발계수는 휴지기 모발은 거의 없는 98-100%의 성장기 모발을 보인다.

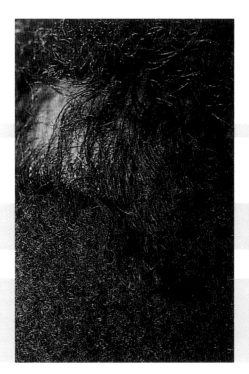

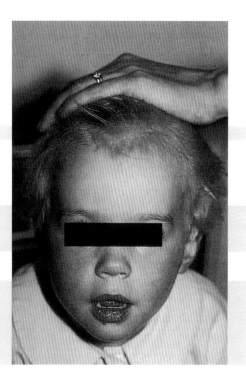

그림 3.73
직모 모반.

그림 3.74
느슨한 성장기 모발 증후군.

기타 줄기 비정상
Other abnormalities of the shaft

털갈림증
Trichoclasis

털갈림증은 털줄기 끝이 세로로 쪼개어지는 것이다. 가로 줄기 골절이 일어나며, 건강한 껍질에 의해 부분적으로 고정된다. 껍질, 피질, 황 함량은 비정상이다. 이 징후는 다양한 선천성, 후천성 '부숴진(flagile)' 모발 상태에서 볼 수 있다.

'털찢김증 blastysis' 이상한 얼굴, 생존 하지 못함, 설명되지 않는 설사와 비정상 모발은 털갈림증과 비슷한 스캐닝 전자 현미경도를 보여준다.

털종렬증
Trichoptilosis

털종렬증은 털줄기 끝이 세로로 쪼개지는 것이다. 환자는 자주 그 상태를 '쪼개진 끝(split ends)'이라고 지칭한다.

병인

털종렬증은 화학적, 물리적 외상의 누적된 상태에 대해 육안으로 식별할 수 있는 털줄기의 가장 흔한 현상이다. 그것은 정상 모발을 힘차게 솔질하는 실험으로도 쉽게 만들어낼 수 있고, 열전모의 결절에서도 일어난다. 그것은 '깍임(풍화)' 과정의 한 요소이며 정상인과 선천성 '부서지기 쉬운 모발' 증후군을 가진 사람의 긴 모발에서 볼 수 있다.

병리학

털줄기의 말단 끝부분은 세로로 두 개 또는 몇 개로 분열된다. 모발 손상의 기타 현미경 검사의 흔적도 있을 수 있다.

임상적 특징

털종렬증은 종종 자신의 모발이 건조하고 잘 부러지기 쉽다고 호소하는 여성에게서 우연히 발견된다. 결절 털찢김증과 털종렬증은 동일 환자에게서 자주 존재한다. 끝은 포함되지 않은 털줄기에서 세로로 쪼개지는 중앙 털종렬증은 때때로 일어나며, 특히 매듭지어진 모발에서 일어난다(trichonodosis).

치료

환자가 더 이상의 미용상의 외상을 피하도록 주의깊은 설명이 필수적이며, 미용상의 외상은 피할 수 없이 재발을 일으킨다.

원형 모발
Circle hairs

원과 나선형 모발은 중년 남성에서 등, 배, 넓적다리 등의 모낭 옆에 작고 검은 원으로서 나타난다. 그들은 각질층(stratum corneum) 바로 아래에 나선형 트랙에 놓여 있는 안으로 파고드는 덜 자란 모발의 흔치 않은 형태이며, 쉽게 추출될 수 있다. 각질 모낭 막기는 연관되어 있지 않다(모공각화증과 괴혈병의 말리고 납작한 '코르크마개'와 같은 모발을 비교하라).

털연화증
Trichomalacia

털연화증은 일부 모낭이 메워지고(plugged) 부드러운 기형의 부푼 모발을 함유한 반점형 탈모증이다. 모발을 당기는 버릇의 반복된 외상으로부터 변화가 비롯된다; 발모광(Trichotillomania)에서의 많은 조직학적 연구는 이 견해를 확증해 준다.

병리학

(털)망울 위에서 털줄기 세포는 단절된 것처럼 보이고, 모발은 형태가 없거나 부분적으로 붕괴된다. 모낭 높은 곳에서 줄기는 가늘며 똘똘 감겨 있을 수 있다. 생검 표본은 기형이고 꼬인, 그리고 기질 세포 간에 털망울과 결체조직초 사이에서 갈라지고, 부분적으로 찢어진 모발을 보여준다. 염증 반응은 없다. 이 변화는 발모광 특유의 것이라고 일컬어진다. 임상적 특징은 발모광의 그것과 일치한다.

털 연화증
Trichoschisis

털연화증(Trichoschisis)은 껍질과 외피를 관통한 털줄기를 가로지르는 뚜렷하고 가로로 된 골절이다. 골절은 껍질 세포의 국소적 부재와 연관되어 있다(**그림 3.55, 3.56**). 그것은 모발 유황 이영양증과 연관된 많은 증후군 특유의 현미경 검사적 소견이라고 말해진다. 그것은 아마도 고황 기질 단백질 함량의 감소와 특히 바깥 껍질과 껍질 세포의 A층에서 유사한 감소를 지닌 모발에 두루 걸쳐 완전한 골절을 나타낸다. 그것은 황결핍 증후군에서 두드러질 수 있지만 그것을 특이성이나 또는 질병 특유의 것(pathognomonic)으로 보아서는 안 된다.

폴-핀커스 협착
Pohl-Pinkus constriction

일부 사람들에서 줄어든 지름의 부위는 시간상 외과적 수술 또는 질병과 일치하거나 또는 엽산 길항제(folic acid antagonists)나 기타 유사분열(mitosis)을 방해하는 약의 복용과 일치한다. 그것은 19세기에 최초로 기술되었다. 그런 영향을 받은 모발의 비율은 다양하며 초기 성장기의 모발이 저단백혈증이나 교란된 단백질 합성의 주기에 영향을 가장 많이 받는 것으로 보인다.

털줄기에서 이들 협착은 손톱의 가로 줄(Beau's line)과 유사한 것으로 간주되어 왔으며, 이 줄은 또한 병약한 건강 시기와도 일치한다. 염주털과 비슷한 더 긴 협소해짐은 성장기 탈모로 이르게까지는 하지 않는 세포독성약물(cytotoxic drug)을 다량으로 투여하면서 일어날 수 있다.

> 폴-핀거스 모발 결절은 보(Beau's) 손톱 줄과 동등하다.

가늘어진 모발
Tapered hairs

가늘어지는 모발은 털줄기의 많은 다른 구조적 이상과 관련하여 나타날 수 있다. 모발의 기질상 세포분열을 억제하는 어떤 과정과도 연관되어 일어날 수 있다. 심한 억제는 만약 섬유가 좁아지는 것이 현저하면 골절될 수도 있다. 만약 기질의 방해적 영향이 일시적이라면 예를 들어 세포독성약물 때문에, 모발은 다시 넓어 질 수 있으며, 발생하는 줄기에서 국소적으로 '아령 같은' 모양이 된다, 완전한 성장기 탈모가 되지는 않는다면, 이는 아마도 성장이 차단된 세포집단이 순환하는 일시적 팽창 세포 개체군에 다시 진입하기 때문일 수 있다. 가늘어진 모발의 다른 유형은 소위 '배아적' 또는 '어린' 성장기 모발이다 - 특히 발모광에서 볼 수 있지만 또한 후천성 진행성 꼬임에서도 볼 수 있는 가늘어진 뾰족한 끝을 지닌 짧은 모발이다. 만약 많은 그런 '어린' 성장기 모발을 볼 수 있다면, 이것은 대개 급성 모발 탈락의 시기보다 뒤에 오는 단계를 나타낸다.

Bayonet 모발
Bayonet hairs

Bayonet 모발은 2-3mm의 방추 모양의, 가늘어진 끝에 인접한 과다색소침착된 모발의 기질적인 팽창으로 특징지어지며, 모낭의 상위 삼분의 일이 과다각질화되는 것과 관련되어 있을 수 있다. 이러한 변화는 위에서 기술된 가늘어지는 모발의 첫 번째 유형과 관련되어 있다.

결절성 열모증, 결절 모발
Trichonodosis(Knotted hairs)

털줄기의 이 결절은 외상에 의해 유발된다(**그림 3.75, 3.76**). 짧고 곱슬곱슬한 상대적으로 납작한 지름을 지닌 모발이 가장 쉽게 영향을 받는다. 결절은 흑인들의 모발에서 가장 빈번하게 발견되며 짧고 곱슬곱슬한 코카서스인의 모발에서도 발견되지만 긴 직모에서는 오직 드물게 발견된다.

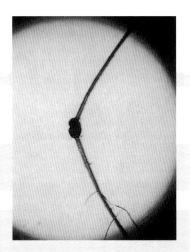

그림 3.75
결절성 열모증 - 모발 결절.

그림 3.76
결절성 열모증(스캐닝 전자 현미경도).

병리학

단지 비정상적인 것들은 결절에 의해 이차적이며 결절을 형성하는 줄기의 그 부분에 국한된다. 스캐닝 전자 현미경 검사를 통해 보면 껍질은 세로의 균열과 골절을 보이며 껍질 비늘은 유실된다(**그림 3.76**).

임상적 특징

결절성 열모증은 보통 우연히 발견되는데 그 이유는 잘 눈에 띄지 않고 상세히 일부러 찾아야 하기 때문이다. 하나 또는 소수의 모발이 영향을 받는다. 솔질이나 빗질에 의한 외상은 줄기가 결절된 곳에서부터 부서지게 할 수 있다.

잔가시트리코스포른증
Trichostasis spinulosa

이것은 대개는 피지샘 낭(sebaceous follicle)에서 휴지기 모발들이 유지되는, 아마도 정상적이면서 나이와 연관된 현상일 것이다.

병인

각질 덮개의 색소침착 때문에 트리코스포른증은 열린 여드름집(comedo)의 변종 이상은 아닌 것으로 생각되지만, 여드름이 대개 없는 피부 부위에서는 나타나지 않는다. 대부분의 면포(comedones)는 1-10개의 또는 그 이상의 솜털을 함유한다고 기록되어 왔다. 트리코스포른증은 중년이나 나이든 사람에게서 가장 흔하게 발견된다. 대부분의 저자들은 특히 코와 얼굴에서 발생한다고 말하지만 그 밖의 사람들은 몸통이나 팔다리에서도 흔히 발견해 왔다.

병리학

영향을 받은 모낭은 각질 마개에 내장된 50개씩이나 되는 솜털을 함유하고 있다. 가벼운 모낭주위염이 흔히 있다. 이 상태는 반드시 플레밍-지오반니의' 다수 모발'과는 구분되어야만 하는데, 플레밍-지오반니의 다수 모발에서는, 보통 외모근초를 지닌 복합 유두에서 모발이 7개까지 자란다.

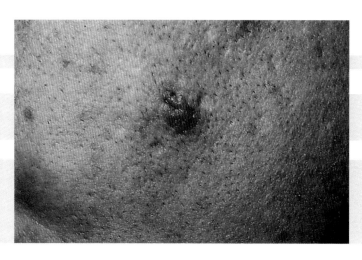

그림 3.77
잔가시트리코스포른증 -
새빨개진 얼굴 병변.

임상적 특징

영향을 받은 것으로 보고된 사람들은 17세에서 60대까지의 나이대를 보였다. 면포를 밀접하게 닮은 병변은 아마도 코, 앞이마, 턱 위에서 압도적으로 일어나거나(**그림 3.77**) 또는 얼굴은 침범되지 않고 뒤통수, 등, 어깨, 위 팔꿈치, 가슴이 영향을 받을 수도 있다. 병변은 수적으로 크게 다르다. 수동렌즈로 검사하면 면포가 현저하게 두드러지며 일부 증례에선 모발 뭉치가 각질 마개에 돌출되어 있는 것을 볼 수도 있다.

치료

각질용해 처치가 종종 권고되지만, 그러나 현재의 저자들은 그것이 거의 가치가 없음을 발견했다. 가장 효과적인 치료는 국소 레티노이드 산인데, 여드름의 치료에 써야만 한다. 탈모제 왁스(depilatory wax)도 잘 사용되어 왔다.

다발모
Multiple hair

'다발모(pili multigemini)'는 모낭의 흔치 않은 발달적 결함을 기술하며 이것의 결과로서 복수의 기질과 유두들이 모발을 형성하며 이 모발은 단일 모발피지샘(single pilosebaceous)을 뚫고 나타난다(**그림 3.78**). 일반적인 개체에서 다수로 생

그림 3.78
다발모(편광).

기는 모발의 빈도는 알려져 있지 않다. 이 결함을 보이는 수많은 모낭이 빗장머리뼈발생이상(cleidocranial dystosis)인 환자에서 볼 수 있었다.

병리학

각각 내부 뿌리집을 지닌 두 개에서 여덟 개의 기질과 유두들은 모양에 있어서 종종 납작해지고 타원형이거나 삼각형인 모발을 형성하며 홈이 파질 수도 있다. 모낭관에서 인접한 모발은, 다양한 기질 세포의 근접도와 그것들의 차별화 계획에 따라, 들러붙고, 두 갈래로 갈라지고 그리고 나서 다시 들러붙는다.

임상적 특징

다발 모낭은 주로 얼굴, 특히 턱선을 따라 나타난다. 털뭉치는 소수의 또는 많은 모낭에서 나타나는 것으로 보일 수 있다. 그것을 발견하는 것은 종종 우연이지만 환자는 흉터를 남기는 재발하는 염증성 결절을 호소할 수 있다. 치료는 성공적이지 않다. 병변의 모발을 뽑아내도, 다시 자란다.

털주위 각질 원주
Peripilar keratin casts, pseudonits

털주변 원주(5장을 보라)는 털줄기를 둘러싼 다양한 크기를 지닌 무정형 물질의 관 모양의 덩어리이다. 그것들은 모낭 깔대기 내부로부터 만들어지며 분리되기 전에 털집 입구로부터 부풀어 오를 수 있는데 이것이 소위 이상각화 면포(parakeratotic comedones)이다. 일부 원주는 내부 뿌리집의 것이다. 그것들은 서캐(nits)와 쉽게 구분되는데, 왜냐하면 후자와는 대조적으로 털주위 각질 원주는 털줄기를 따라 움직이기 쉽기 때문이다. 레티노익산(retinoic acid)은 아토피 로션으로 치료하면 그 상태가 호전되는 것으로 보고된 적이 있다. 정기적인 빗질은 모발 길이를 따라 원주가 떨어지도록 하는 데 도움이 된다.

털줄기의 풍화
Weathering of the hair shaft

모든 모발 섬유는 휴지기 또는 모발 주기의 성장 국면 동안 떨어지기 전에 뿌리에서 끝까지 어느 정도의 표피와 이차적인 표피의 파괴 과정을 거친다. 모발 성장율이 느릴수록 풍화는 더욱 가까이서 보인다. '모발 풍화'란 용어는 일부 권위자들에 의해 미용 처리로 인해 털줄기에 구조적인 변화가 생긴 것에 국한되어 왔다. 실제로, 성형 과학자가 수행한 생체내와 시험관내 연구 모두에서 빗질, 솔질, 표백과 파마 같은 처리들이 초래할 손상 유형을 보여주었다. 그러나 모발 섬유의 변성을 고려할 때, 미용과 자연 마찰, 젖음, 자외선 방사 등과 같은 기타 영향들은 너무도 함께 얽혀 있어서 실제로는 미용을 포함하는 다양한 환경적 요소에서 기인하는 뿌리부터 끝까지의 모발의 변성으로 풍화를 정의하는 것이 훨씬 더 도움이 된다. 오랜 성장기를 지니고 더 많은 마찰 손상과 미용 치료를 피할 수 없는 두피 모발은 다른 부위의 섬유보다 한층 더 깊은 표피와 겉질의 변성을 보여준다.

두피 모발의 풍화는 다른 부위의 모발보다 더 많이 자세히 연구되어 왔다(그림 3.42-3.48). 뿌리 끝에서 모발의 표면 껍질 세포는 더 깊은 층에 밀접하게 병치되어 있다. 두피의 약간의 센티미터 내부에서 이들 세포의 유리된 가장자리(free margin)는 부풀어오르고 불규칙하게 부서진다. 비늘 유실이 증가하면서 껍질이 벗겨진 상태로 이르게 한다. 많은 섬유들은 끝단에 매우 가까운 곳에, 포개진 비늘이 완전히 없어지는 모습을 보여준다. 이는 특히 긴 털줄기에서 흔한데, 이 털줄기는 빈번하게 풀린 끝을 갖고 있다. 말단 풀림에 가까운 곳에 세로의 균열이 노출된 피질 세포 사이에서 있을 수 있다. 상당한 마찰 손상을 당하게 된 모발은 가로 균열과 결절 털찢김증에서 보이는 유형인 약간의 결절을 보일 수 있다. 가장 심한 변화는 대부분 정상 두피 모발에서 털줄기의 먼 쪽 부분 근처에서 보인다.

결절 털찢김증은 풍화의 가장 심한 형태이다. 끝을 향해 있는 정상 모발에서 보이는 많은 변화가 선천적으로 약해진 모발과 미용 치료의 과용으로 인한 결절 털찢김증에서 한층 가깝게 보인다.

일부 모발에서 염주털이나 열전모, 특정 풍화 패턴 같은 일부 구조적으로 비정상적인 것을 볼 수 있다.

> 어느 정도의 풍화는 모든 모발 섬유에 존재한다.

세로 능선과 고랑
Longitudinal ridging and grooving

하나 또는 몇몇 세로 고랑과 능선이 털줄기를 따라 나타날 수 있다. 대부분의 피질은 보통 극심한 풍화의 영향이 없을 경우 손상되지 않는다. Marie-Unna 증후군, 빗질을 할 수 없는 모발 증후군, 좁은 염주털의 상호 결절과 많은 기타 유전적 선천적 비정상에서 다른 많은 형태로 나타날 수 있으며 기형적인 내부 뿌리집에 의해 모발이 교대로 떨어져나가는 것을 대표할 수도 있다.

거품 모발
Bubble hair

이는 젖은 모발을 세정한 후 급속하게 뜨거운 드라이어로 말릴 때 나타나는데, 이때 모발에 손상을 입는다. 모발 내의 수분은 따라서 가열되고, 현미경으로 검사해 보면 털줄기에서는 불규칙한 거품이 나타나는 것처럼 보인다.

외상 탈모증
TRAUMATIC ALOPECIA

이 용어는 신체적 외상에 의해 유발된 탈모증에 적용된다. 이러한 증례들은 다음 세 가지로서 주요 범주에 속한다.:

1. 발모광(Trichotillomania): 비록 때때로 무의식적이지만 의도적인 환자의 습관에서 비롯되는 탈모증. 이 환자는 긴장하거나 심리적으로 교란되어 있는 경우가 많다. 이 유형의 범주 내에서 trichoteiromania나 trichotem-nomania라는 이름의 더 희귀한 양상도 있다.
2. 성형 탈모증(Cosmetic alopecia): 부정확하거나 잘못 사용되는 과도한 세기와 빈도를 갖고 적용되는 미용적 처리에서 기인하는 탈모증.
3. 사고로 인한 탈모증(Accidental alopecia): 우연한 외상에서 오는 탈모증.

발모광
Trichotillomania

'발모광' 이란 용어(**그림 3.79-3.82**)는 100년도 전에 개체가 반복적으로 자신의 모발을 뽑는 강박적 습관을 기술하기 위해 처음 사용 되었다.[12] 이러한 지나치게

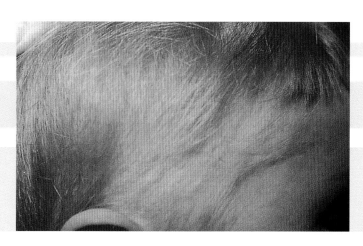

그림 3.79
발모광 - 예후가 좋은
사춘기 전 유형.

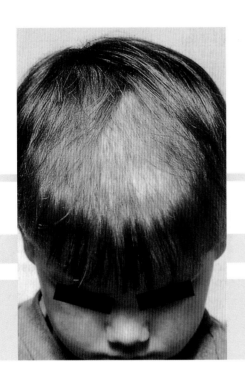

그림 3.80
사춘기 전 발모광의 또 다른 예.

극화한 용어에 대해 명백한 반대도 있다. 그러나 '광(mania)' 란 용어는 특정한 현대 심리 용어와 대조해 보자면 19세기에서는 한층 일반적인 용어였는데, 이것은 이 맥락에서 적절하지 않다.

> 삭발 발모광은 예후가 좋지 않으며 수십 년 동안 지속될 수 있다.

병리학

조직학적 변화는 모발을 뽑는 심한 정도와 지속 시간에 따라 변한다. 빈 관이 많은 것이 가장 일관적인 특징이다. 일부 모낭은 심하게 손상을 입는다. 모발 기질에서 틈새가 있고, 모낭 상피(follicular epithelium)는 연결 조직 집으로부터 분리되며 상피와 주변 모낭 출혈과 모낭내의 색소 원주가 있다. 상처입은 모낭은 그저 부드럽고, 꼬인 모발을 형성할 수도 있는데 - 이는 털연화증(trichomalacia)라는 이

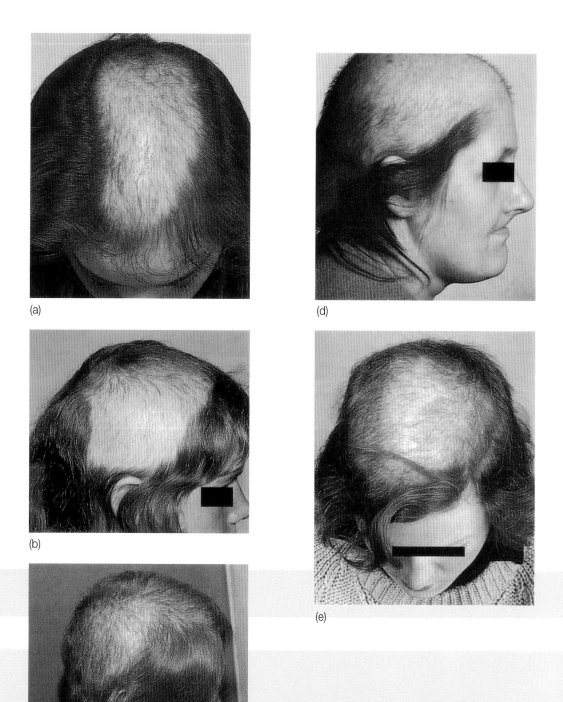

그림 3.81
(a-e) 심한 발모광의 스펙트럼.

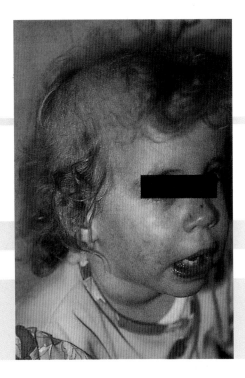

그림 3.82
반의 다른 아이에 의해 생긴 발모광.

름 아래 별개의 실재로 기술되어 왔던 과정의 하나이다. 많은 모낭들은 휴지기를 매우 극소수 지니거나 때론 모낭도 없이 성장기에 있는 것도 있다. 몇몇 확장성 누두는 각질 마개를 함유한다.

병인과 정신병리학
Aetiology and psychopathology

발모광은 남성에서보다 두배나 더 많이 여성에게서도 빈번하게 일어나지만 6세 미만에서는 남아가 여아를 3:2의 비율로 수적으로 더 많으며, 유아에서는 2-6세 집단에 있다. 어른보다 아이에서 7배나 더 많이 발생한다. 아이는 모발을 손가락 주위에 꼰 다음 그것을 당기는 습관으로 발전시킨다. 그 행위는 오직 부분적으로 의식하며 손가락을 빠는 버릇을 '대신' 할 수도 있다. 다양한 심리적 연구는 완전히 의견 일치되지는 않았지만, 어머니와의 관계에서 정서적 박탈이 그 버릇을 시작하게 하는 중요한 요인으로 간주된다. 그 버릇은, 보통 환자에게 중요한 어떤 것이나 어떤 사람을 잃는 것을 포함한, 명백한 삶의 방식의 변경 뒤에 따르면서, 완전히 병적인 양상으로 표출된다.(예를 들면 가족과의 사별, 또는 이사나 친밀한 사람과의 연락을 잃는 것).

더욱 극심한 형태(삭발 발모광)는 초기에는 청년기에서 시작되어 보다 많은 연령에서는 일정한 나이대의 여성에게서 압도적으로 발생한다. 대부분의 환자는 11-40세 사이의 나이에 있으며 여성에게서의 가장 많이 발생된 나이는 11에서 17세 사이에 있다. 모발을 당기는 일은 종종 매우 심리적으로 장애를 겪는 환자에게서 도발적인 사회적 상황에서 시작될 수 있다. 일반적으로 젊은 환자들에게서 심한 형태를 볼 수 있고 나이든 환자에선 경미한 형태를 볼 수 있다.

임상적 특징

더 어린 환자들에게서는 모발을 당기는 습관은 점차, 무의식적으로 발현되지만 환자들이 항상 부인만 하는 것은 아니다. 모발은 한 군데 이마마루 부위에서 가장 빈번하게 뽑힌다(**그림 3.79, 3.80**). 임상적으로 정상인 모발에서 다양하게 보통 매우 짧은 거리로 모발이 꼬이고 부서진 불분명한 반점이 있게 되는데, 이는 이따금씩 약간 벗겨진 피부를 보이기도 한다. 그 부위의 일반적인 윤곽은 기하학적 모양인데, 이것은 자연적으로 머리가 벗어지는 과정과는 대조적이다. 부서진 모발의 결(texture)과 색은 다시 생성될 모발에 영향을 주지 않는다.훨씬 더 심한 형태에서 환자는 보통 일관적으로 자신이 모발을 만지고 있다는 사실을 부인한다. 환자는 모발이 굵고 짤막짤막하며 균일하게 2.5-3mm 길이로 끊어진 두피의 광범위한 병변을 보여준다(**그림 3.81**). 가장 특징을 잘 나타내는 것으로서, 뽑힌 부위는, 두피 전체에 걸쳐 볼 수 있다. 따라서 '삭발 탈모증' 이라는 용어 또한 합당하게사용될 수 있다. 모발을 뽑는 습관적 행위는 수년간 지속될 수 있으며 심리적인 문제가 심각한 환자는 훼손화된 대머리로 계속 있게 된다. 한 어린 아이의 증례에서 그녀는 자신뿐 아니라 동년배의 모발도 뽑았다(**그림 3.82**). 또 한 증례 에서는 엄마와 딸, 혹은 두 친구가 동시에 영향을 받았다.

한층 더 특이한 것은 모발 뿐만 아니라, 속눈썹, 눈썹, 수염을 뽑는 습관이다. 매우 예외적으로 환자가 음부(mons pubis)와 항문주위(perianal) 와 같이 신체에서 다른 부위의 털 또는 털만 뽑을 수도 있다.

아이는 또한 털을 빨거나 심지어는 먹기도(trichophagy: 털을 습관적으로 물어 뜯는 것) 한다. 그러한 경우 구강을 조사하면 털이 있는 것을 발견할 것이고, 예를 들면 삼킴곤란(dysphagia), 구토, 빈혈, 복통, 또는 변비 같은 털망울의 존재와 관련된 전신 증상이 있는 지에 대해 조사를 해야만 한다. 이 증상은 발모광을 지닌 아이의 약 10%에서 있다.

감별 진단

어린 아이에서 경도의 형태는 흔히 백선증(ringworm) 또는 원형 탈모증과도 혼동된다. 백선증에서 감염된 모발의 결은 비정상이며 두피의 표면은 비늘모양이다(scaly).우드 램프로 만든 자외선광 아래에서 모든 증례를 검사하고 부서진 모발은 현미경으로 검사하는 것이 현명하다. 원형 탈모증은 한 번의 진단으로 어려울 수도 있지만 병변의 진행은 곧 정확한 진단을 성립시킨다. 조직학은 초기 병변에서 매우 유용하게 적용될 수 있다. 전형적인 원형 탈모증에서 회복하는 어린이에게서 발현하는 발모 틱도 한 과정으로 나타 날 수 있다 .

치료와 예후

정신적으로 지체된 아이를 제외한 어린 아이들에서 습관은 보통 자신으로 국한된다. 아이의 문제는 반드시 아이 및 부모와 논의해야 한다. 부모들은 종종 진단을 거부하는데, 이들은 아이들이 모발을 잡아당기는 것을 관찰하지 않았고, 그 문제로 스스로에게 해를 입힌다는 것을 믿을 수 없다고 생각하는 경향이 있다. 일부 일련의 환자에선 50%까지 정신과적 진단을 필요로 했다. 통상적으로, 피부과 의사의 지원으로 충분하나, 정신과적 치료 요법도 도움이 되는 것으로 시사되었다.

강박적으로 모발을 문지르기 때문에 생기는 trichoteiromania[12]와 강박적으로 모발을 자르기 때문에 생기는 trichotemnomania는 발모광의 형태와 유사한 인성 또는 정신적 장애를 지닌 사람에서 발생한다.

삭발 발모광은 매우 다른 문제이다. 어떤 환자들은 회복하지만 많은 환자들이, 주 또는 보조 신경안정제와 심리 치료[11]를 사용을 병행할 수도 있는 숙련된 정신과적 치료에도 불구하고 회복하지 못한다. 만성 발모광을 지닌 상당한 비율의 환자가 우울증을 갖고 있다. 행동 교정, 습관 반전 또는 최면 치료를 사용한 결합된 접근이 venlafaxine, fluvoxamine, citalopram 같은 선별적 세로토닌 재흡수 억제제
(SSRIs)와 함께 사용될 수 있다. SSRI에 덧붙여서 정신분열증 치료에 쓰이는 항정신
병 약인 Risperidone은 다루기 어려운 증례에서 도움이 될 수도 있다. 성인에서 계
속되는 파괴적 행동은, 임상 심리학자나 정신의학자의 도움을 받으며 행동 인지 요
법을 포함하여 일련의 정신과적 치료도 받아야 한다.

미용 외상적 탈모증
Cosmetic traumatic alopecia

종교, 관습, 패션이 명명하는 바는 물리적, 화학적 스트레스를 인간의 모발에
지대하고 다양한 형태로 부과해 놓았다[13](**그림 3.83-3.89**). 결과적인 대머리 패턴의
명명은 불가피하게 어떠한 일관성을 결여한다. 가장 광범위하게 보고되는 임상적

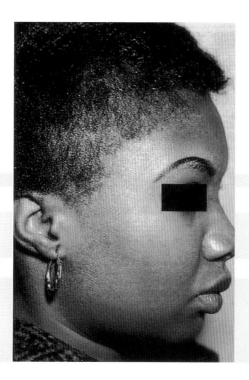

그림 3.83
미용(뜨거운-빗) 탈모증 - 이는 영구적일 수 있음.

증후군만을 나열할 수 있을 뿐이다; 어떠한 새로운 모발 세정 기법도 새로운 패턴의 탈모를 야기할 수 있다.

> 환자들은 자신들이 모발을 미용상의 이유로 '학대'했다는 점을 인정하려 들지 않는다!

병리학

두 가지 과정이 관측된 대부분의 병리학적 변화의 원인이다. 때때로 이미 화학적 적용으로 약해진 모발은 마찰이나 당김으로 부러질 수 있다. 늘려진 장력은 언젠가는 흉터를 남기는 모낭 염증 변화를 유발할 수 있다. 당김 탈모증은 특히 쉽게 초기의 흔한 대머리 환자에서 유발되는데, 전체 중 더 높은 비율을 차지하는 휴지기 모발은 훨씬 느슨하게 부착되어 있으며 성장기 모발보다 쉽게 뽑히기 때문이다.

외상 및 가장자리 탈모증
Traumatic and marginal alopecia

이 증후군의 많은 변종 중에서 본질적인 변화는 짧게 부러진 모발과 모낭염(folliculitis), 약간의 흉터, 그리고 두피 가장자리에 국한성 반점이 있다는 것이다 **(그림 3.83-3.89)**.

엉긴 모발을 펴려는 의도에서 행해진 장력에 의해 유발되는 한 형태에서, 탈모증은 흔히 귀의 앞과 위의 삼각 지대에서 시작된다; 그것은 두피 가장자리의 다른 부분이나 또는 심지어 두피의 다른 부분에서 직선 부위를 포함할 수도 있다. 가려움과 딱지가 생기는 것은 명백할 수 있다. 소위 말총 모발 스타일은 앞이마의 모발 가장자리에서 유사한 변화를 유발할 수 있다**(그림 3.89)**. 각질 원주-'털주위 털망울 뿌리(peripilar hair casts)'- 가 두피 표면 바로 위의 많은 모발을 둘러싸고 있을 수 있다.

앞이마와 두정부 당김 탈모증은 어린 시크교도 소년에서 자르지 않은 상태의 모발을 두정부에서 단단히 땋아 묶은 결과로서, 단단히 땋는 수단인들의 관습

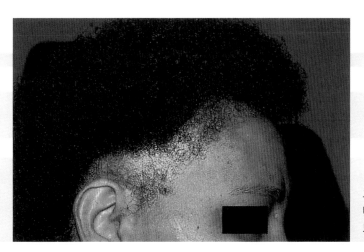

그림 3.84
미용(뜨거운-빗) 탈모증의
또 다른 예.

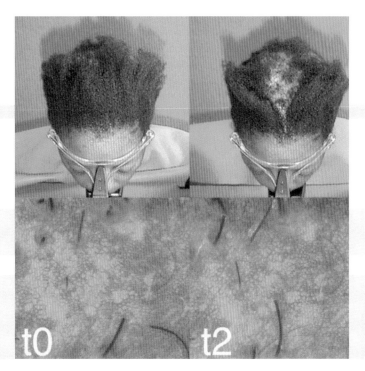

그림 3.85
모낭 퇴행 증후군(FDS). 머리 꼭대기 위에 있는 반에서의 영구적인 탈모.
결찰(t0) 후 즉각적으로 본 밀착도와 48시간 뒤(t2)의 것은 거의 100% 성장
을 보여주는데, 이는 모낭이 성장기 동안 급작스럽게 파괴된다는 점을 나타
낸다.
Van Neste D, Leroy T, de Ramecourt A의 모발 과학과 기술 401-412쪽
에서 모발 제거와 모낭 목표하기로부터 허가를 받아 재구성됨.

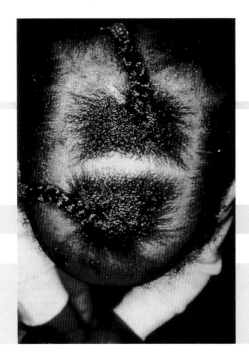

그림 3.86
당김 탈모증.

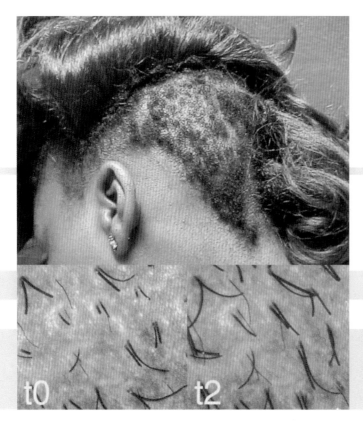

그림 3.87
당김 탈모증. 당김 탈모증은 복구 가능한 탈모로 귀결된다. 결찰 후 즉시(t0)와 48시간 뒤(t2)의 가까이서 본 모습은 일부 가늘고 다시 자라는 모발을 보여준다. 계속적인 당김으로 인한 완전 제거에 의한 결과고 휴지기에 있는 모낭은 거의 없다. Van Neste D, Leroy T, de Ramecourt A의 모발 과학과 기술 401-412쪽에서 모발 제거와 모낭 목표삼기로부터 허가를 받아 재구성됨.

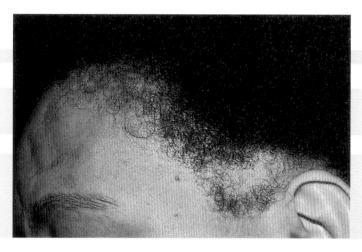

그림 3.88
미용 외상 탈모증.

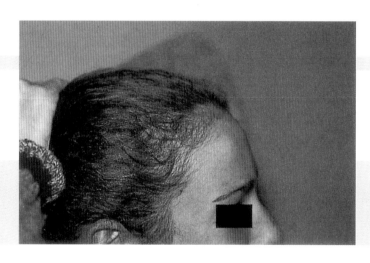

그림 3.89
미용(당김) 탈모증.

과 나무로 된 빗을 사용하는 것은 견인 탈모증을 유발한다. 꽉 죄는 스카프로부터
의 당김의 결과, 리비아의 여인들이 앞의 머리를 상실하는 것이 보고된 적도 있다.

옥수수 또는 지팡이 줄 또는 땋기 또는, 모발을 가로 줄로 땋은 아프리카-카
리브인 머리모양은, 분금법의 넓어짐과 아울러, 가장자리 탈모증과 중앙 부위 탈모
증을 유발할 수 있다(그림 3.86).

브러쉬-롤러 탈모증
Brush-roller alopecia

자주 빗질을 하거나 너무 많은 힘을 주어 브러쉬를 사용 하면, 브러쉬-롤러는 홍반 부위에 부쉬질 가능성이 높은모발에 의해 둘러싸인 다소 완전한 탈모증의 불규칙한 반점을 유발할 수 있다.

뜨거운 빗 탈모증
Hot-comb alopecia

모발을 곧게 펴기 위해 뜨거운 빗을 사용하는 흑인 모발을 지닌 여성은, 두 정부에서 원심적으로 천천히 확장되어 나가는, 진행성 흉터 탈모증을 발현시킬 수 있다(**그림 3.83**).그러나 이 방법은 이제 거의 하지 않는다.

마사지 탈모증
Masage alopecia

세게 마사지를 하면서 두피에 케어 제품이나 약물 등을 지나치게 열정적으로 바르는 것은 대머리와 과도한 '풍화' (결절 털찢김증)를 유발할 수 있다.

브러쉬 탈모증
Brush alopecia

힘찬 빗질은 이미 취약한 모발이라면 심각한 손상을 유발할 수 있다. 합성 섬유로 만들어진 종류의 브러쉬에 있는 사각형 또는 뾰족한 끝을 지닐 센 털은 특히 외상을 초래 할 수 있다.

모발 엮음으로 생기는 부차적인 탈모증
Alopecia secondary to hair weaving

반점형 당김 탈모증은 부가적으로 대머리를 위장하기 위해 튼튼한 말단 모에 엮어 위장하는 성형적 방법에서 기인하는 것으로 보고 되었다.

의도적인 탈모증
Deliberate alopecia

세 자매가 모발을 어린 시절에 꽉 조이게 땋은 다음 앞이마 모발의 중앙을 V자 형으로 당기도록 한 파키스탄인 한 가족을 본 적이 있다. 그로 인한 결과인 V자형 탈모증은 문화적으로 바람직하게 간주 되었다. 비슷한 예로 중세에 앞이마의 높이를 증가시키기 위해(프론트 아틀리에) 앞이마의 머리털 언저리를 뽑는 것이 유행이었다.

진단
Diagnosis

외상적 미용 탈모증은 그다지 진단상에 어려움을 주지 않는다. 이유는 환자가 스스로 하는일이 드물며 때로는 의심하면서 받아들이기 때문이다.

우연한 외상적 탈모증
Accidental traumatic alopecia

우연한 물리적 외상에 부수적인 탈모증은 보통 진단상의 문제는 아니지만 (**그림 3.90**), 일부 상황에서 그 외상은 인지되지 못하여 탈모의 원인이 감지되지 못할 수 있다.

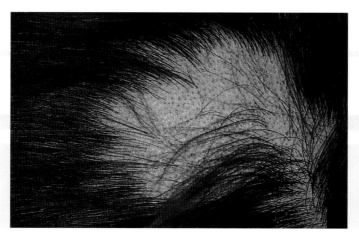

그림 3.90
사고(모발 당겨짐) 외상
탈모증.

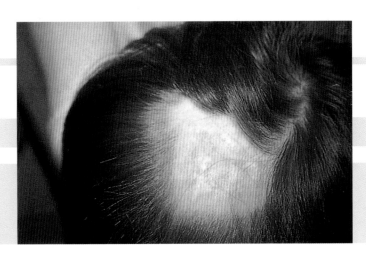

그림 3.91
늘어난 마취 후 압력
(허혈) 탈모증.

Trendelenburg 자세에서 늘려진 골반 수술을 받은 여성들에서 12-26개월 후에 탈모증의 수직 반점이 발달하고 있는 것으로 발견되었는데, 부종, 삼출, 딱지 앉기 등이 선행해어 왔다. 수술 중의 압력에 의한 허혈(pressure ischaemia)이 탈모증의 원인으로 생각된다(그림 3.91). 이러한 탈모는 영구적일 수 있다. 그러한 일이 발생하지 않도록 하기 위해 사용되는 고무 링으로부터 두피 위에 가해지는 지연성 압박에 뒤이어 일시적 탈모가 올 수 있다. 만성 육아종염증(granulomatous inflammation)과 인공 피부 또는 소위 자연적인, 모발의 피부에서 이식되는 것에 종속적인 두피의 급성 감염 연조직염(acute septic cellulites)이 자연적인 탈모 과정에 저항했거나 모낭의 손실에 원인이 된다. 그러므로 인공 이식 모발 섬유를 통해 환경과 내적 환경(진피와 피하조직) 사이에서 직접적인 접촉을 만드는 것은 이단을 실행하는 것으로 간주되고 포기되었다.

안드로겐 유전성 탈모증
ANDROGENETIC ALOPECIA

이 상태에 대한 동의어는 보통 대머리, 남성형 탈모증, 안드로겐에 의한 종속적인 탈모증을 포함한다.

대머리가 성숙의 정도와 연관된 자연 현상으로 보여지는 유일한 영장류는 단지 인간에 국한되지 않는다. 오랑우탄, 침팬지, 짧은꼬리원숭이(stump-tailed macaque)는 다양한 형태로 그것을 발현시킨다. 이들 동물에 대한 연구는 원숭이든 인간이든 유전적으로 되기 쉬운 경향을 지닌 구조에서 대머리는 생리적 과정이라는 점을 명백히 입증했다. 말기의 위축된 모낭은 진행성으로 '연성' 모낭으로 변신, 즉 '축소' 과정이 일어난다.

어느 집단에서든 보통 대머리의 우세는 정확히 기록된 바는 없으나 코카서스 인종에서는 100%에 근접한다. 달리 말하자면 사춘기 이후로 일부 말단 모낭은 연모 유형의 모낭으로 대치되는 보편적인 현상이라는 말 과도 같다.

삼십년 전까지만 해도 많은 권위자들은 축소 단계에 이른 안드로겐 유전자 탈모증은 남성에서 원상 복귀가 가능한 것으로 생각하였다. 고혈압에 사용되는 경구용 미녹시딜은 명백히 색소저하된 이전 대머리의 두피의 축소된 곳에서부터 일부를 다시 자라게 하며 현재 가장 많이 사용 되는 치료제 중의 하나 이다.

모발 패턴
Hair patterns

해밀턴은, 20-89세의 다수의 성인(남녀 모두)들을 검사한 후, 최초로 유용한 등급 측정치를 만들었다.[14] 이 분류는 Norwood에 의해 수정되었으며 그는 IIIa, III vertex, IVa와 Va 등급을 첨가했다. Norwood에 의한 분류표는 모발 재성장의 임상적 시험, 특히 국소치료제인 미녹시딜(minoxidil)에서 광범위하게 사용되어 왔고 그러한 도표들은 지속적으로 적용하기도 용이 하다(**그림 3.92**). Ludwig은 특히 여성에서 보이는 안드로겐 유전성 탈모증의 광범한 양식을 기술했다(**그림 3.93**).[16]

Hamilton은 양성 모두에서 정상적인 사춘기 전 두피 유형(type 1)의 자연적인 진행(**그림 3.94, 3.95**)을 사춘기 후 남성의 96%와 여성의 79%에서는 유형 II로 기술했다. 그는 또한 70세까지 증가되는 경향이 있는 대머리를 지닌 50세 이상의 남성 58%에서 양식 유형 V와 VIII를 관찰했다. 여성의 약 25%가 50세가 되면서 유

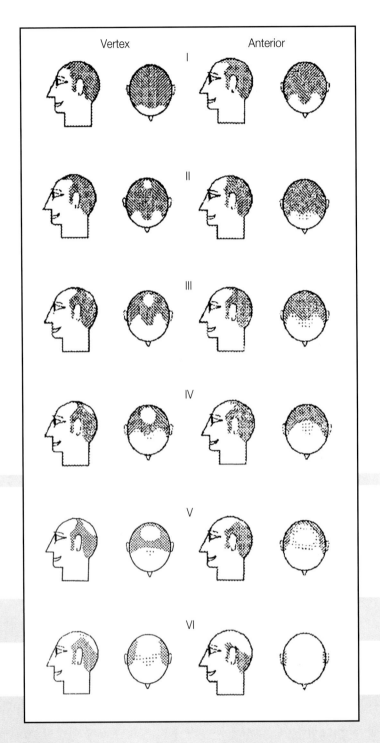

그림 3.92
안드로겐 유전성 탈모증 각 증례에서 정수리나 앞이 가장 심하게 영향을 받는 부위를 보이는 시간에 따른(I에서 V까지) 모발 유형의 변화.(H.A.I.R. 기술로부터 허가를 받아서 재현됨®[Skinterface Tournai, Belgium].)

그림 3.93
안드로겐 유전성 탈모증 Ludwig 유형들.

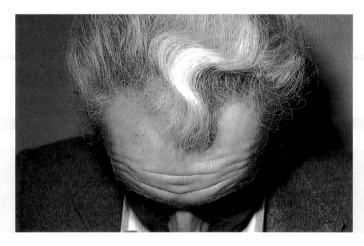

그림 3.94
안드로겐 유전성 탈모증
- Hamilton 등급 III/IV.

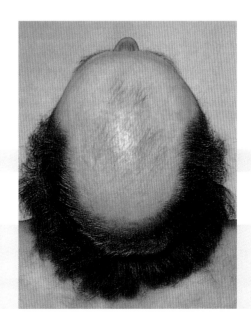

그림 3.95
안드로겐 유전성 탈모증 - Hamilton 등급 VIII.

형 IV의 탈모 경향을 보였는데, 이 시기 이후에는 대머리가 더 이상 진행되지 않았다. 실제로, 50년 후, 사춘기에 유형 II가 발현됐던 어떤 여성들은 유형 I로 복귀되었다. 유형 V-VIII은 어떤 여성에게서도 발견되지 않았다.

비록, 이들 수치가 보여주는 바처럼, 안드로겐 유전성 탈모증은 어느 정도의 빈도를 갖고 여성에게서 나타나지만, 여성에서의 안드로겐 유전성 탈모증은 더 빈번하고 광범위 하다(**그림 3.96-3.101**).

탈모의 양상 변화는 20세가 넘는 코카서스 여성 564명의 거의 대부분에서 어느 정도 볼 수 있었다.[17] 이 연구에서 조사원들은 조심스럽게 아치형 모발을 적시고, 모발을 펴고, 일체의 어떠한 '머리모양도 제거한 다음 위쪽에서 관찰했다. 10년에 걸친 환자 분석 결과, 폐경 전 87%의 여성들이 Ludwig 분류 I-III이었고 13%는 Hamilton 유형 II-IV였다. 폐경 후 여성들은, 깊고 M자 형의 양쪽관자놀이뼈 이마마루덮개 후전을 지닌 여성을 포함, 63%는 Ludwig 분류 I-III을 보이고 37%는 Hamilton 유형 II-V를 보이는 것과 함께, 남성형 탈모증으로 발전 되는 경향을 보여주었다.

비교적 덜 정확하게 기록되어있는 다른 관찰에서는 Hamilton 유형 II, III, IV가 한데 모이는 경향을 보였다. 모발 양식을 8개의 Hamilton유형과 세 개의 Ludwig 분류로 분리하는 것은 임상 실험 평가를 목적으로 개체군을 정의하는 데 있어서만 유용하다고 암시되어 왔다. 이 등급들은 양성 모두 성인에서 볼 수 있는

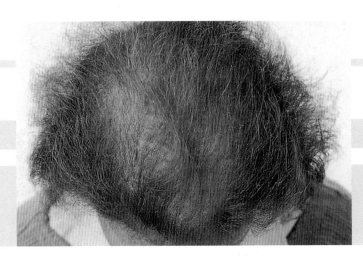

그림 3.96
안드로겐 유전성 탈모증
- Ludwig 등급 I.

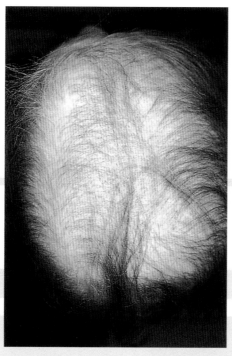

그림 3.97
안드로겐 유전성 탈모증 - Ludwig 등급 II/III.

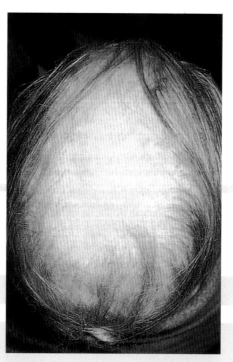

그림 3.98
안드로겐 유전성 탈모증 - Ludwig 등급 III.

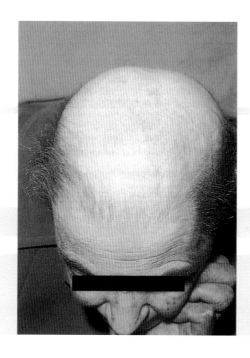

그림 3.99
안드로겐 유전성 탈모증 가장 심한 Ludwig 양식
(약간의 앞머리 모발은 보존됨).

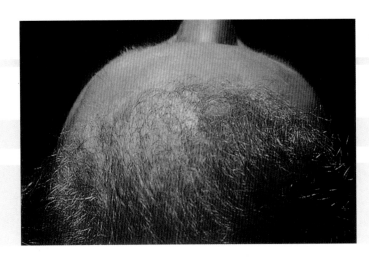

그림 3.100
안드로겐 유전성 탈모증
- Ludwig 등급 II.

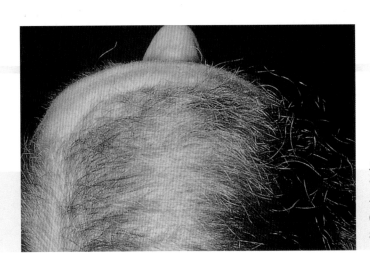

그림 3.101
안드로겐 유전성 탈모증
- 경구 항남성호르몬제로
6개월 치료한 뒤의 그림
3.100과 같은 환자.

모발 양식의 연속체를 부정확하게 측정한 것들이다. 다른 일관된 소견은 사춘기전으로로부터 모든 성인에 이르는 변화에 관한 것 이다. 변화의 크기와 비율은 양성에서 유전적 경향과 성 호르몬 정도에 영향을 받으며 틀림없이 모낭에서 안드로겐 수용체 상태에 의존한다. 영양 상태, 압박과 기타 탈모의 원인이 주는 역할은 측정하기 어렵지만 머리가 벗겨지는 과정의 진행을 촉진할 수도 있다.

Hamilton-Norwood나 Ludwig 분류는 안드로겐 유전성 탈모증의 진단에 임상적으로 유용할 수 있고 모발의 밀도는 전통적 방법으로 측정을 하는 것이 가능한 평가는 인간 생리학의 연구에서 도움이 되어 왔다. 그러나 안드로겐 유전성 탈모증에 의한 축소화를 억제하고 또는 심지어 탈모를 다소 약화시킬 약물의 출현과 함께, 믿음직하고, 경제적이게 되었다. 더욱 특정해서 말하자면, 치료에 대한 반응을 측정할 수단에 대한 필요성이 더 많아 졌다. 현재 가장 유용한 측정 수단은 'tricho-scan' 같은 촬영술과 phototrichogram에 기반을 둔 기법(디지털 영상 분석과 함께)이다. 주관적으로 점수를 기록하는 체제는 또한 치료에 대한 반응의 전반적인 평가에서 유익 할 수 있다. **그림 3.102**는 안드로겐 유전성 탈모증에서 변화의 측정의 한 방법으로서 모발의 두피 점유율(SCS)을 보여주는 반면, Chamberlain과 Dawber18는 자세하게 모발 성장을 평가하는데 있어 침습적인 방법과 비침습적인 방법을 고찰했다.

Hamilton 양식은 정상 여성에서도 발생할 수 있으며 Ludwig의 분류는 변종으로 남성에게서도 발생할 수 있다.

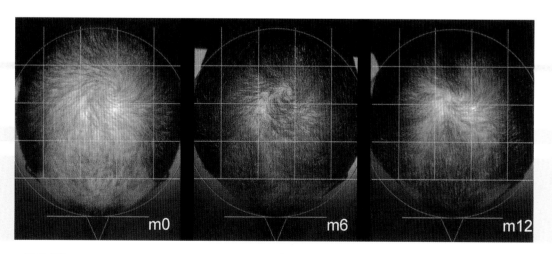

그림 3.102
안드로겐 유전성 탈모증 - SCS 방법. 남성에서 안드로겐 유전성 탈모증의 변화 측정으로서의 두피 덮개 측정제(SCS). 좌표 격자는 시간에 따라 반복적으로 찍은(기선=m0과 6 또는 12달 뒤; 각각 m6과 m12) 이 전역 촬영도에서 임상적으로 적절한 두피 면을 구별하는 데에 도움이 된다. 이 환자는 중증 기관지 천식에 대한 경구 코르티코스테로이드 요법을 받는 동안 남성형 탈모를 호소했다. 스테로이드를 중단하자 두피 덮개 방법(SCS, +21%)으로 평가된 임상적으로 현저한 모발 재성장이 경구 스테로이드를 뗀 지 1년이 안 되어서 발생했다.

병인

탈모 인구의 높은빈도 때문에 유전적 양식을 확립하려는 많은 시도가 있어왔다. 게다가 통상적으로 대머리가 유전적으로 균일할 것이라는 주장은 결코 명백하지 않으며 일부 학자들은 탈모의 초기(남성에서 30세 전)와 20년 후의 같은 증상을 구별할 수 있다. 대머리는 유전적으로 성염색체의 영향을 받는 인자들의 단일 쌍에 의해 결정 되는 것 으로 간주되었다. 유전자로 인한 탈모의 빈도 연구와 가족력 모두 이러한 가설을 뒷받침한다.

어떤 권위자들은 대머리가 남성 혹은 다인성 유전에서 우성 유전의 결과로서 이형접합체 여성(heterozygous female)으로도 진행될 수 있다고 암시했다. 다인성 유전이란 개념은 다른 것에 의해서도 뒷받침되어 왔다. 탈모의 초기와 늦은 시작의 유형이 별개로 유전이 되는 지에 대해서도 여전히 명확하지는 않다. 그럼에도 불구하고 양자가 모두 유전되며 양자 모두 감수성 난포의 안드로겐에 영향을 받는 것이다.

두피 전체와 몸통 및 팔다리 위의 조밀한 모발 양상에 대한 연계성은 가지지 않는다; 마찬가지로 탈모와 생식력의 증가 또는 개선된 성적 행동 사이에도 관련성은 없다.

병리학

가장먼저 나타나는 조직학적 변화는 정상이었던 성장기 모낭의 결합 조직의 집(sheath)의 아래쪽 세번째에서 국소적으로 혈관주위에 호염기 변성(focal perivascular basophilic degeneration)으로 나타난다. 다음에는 피지관(sebaceous duct)의 위치에서 모낭 주위 림프조직 침윤물(perifollicular, lymphohistiocytic infiltrate)이 관찰 된다. 진행성 탈모증을 지닌 남성과 여성으로부터의 이행적, 탈모증적 두피의 양상을 조사했다.[19] 초미세구조 에 대한 연구는 비탈모증인 영역의 것들과 비교할 때, 이행적이고 탈모증적 소견을 보이는 영역의 모낭 외피낭의 측정

가능한 원대한 가능성을 밝혀 내었다. 이 소견은 섬유낭포 내에서 비만 세포의 탈 과립과 섬유모세포의 활성과도 연관되어 있다. 면역조직 화학상, 통제 생검은 모낭 염증이 없는 반면 이행 부위는 일관되게 활성화된 T세포가 모낭 깔때기 (infundibula)의 아래 부분 주위로 투과하는 것을 보여 주었다. 이들 투과는 모낭 외막 내에서 세정맥의 내피 내층 위에 있는 Class II 항원의 유도와 CD1 항원결정인 자를 나타내는 모낭 가지세포의 명백한 과다형성(hyperplasia)과 연관되어 있다. 염증 세포는 모낭 돌출 부위와 순환성 모공에 있는 줄기 세포의 잠재적인 요인을 투과하였다. 이 자료는 진행성 모공 주변낭포의 진행성 섬유증이 탈모증의 병변에 서 일어나고, 모공의 줄기 세포 외피를 T세포의 투과와 더불어 시작될 수 있다는 점을 시사한다. 모공 줄기 세포의 외피 그리고/또는 외피집이 비대해짐은 정상적 인 모발의 순환을 손상시키고 탈모로도 진행되게 할 수 있다. 결합조직집의 호염기 경화성의 잔존물은 진행의 과정에서 볼 수 있다. 결합조직집의 파괴는 탈모증이 호 전 될 수 없다는 것을 의미하는 것 일 수도 있다.두피 생검의 약 삼분의 일에서 다 핵 거대세포가 모발 조각을 둘러싸고 있는 것을 볼 수 있다. 기모근은 크기에서 모 낭보다 더 천천히 줄어든다. 완전 탈모로 보이는 두피에서 대부분의 모공은 휴지기 의 종말 모낭을 지니며 짧고 작다.

탈모의 진행은 모발 주기의 성장기가 짧아지고 궁극적으로 휴지기 모발의 비율 증가와 연관성을 가지는데, 이는 대머리가 뚜렷해지기 전에 이마에 수직인 부 분의 모발계수를 통해 감지할 수 있다.

탈모의 영향을 받는 모낭의 크기 감소는, 보통 대머리의 필수적인 조직학적 특성인데, 반드시 성장기가 짧아짐과 더불어 그들이 생산해 내는 모발의 지름이 줄 어드는 것으로 끝난다. 이 축소화와 그 현상의 정도는 두피 생검의 수평 절개 부위 에서 가장 잘 관찰 된다. 탈모 환자들은 최고 0.04mm와 0.06mm인 털줄기의 지름 이 넓게 퍼진 양상을 보여주는 반면 대머리가 아닌 환자는 단일한 최고가 0.08mm 인 고른 분포를 보인다. 가늘어지는 모발의 선형 성장률 또한 감소된다. 전체적으 로 탈모의 정도차이에 관한 토대는 더 짧아진 성장기의 지속과 더 가는 모발, 두 성 장기와 가늘어지는 모발의 직선적 형태의 모발 성장의 감소 사이의 차이가 지체 된 결과이다.

발병기전
Pathogenesis

안드로겐 유전성 탈모증에 대한 어떤 통합된 가설일지라도 인간과 원숭이의 종에서 볼 수 있는 강력한 보통염색체 유전자와 양성(both sexes) 모두 관여되어 있다. 탈모의 진단에 있어 두피내 탈모의 특정 지리학적 양식과 그리고 기름기가 많은 피부, 여드름, 다모증등의 다양한 배경에 대해 반드시 관찰을 해야 한다.

대머리는 고자, 사춘기전에 거세된 남자, 및 청년기에 거세된 남자에서는 증세가 나타나지 않는다. 테스토스테론을 복용하고 난 후, 유전적으로 영향력이 있는 사람에게서 발현된다; 테스토스테론이 중지되면 탈모증은, 비록 모발이 원래대로 돌아오지 않더라도, 계속 진행되지 않는다. 추가적인 연구에서 사춘기와 거세 사이의 시간 간격은 남성에게서 수염의 발달에 매우 중요하다는 사실을 보여 주었다. 사춘기 전 거세는 수염의 발달을 막으며 16에서 20세의 거세는 수염의 완전 발달을 부분적으로 막으며 20세 이후에는 수염 발달에 어떠한 영향력을 갖지 않는다. 거세 뒤 어느 단계에서 테스토스테론을 복용하는 것은 수염이 완전히 성장하도록 작용한다. 테스토스테론을 매우 많이 복용하면 수염의 성장과 더불어 약간의 남성화가 일어날 수 있으나 두피 모발 양식에서 변화가 있었다는 기록은 없다. 안드로겐에 대한 모발의 반응 정도는 사춘기 뒤에 오는 유전자형의 수정을 통해 영구적으로 정할 수 있다.

대머리의 발병기전에서 안드로겐에 노출되는 것의 중요성에 대한 소견은 대머리가 되어가는 남성에게서 안드로겐이 증가할수록 성욕이 증가한다는 주장을 하게 했다. 이 비현실적인 가설에 대한 과학적 뒷받침은 부족하다. 유리되고 결합된 안드로겐을 측정할 능력은 정상 안드로겐 수치가 유전적으로 사람에게 결정된 대머리의 정도를 발현하도록 하기에 충분하다는 점을 보여주었다. 여성에서 이 상황은 다르고 대머리의 정도는 부분적으로는 순환 안드로겐 수치와 관련되었을 수 있다는 것이 명백해졌다. 덧붙여서, 광범위한 정수리 탈모증을 지닌 내분비 임상을 나타내는 여성의 50%까지에서 다낭난소병(polycystic ovarian disease)이 발생 하였다.

모든 성인 여성들은 사춘기 전 모발 양식으로부터 변화된 모습을 보여준다.

모발 양식의 최대의 명백한 변화는 에스트로겐 수치가 쇠퇴하고 한층 '안드로겐적인' 환경이 존재할 때인 폐경 후에 일어난다. 정상 여성 범주에서 안드로겐은 오직 강력한 유전적 경향을 지닌 폐경전 여성에서만 대머리를 유발한다. 덜 강력한 유전적 경향을 지닌 여성에서 대머리는 안드로겐 생산이 증가하거나 또는 안드로겐 같은 활동을 하는 약물 경구용 피임약에서의 일부 프로게스토겐(progestogens)을 복용할 때에만 대머리가 발현한다. 일부 여성은 전체적으로 나타난 안드로겐의 비정상 수치는, 모든 그러한 환자가 반드시 두껍고 거칠고 긴 털을 가지게 되지만, 임상적으로는 의외로 상당한 대머리를 유발한다.

지루와 보통 대머리를 연관 시킨 것은 19세기의 잘못된 이론 탓 이었다. '지루' 가 아마 좀더 소수의 여성을 제외하곤 피지샘 활동에서 어떠한 변화보다는 가느다란 모발을 다시 기름지게 하는 동력학과 더 관련이 있다. 대머리가 진행되는 과정 동안 피지샘의 총 수는 현저하게 줄어 들기 때문이다.

피지샘은 안드로겐의 통제하에 있으며 남성에서 정상 순환 안드로겐 수치로부터 최대 자극 하에 있는 것처럼 보인다. 여성에서는 그러나, 증가된 피지의 생산이 순환 안드로겐에서는 소량의 증가를 보인다. 그러므로 순환 안드로겐에서 명백히 비정상인, 탈모의 높은 등급을 지닌 많은 젊은 여성이 또한 기름기가 더 흐르는 피부를 갖고 있는 일이 놀랄 일은 아니다.

증거의 사실적 중요성은 강력하게 보통 탈모의 원인인 본질적으로 유전되는 요소의 두피 앞이마의 수직인 부위에 있는 어떤 모낭이 안드로겐에 반응하는 방식에 관여한다는 의견을 뒷받침한다. 안드로겐의, 대사가 진행되게 할 모발피지샘단위에 미치는 역할은 의심할 여지 없이 입증되어 있다. 같은 안드로겐이 여드름의 피지샘, 수염, 치골 부위와 겨드랑이에서 연모가 말단모로 변환되는 것의 원인이자 역설적으로는 양성 모두에게서 탈모의 과정중, 모발에 미치는 정반대의 영향에 대한 것의 원인이기도 하다. 피지샘에서의 안드로겐 대사는 광범위하게 연구되었지만 모발의 피지샘 단위를 갖고도 우리는 확실하게 피지샘에서 모공까지에 이르는 안드로겐의 광대한 역할을 외면 할 수 없다. 배양에서 진피 유두에 대하여 안드로겐 수용체를 가지는 것과 일련의 안드로겐을 대사할 진피 유두 세포의 능력이 있다는 것은 이 영역이 차후 연구에 대해 많은 전망을 갖고 있다는 점을 시사한다. 만약 안드로겐 대사에서 개체의 변이가 우연히 탈모나 또는 그 정체성과 연결된 것이라면 대머리가 시작되기 전에 여성이나 어린 남성에서 그것은 명백할 것이다.

안드로겐 유전성 탈모증에서는 사춘기에 안드로겐에 노출되는 것에 뒤이어 유전적으로 경향이 있는 모공에서도 일어난다. 이 때부터 '유전 시계'가 맞춰져 가기 시작하는데 이는 마침내 잠복기의 주기를 거치고, 완전한 연모 변화가 일어날 때까지 더 가늘고 가는 모발을 단계적으로 생산해 내는 모공에 이른다.

요약하면, 남성에게서 안드로겐 유전성 탈모증은 상호 작용할 유전적, 호르몬적 요소를 모두 필요로 할 때 발현 된다. 유전의 정확한 양식은 아직 완전히 해석되지 않고 있다. 그것은 아마 유전적으로 이질적일 수 있다: 가변 투과도, 성 결합, 다유전자 또는 복합인자 병인을 갖거나 갖지 않는 보통염색체 우성이 모두 제안되었다. 임상적으로, 최근의 생화학적 자료들은 안드로겐, 특히 안드로겐 유전성 탈모증의 발병기전에서 테스토스테론 대사물인 디하이드로테스토스테론(DHT)의 중심 역할을 확인해 주었다. 사춘기 이후 안드로겐은 유전적으로 결정된 안드로겐에 민감한 모낭과 상호 작용을 하며, 진행성 모낭 축소, 모발 성장 주기의 변경, 그리고 마지막으로 일정 정도의 가늘어짐과 탈모로 귀결된다. 두피의 다른 부분에서 안드로겐 수용체와 안드로겐 전환 효소, 5α-환원효소 유형 1, 2, 아로마테이스(17β-히드록시스테로이드 탈수소효소)는 안드로겐 유전성 탈모의 유형과 정도에 영향을 미칠 수 있다. 안드로겐 수용체 수치는 남성에게서는 뒤통수보다 앞이마에서 더 높은 수치를 보이며, 앞이마와 뒤통수 부위 사이에서 달라진다. 표적 세포에서 안드로겐 전환 효소의 균형은 다른 안드로겐 잠재성을 지닌 호르몬의 대사를 위해 중요하다. 5α-환원 효소 유형 2는 테스토스테론이 DHT로 전환되는 데에 책임을 지는데, 이는 성장기의 지속을 짧게 하고 털망울의 기질적 용량을 줄임으로써 유전적으록 계획된 점진적인 모낭의 축소에 대한 원인이다. 유형 2 동종효소의 높은 수치가 모발 뿌리집과 진피 유두에서 검출되었다. 안드로겐 유전성 탈모증의 발현에서 유형 2 5α-환원 효소의 중심적 중요성은 유전성 유형 2 5α-환원 효소 결핍인 개체가 안드로겐 유전성 탈모증을 발현시키지 않는다는 사실에서 보여진다. 안드로겐 유전성 탈모증을 지닌 남성에서 두피는 테스토스테론이 DHT로 전환된 것이 증가함을 보여준다. 여성에서 안드로겐 유전성 탈모증은 남성에서처럼 같은 실제물로 간주된다. 달라지는 임상적 표현은 더 낮은 5α-환원 효소(테스토스테론을 DHT로 전환시키는) 수치와 함께 여성에서 더 낮은 안드로겐 수치와, 더 높은 수치의 아로마테이스(테스토스테론을 에스트라디이올로 전환시키는)를 반영한다. 덧붙여서 안드로겐에 민감한 모낭의 유형은 남성과 여성이 다르다. 폐경전에서 에스트로겐은 간접적으로 항안드로겐 물질로 작용하며 또한 유리 안드로겐 수치를 성 호르몬 과 결합 글로불린을 증가시킴으로써 낮게 한다(SHBG).

임상적 특징

양성 모두에서 안드로겐 유전성 탈모증의 본질적인 임상적 특징은 진행성으로 더 가늘어지는 모발이 말단모를 대체하는 것인데, 이 모발은 결국 짧고 사실상, 무색소 모발이 된다. 이 과정은 사춘기 이후 어느 나이에서도 시작될 수 있으며, 정상 남자는 17세가 되면, 그리고 내분비학적으로 정상인 여성은 임상적으로 뚜렷해지게 된다. 모낭 크기의 감소에 성장기가 짧아지고 휴지기 모발의 쉐딩현상이 동반된다.

남성
Males

가나다란 모발이 말단모를 대체하는 일은 심지어는, 가장 늙은 나이에서도 뒤쪽과 측면의 두피 여백을 조금 남겨두는 특유의 유형으로 특징적으로 일어난다. 남성에서 이러한 유형의 연속은 보통 Hamilton 유형이다. 양쪽관자놀이뼈에서의 탈모는 정수리의 대머리화에 뒤이어 나타난다. 유형에서의 변이는 어느 정도는 부분적으로는 유전적 요소에 의해 지배된다. 진행 비율 역시 유전에 의해 결정된고 추측 된다.

여성
Females

'남성형 탈모증' 이란 용어를 사용하는 것이, 탈모초기 단계의 여성에게는 안드로겐 유전성 탈모증이 반드시 '남성형' 과 같지는 않다(**그림 3.96-3.101**)는 점을 충분히 숙지하지 못 한 것이 원인 일 수도 있다. 남성처럼 휴지기의 모발이 탈락되는 것이 늘어남은 줄기 지름의 감소와 함께 일어나지만, 최초로 영향을 받은 모낭은 한층 넓게 앞이마 수직 부위에 걸쳐 분포된다. 그 결과 많은 이차 솜털이 아직 정상인 모발과 섞여서 퍼지게 되고 다른 것들은 오직 약간 지름이 줄어든다. 부분 대머리는 때로 처음에 정수리 위에서 증상이 뚜렷하지만 여성은 대부분 자주 나타나는 안드로겐 유전성 탈모증이 광범위 탈모증이며 이는 '여성형 탈모증'의 독특한 임상적 특징을 만들어 낸다. 그러나 모든 여성들은 사춘기 이후 어떤 단계에서나 두피 모발 형의 변화가 있다는 점을 보여 준다. 유형을 만드는 변화의 비율은 매우 느리지만 폐경과 그 이후에는 가속이 붙는다. 또한 Hamilton이 보여준 고전적 '남성 유형' 모발 형은 폐경 이후 빈도의 증가와 더불어도 나타난다. 정상적인 폐경 전 여성은 Ludwig유형 III 또는 Hamilton 유형 V 이다. 완전한 의료적인 검사는 필수이며 많은 경우에 안드로겐 유전성 탈모증을 지닌 모든 여성은,단일한 비정상적인 것이라 하더라도, 내분비학적인 조사는 권고 할만 하며, 월경 장애, 다모증 또는 여드름의 급속한 재발이 동반되는 탈모 여성은 내분비학적 조사는 가히 수적팔이다. Hamilton 유형 IV의 탈모는 다모증이 없는 여성에서도 발생할 수 있지만 좀더 광범위한 대머리 (유형 VI-VII)는 항상 다모증을 동반한다.

관리
Management

안드로겐 유전성 탈모증에 대해 걱정하는 사람들에겐 4가지 선택할 것들이 있다. 그들은 아무 노력도 안 할 수 있고, 국소적 약물이나 가발로 탈모를 위장하거나 스스로를 의학 치료표본으로 이용하거나 또는, 수술을 받는 것이다. 외과적 치료는 굉장한 기술을 요구하며 만족치 못한 결과도 흔하다.

안드로겐 유전성 탈모증은 모든 증례에서, 어느 정도는 진행중일 때 클리닉을 방문 한다고 한다. 모발은 일년에 5% 정도의 비율로 숫자상 감소한다. 이 점에도 불구하고, 대다수의 남성들은 아무 노력도 하지 않는 것이 가장 적절한 선택 사항이며, 의사에게는 보이지도 않는다. 게다가 치료를 받는 많은 사람들은 다양한 선택 사항이 제시되면 아무 것도 하지 않는 쪽을 선택할 수도 있을것이다; 이들에겐 합리적인 치료를 지원하는 상담과 더불어 심리적으로도 다시금 자신감을 갖게 해 주는 것이 그들이 탈모를 인정하고 치료를 받는데에 있어 큰 도움이 될 지도 모른다. 심지어 어떤 치료도 부인 할 때에도 의사는 탈모의 진행과정과, 누구에게나 흔히 있는일이며 다양한 가용적 치료법들이 있다는 사실을 설명함으로써 환자에게 큰 도움이 될 수 있다. 소수의 환자, 특히 여성들은 탈모가 초래하는 커다란 고민이 과소평가 되어서는 안 되며 의사들은 그들의 문제를 가볍게 경시해버리면 무의식 중에 환자에게 무력감으로 발전 할 수도 있다.

남성의 안드로겐 유전성 탈모증의 의학적인 치료는 여성과는 다르다. 안드로겐 수용체 대항제는 여성에서 의학 치료의 대들보이지만 여성형유방증 (gynaecomastia), 여성화, 발기부전의 위험성 때문에 남성에게는 적절하지 않다.

> 모든 안드로겐 유전성 탈모증에 처방되는 약품들은 전적으로 호르몬의 억제제 이다.

의학적 치료에 대한 일상적인 환자의 관리에서 한 가지 문제는 환자의 반응을 정확하게 관찰 해야하는 것의 어려움이다. 이러한 관찰에 사용되는 세련된 방법이 없을 경우,탈모 진행에 대한 환자의 주관적인 평가를, 진단에서 크게 의지하게 될 것 이다; 그리고 약물의 반응이 현저할 수 있다. 모발을 부드럽게 당기는 것만으로 탈락 되는 모발의 수를 정하는 모발 뽑기 검사는 객관적인 지침이다. 기저 사진은 도움이 되겠지만 모발 밀도가 20%보다 더 적은 변화는 감지해 낼 수 없을 것이다. 치료 시험에서 최근 사용되는 것과 동일한 입체정지(stereostatic) 장치에 올려 놓는 디지털 카메라는 치료에 대한 반응을 관찰하고 장기적인 환자의 치료적인 협력을 개선하는 데에 효과적인 방법이다.

비록 탈모의 유형이 남성 안드로겐 유전성 탈모증과 여성 안드로겐 유전성 탈모증의 진단을 직접(straightforward) 하게 만들지만, 여성의 경우, 안드로겐 유전성 탈모증을 조기에 진단하는 것은 어렵다. 이것이 바로 여성 안드로겐 유전성 탈모증이 처음에 탈모에 대한 식별 가능한 유형 없이 광범위하게 모발이 빠지게 만드는 이유일 수 있다. 그러한 경우 고려해야 할 많은 감별 진단들이 있다. 이들 여성은 영양, 대사, 탈모의 의원성 원인[20,21]을 제외하기 위한 추가적인 조사를 필요로 하며, 철에 대한 연구, 갑상선 기능 검사, 약물력을 반드시 모든 경우에 대해 취해야 한다. 안드로겐 유전성 탈모증에 대한 전구 증상으로서 여성은 만성 광범위 탈모와 만성 휴지기 탈모를 구별하기는 또한 어렵다.[22] 이것이 자기 한정적이고 전신 항남성호르몬에 반응하지 않는 군(entity)이다. 일반적으로, 중년 여성은 종종 하수구나 싱크대를 막기에 충분할 정도의 하루 탈모의 양이 상당히 증가한다; 그것은 갑작스레 시작되며 6개월에서 6 또는 7년까지 계속된다. 이러한 대량의 탈모 보고에도 불구하고 여성들의 머리의 상태는 언제나 좋아 보인다.

안드로겐 유전성 탈모에 비해 만성 휴지기 탈모 진단을 선호하는 임상적 특징은 광범위한 쉐딩현상, 양쪽관자뼈 후퇴와 두피중간의 모발 가르마가 넓어지는 부분이 없는 것이다; 그러나 이러한 기준들은 절대적이지 않으며 안드로겐 유전성 탈모증은 이러한 증상과 유사하다. 그런 경우 안드로겐 유전성 탈모증을 만성 휴지기 탈모와 구별하기 위해서는 조직학적 진단이 요구된다. 이 두 상태의 예후와 치료는 심히 다르기 때문에, 이들 여성은 항남성호르몬 치료를 시작하기 전에 두피 생검을 반드시 실시해야 하며, 항남성호르몬 투여는 저조한 임상적 반응을 고려할 때 만성 휴지기 탈모의 경우 급속히 악화될 수 있다. 최적의 정보는 두피의 두정부에서 수직과 수평으로 취한 두 개의 4mm 펀치 생검에서 얻어진다. 만성 휴지기 탈모에서 생검은 정상 두피와 구분할 수 없는 반면, 안드로겐 유전성 탈모증에서의 병변의 축소는 솜털의 증가로 인해 명확해질 것이다.

여성은 안드로겐 유전성 탈모증이 전신 남성화의 단서가 될 수 있지만 전신 안드로겐 과다증의 원천을 찾기 위한 그 이상의 조사는 오직 탈모가 다른 남성화의 특징, 예를 들면 다모증, 여드름, 월경 불규칙 또는 불임 등과 같은 것과 연관되어 있을 때에만 필요하다. 그런 경우 단일 혈청 테스토스테론 측정은 효소 결핍과 남성화 종양을 제외하기에 충분하다. 앞이마와 이마 상부의 머리털이 난 언저리가 쑥 들어간 것은 한 시기에선 여성 남성화에 대한 지표로 간주되는데, 564명의 건강한 여성에 대한 연구는 폐경 전 여성 13%에서 그리고 폐경 후 여성 37%에서 이것이 '포착하기 어려운' 정상적인 소견임을 보여 주었다; 여성의 경우, 남성처럼 그렇게 명백하지 않다.

비의학적 치료
None medical treatments

카운터 위의 많은 제품들이 탈모용으로 홍보된다. 비록 그들 성분은 통상 외적 사용에는 안전하지만, 그것들이 모발의 성장을 촉진시키거나 탈모를 막지는 못한다. 1980년에 미국 FDA의 한 자문단이 아미노산, 아미노벤조산, 아스코르빈산, 벤조산, 비타민B, 호르몬, 호호바기름, 라놀린, 다흡수물(polysorbate) 20, 다흡수물 660, 설파닐아마이드, tetracine hydrochloride, 요소, 밀배아기름 등을 포함, 모발 로션과 크림에 사용된 다수의 물질을 평가했고, 후에 그들은 그것들이 시장에서 제거되어야 한다고 제안했다. 다른 비효과적인 요법으로는 두피 마사지, 식이 요법 수정, 저자극 샴푸로 머리감기, 전기적 자극과 동양의 허브 추출물들이 포함된다.

위장과 가발
Camouflage and wigs

위장은 가장 간단하고 쉬우면서 값싼, 가벼운 안드로겐 유전성 탈모증을 다룰 수 있는 방법이다. 탈모된 부위는 두피의 모발 사이로 듬성하게 보여 질 때 가장 눈에 띄기 쉽게 된다. 위장법은 두피를 모발과 같은 색으로 염색하며 더 짙은 모발처럼 보이게 한다. 다른 많은 색으로 압축 스프레이 캔에 담긴 다양한 상품을 구입할 수 있고 종종 'holding' 모발 스프레이(일광차단제)와 함께 혼용된다. 모발을 말리고 모양을 낸 다음 그 환자의 모발 색과 맞는 염색약을 모발의 바탕 위에 뿌린다. 비록 새로운 많은 재료들은 방수성이지만, 모발이 젖고 염색약이 흐르면 젖었을 때 문제는 여전히 발생할 수 있다. 더구나 환자들은 모발을 손으로 만지지 말아야 하고, (염색약에 손이 더럽혀질 것이기 때문에) 수건과 베갯잇도 더럽혀질 수 있다. 환자들은 매일 밤 샴푸로 머리를 감아서 염색 약을 제거하고 매일 아침 다시 바르도록 권장된다. 탈모의 영향을 받는 많은 사람들은 모발에 부착되어 일시적으로 모발이 빡빡해진 느낌을 주는 '뿌리는' 원섬유를 사용하가도 한다.

광범위 탈모증인 많은 남녀들은 두피의 외과 수술보다 가발을 더 선호한다. 가발은 기존 모발에 섞이거나 또는 기존 모발 위에 덧 쓸 수 있다. 섞이는 가발은 모발이 자라면서 들리는 경향이 있고 자주 조절을 해줘야 한다. 가발의 모발은 닳거나 찢김에 잘견디는 합성 아크릴 섬유나 또는 자연 모발(보통 아시아나 유럽인들의 모발)로 만들어진다. 자연모 가발이 보기 더 좋고 모양내기 더 쉬우며 오래 가지 만 상당히 비싸다. 가발은 꾸밀 수도 있고 씻을 수 있으며, 현대의 가발은 자연스럽 게 보일 탁월한 덮개를 제공해 준다. 가발의 단점은 여름에는 불편할 정도로 덥고 일부 환자들은 이런 이유로 착용하기 어렵다는 것을 알게 된다. 불행하게도, 사람 들이 흔히 볼수 있는 가발은 그다지 질이 좋지 않기 때문에 가발에 대한 평판은 그 다지 좋지 않다. 영국, 미국, 호주에 있는 탈모증 환자 지원 그룹으로부터 가발에 관한 탁월한 조언을 얻을 수도 있다. 임상학자들이 자신을 지방 기관이 제공하는 서비스와 '의학적 탈모' 인 환자들에 대해 가발을 보조하는 국가 건강 서비스 프로 그램에 익숙하도록 만드는 것도 현명한 일이다.

남성에서의 안드로겐 유전성 탈모증의 의학적 치료
Medical treatment of androgenetic alopecia in men

현재 남성에서 안드로겐 유전성 탈모증의 치료에 대해 대부분의 국가에서 허용된 두 가지 치료법은 국소 미녹시딜과 경구용 피네스트라이드(finasteride)이다.

미녹시딜은 2%와 5% 혼합물(formulation)로 모두 가용하다. 구강 미녹시딜 로 고혈압 치료를 받은 남성에서 털과다증이 관찰된 후, 탈모의 진행을 정지시키 고, 비록 4%는 중간에서-빡빡할 정도로 모발이 다시 자라는 것을 보여 주었지만, 남성의 40%에서 약간의 모발이 다시 자라게 하는 국소적 호전이 나타났다. 다시 자란 많은 모발은 종말털이라기보다는 중간모에 가까운 것이었고 따라서 주된 장 점은 머리가 벗겨지는 진행을 정지시킨다는 점이다. 치료를 중단하면 미녹시딜에 의존적인 모발이 모두 떨어지면서 재빨리 교정된다. 부작용은 거의 없고 피부 발진 과 접촉 알레르기 피부염의 희귀 증례가 포함된다.

이 강력한 5α- 환원 효소 유형 2 억제제를 조사하는 국제적, 다중심, 이중 맹 검법의 III 연구의 완성에 뒤이어 피네스트라이드(Finasteride)는 1997년 남성에서 안드로겐 유전성 탈모증의 치료에 대한 허가를 최초로 받았다. 초기의 연구에서 Hamilton 단계 III, IV, V 탈모인 18-41세의 933명의 남성이 하루에 피네스트라이드 를 1mg을 복용하거나 또는 가짜약을 1년 동안 무작위로 받도록 하였다. '이를 비 밀로 하고' 피부과의사단에 의해 평가한 결과 남성의 1%에서 탈모가 진행되었고, 51%에서 탈모는 다소진정되었고 48%는 모발이 다시 자람이 밝혀졌다. 모발 재생은 30%에서는 경미한 것으로, 16%에서는 적당한 것으로 분류되었고, 2%에서는 크게 증가했다. 장기적인 연구는 모발이 훌륭히 '유지됨'을 보여 주었다.[24,25]

피네스트라이드에 대한 반응은 3개월 내에도 볼 수도 있지만, 환자들에게 적어도 12개월 그리고 평가하기 전 24개월까지는 치료를 계속 하도록 권해야 한다. 만약 성공적이라면, 치료를 중단하면 탈모 과정이 계속되기 때문에, 치료는 무기한으로 지속되어야 한다.

원래 III장의 미녹시딜 연구는 두피 정수리에서 실시 했으므로, 안드로겐 유전성 탈모증 치료에 대한 미녹시딜의 허가증은 두피 정수리에 한정된다. 안드로겐 유전성 탈모증의 발병기전이 두피의 앞이마 두피 중앙 부위에서 다르다고 믿을 아무런 이유는 없지만, 독자적으로 연구될 이들 부위에 대한 선례가 정해졌다. 피나스테라이드는 또한 앞이마 부위에서 효과가 있지만, 모발 총계 자료와 전역(global) 사진에 따르면, 두피 정수리에서 보다는 덜 효과적인 것 으로 밝혀졌다. 1인치 원형 부위에서 평균 모발 총계의 증가는 앞이마 두피에서 12개이고 정수리 대머리 부위에서 107개였다. 이 연구는 피나스테라이드 치료에 대해 앞이마 모발의 반응이 더 적거나 지연된다는 점을 시사한다. 피나스테라이드로 인한 부작용은 거의 없고 유일하게 중요한 부작용이라면 가짜약을 받는 남성의 1.3%에 비해 finasteride를 복용중인 1.8%에서 성욕이 상실되었다는 점이다. 이것은 모든 증례에서 약물 복용을 중단할 때 그리고 많은 증례에서 지속적인 치료를 할 때 정상으로 돌아왔다.

여성에서 안드로겐 유전성 탈모증의 관리
Management of androgenetic alopecia in women

2%의 국소용 미녹시딜을 복용하면 약 60%의 여성에서 탈모가 중지되거나 모발을 재생시킨다는 점이 실증되었다.[26] 그것은 단독으로 또는 경구 항남성호르몬 치료와 혼합해서 사용될 수도 있다. 치료를 중단하면, 미녹시딜에 의존적인 모발이 모두 떨어지면서 급속하게 교정된다. 5% 미녹시딜 용액은 여성에게는 허용되지 않는다. 왜냐하면 미녹시딜을 사용한 4%까지에서 털과다증이 발생했기 때문이다;[27,28] 그러한 털과다증은 다시 원상 회복될 수 있다. 사이프로테론 아세테이트(cyproterone acetate), 스피노락톤(spironolactone), 플루타마이드(flutamide)와 함

께 경구용 항남성호르몬 치료는 여성에서 안드로겐 유전성 탈모증을 멈추는 데 도움이 된다.

　　스피노락톤(Spironolactone)은 디하이드로테스토스테론에 대한 세포질 수용체를 경쟁적으로 막음으로써 활동하는 알도스테론과 구조적으로 연관된 합성 스테로이드이다. 그것의 주된 용도는 이뇨제와 고혈압 약으로서며 그것의 많은 부작용과 수많은 약물 상호작용은 이것에 연관된다. 몇몇 연구는 다모증의 치료에서 스피노락톤(spironolactone)의 효능을 실증했으며 일부는 그것이 안드로겐 유전성 탈모증에서도 도움이 된다는 것을 발견했다. 복용량은 하루에 100에서 200mg에 이른다. 부작용은 복용량에 관계 있으며 월경 불규칙, 폐경 후 출혈, 유방 압통 또는 확대, 피로 등을 포함한다. 스피노락톤(Spironolactone)은 태반(placenta)에 통과하며(crosses) 남성 태아를 여성화할 잠재성을 지닌다. Spironolactone을 복용하는 동안 여성은 임신을 해선 안된다. 선택적으로 경구 피임약을 복용하는 것이 의무는 아니지만 경구 피임약을 부수적으로 사용하면 호르몬 부작용을 줄게 할 것이다. 항알도스테론 효과는, 비록 이것이 콩팥 손상이 없을 경우에는 거의 증상을 나타내지 않지만, 혈청 염화칼륨의 상승과 혈압의 경미한 감소로 귀결된다.

　　사이프로테론은 안드로겐 수용체 차단제이고 강력한 프로게스토젠(progestogen)이다. 그것은 또한 항 고나도트로핀적인(antigonaldotrohpic) 효과도 갖는다. 그것은 30년 넘게 상용되어 왔다. 그것은 안드로겐 유전성 탈모증에 도움이 되는 것으로 보여져 왔고, 여성에서 탈모를 치료하는 데 널리 사용되고 있다; 그러나 오늘날까지 여성 안드로겐 유전성 탈모증에서 사이프로테론을 사용한(규모가) 크고 통제가 잘 된 연구는 없다. 비록 사이프로테론을 하루에 2mg으로 복용하는 치료가 다모증에 도움이 될 수 있겠지만, 100mg의 순서로 더 높은 복용량을 각 월경 주기의 10일 동안 복용하는 것이 안드로겐 유전성 탈모증에 합당한 것처럼 보인다. 사이프로테론의 부작용은 복용량에 의존적이며 나른함, 체중 증가, 유방 압통, 성욕 상실, 어지럼등이 포함된다. 간세포 암종(hepato cellular carcinorma)과 간염의 희귀 증례가 보고 된 적도 있지만 실질적으로 많이 복용했을 때만 그렇다. 남성 태아의 여성화도 일어날 수 있으며, 그러한 환자는 반드시 임신 전에 복용을 중단하도록 권해야 한다. 사이프로테론과 에스트로겐 치료의 조합은 효과적인 피임을 제공하고 월경 불규칙을 안정시키기도 할 것이다.

　　폐경 후 여성에 대해 사이프로테론은 지속적으로 사용될 수 있고 에스트로 겐과 함께 또는 없이 사용될 수 있다. 평균 필요 권장 복용량은 하루 50mg이다.

　　플루타마이드(Flutamide)는 안드로겐 섭취를 방해하고 목표 조직 내에서 안 드로겐의 핵 결합을 억제함으로써 작용하는 비스테로이드계 항남성호르몬이다. 비록 일부 연구는 플루타마이드(flutamide)가 다모증의 치료에서 사이프로테론과 스피노락톤보다 우세하다고 주장했지만 안드로겐 유전성 탈모증에서 이것을 연구 하는 광대하고 통제가 잘 된 연구는 보고는 없다.

두피 외과 수술
Scalp surgery

　　조직 확장술, 두피 피판술, 등 모발의 이식을 행하거나 대머리 두피를 절개하 는 두피 외과 수술은 심한 안드로겐 유전성 탈모증의 치료에서 많은 세월 사용되어 왔으며 끊임없이 수정, 개선되고 있다**(그림 3.103)**. 인공 섬유 이식은, 기증모가 가 용하지 못 할 때, 안드로겐 유전성 탈모증에 사용되어 왔지만, 이물질 반응과 감염 은 잠재적으로 심각한 합병증이기 때문에 매우 조심하도록 권한다. 일반적으로 두 피 외과 수술은, Ludwig II 형 안드로겐 유전성 탈모증을 가진 여성에서 보이는 두 정부 위에서 광범위성으로 가늘어지는 것에 덜 효과적이며, 그것의 사용은 두피 두 정부가 완전히 대머리인 여성에 한정된다.

　　안드로겐 유전성 탈모증에 대한 유전자 치료의 가능성은 쥐에서 포착된 DNA을 선별적으로 모낭에 전달할 리포좀을 함유한 국소 크림이 개발되면서 진전 되었다. 비록 모낭 내에서 안드로겐 수용체 표현을 영구적으로 하향 조절(downre-gulate)할 크림을 개발하는 데는 아직 많은 세월이 걸리겠지만, 털망울에서 줄기 세 포 개체군에 대한, 각질 15 같은 표지의 확인은 이 세포들을 목표가 되도록 할 수 있다. 이런 방식으로 어떤 유전적 변화도 그 모낭 안에서 무한증식될 것이고 각각 차후의 모주기와 함께 표현될 것이다.

안드로겐에 의존적인 탈모증의 여성은 자신의 모발을 '정상'이라고 인지하는 사람들보다 심리적으로 더 많은 문제가 있을 수있다.
남성들은 그들의 명백한 탈모 유형을 받아 들여야 하고 일반적으로 그렇게 한다 - 그러나 그렇게 하지 않거나 할 수 없는 사람들에겐 아마도 중대한 정신적 장애가 있을 수도 있다.

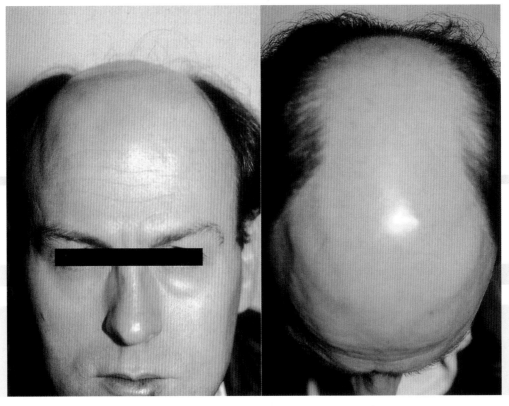

그림 3.103
두피의 외과적 수술. 두피의 털이 많은 상태를 변경하지 않을 외과 수술적 간섭이 제안될 수 있다.

모발 주기 장애: 휴지기 탈모
DISTURBAN OF HAIR CYCLE:TALOGEN EFFLUVIUM

정상적인 젊은 성인의 두피에서 모낭의 80-90%는, 비록 부위와 나이에 따라 약간의 차이는 있겠지만, 모발 주기의 성장기에 해당된다. '(급성) 휴지기 탈모' 라는 용어는, 많은 다른 유형의 압박에 대한 모낭의 흔한 반응으로 간주될 수 있는 과정의 하나인 성장기 모낭이 휴지기로 조기에 침윤되는 것에 뒤이어 나오는 정상 곤봉털이 떨어지는 것을 기술하기 위해 도입되었다. 열(fever), 힘든 출산, 수술, 출혈(헌혈을 포함), 음식 섭취를 극심하게 줄이는 것('갑작스러운' 다이어트)정서적 압박, 길어진 여객기 비행을 포함, 모든 것들이 이러한 반응을 유발할 수 있다. 영향을 받은 모낭의 비율과 따라서 뒤이은 탈모증의 극한 심각성은 부분적으로는 압박감의 지속과 심각성에 의존하며 부분적으로는 감수성에 있어 설명할 수 없는 사람적 차이에 의존한다. 곤봉털은 영향을 받은 털이 새로운 성장기로 잘 진전될 때까지 약 석 달 동안 유지되거나 또는 조기에 떨어질 수도 있다. 가장 빈번한 형태인 산후 탈모는 아마도 늦은 임신 동안에 정상적인 퇴행기로의 진입을 막아왔던 요소의 쇠퇴 때문일 수 있다. 그것은 어느 정도 보편적이며 종종 준 임상적이다. 비록 좀더 미묘하지만 유사한 상태는 한 동안 연속적으로 피임약을 복용한 후 중단할 때, 만연된다.

> 휴지기 탈모는 단지 두정부만이 아닌 두피 전체에 영향을 미친다.

임상적 특징

모발이 광범위 하게 탈락되는 것이 유일한 증상이다. 환자는 솔질이나 빗질 또는 머리를 샴푸로 감는 동안에 빠진 모발이 증가한 사실을 알 수 있다. 매일 빠지는 모발은 100개 미만에서 1000개 이상일 수 있다. 만약 이보다 더 낮은 비율로 떨어지는 일이 짧은 기간 동안 지속된다면, 이전에 정상인 두피에서 어떤 뚜렷한 대

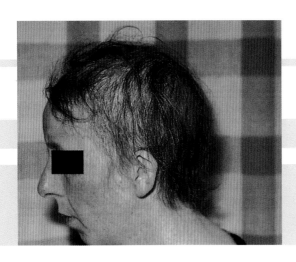

그림 3.104
휴지기 탈모.

머리의 징후가 없을지 모르는데, 왜냐하면 전체 모발 보체의 25% 이상을 잃는 일은 결코 얻을 수 없기 때문이다.

이전에 명백하지 않은 안드로겐 유전성 탈모증을 지닌 어느 한 환자에서 부가적인 광범위성 탈모는 그것을 밝힐 수 있거나 또는 이전에 인지된 약간의 탈모는 한층 명백해질 수 있다. 만약 쉐딩이 더 높은 비율로 일어나거나 또는 더 오래 지속되면, 뚜렷한 광범위성 탈모증으로 진행된다(**그림 3.104**). '스트레스'가 반복되지 않는 한, 자발적이고, 완전하게 다시 자라는 것은 수 개월 내에 거의 예외 없이 발생한다. 한결 빈번하게 여성 환자는 모발의 길이가 임신 전에 있던 것과 같지 않다고 호소한다. 이는 반드시, 더 짧아진 성장기 모낭이 시작되는 것과 함께, 자연적인 대머리 진행의 단계로 간주해야 한다. 예외적으로, 장티푸스 같은 고열이 모낭을 완전히 파괴해서 오직 부분적인 회복만 가능하게 되기도 한다. 만약 산후 탈모가 극심하고 연속적인 임신 이후에 재발하면, 재생은 궁극적으로 불완전할 수도 있다.

진단

진단은 보통 간단하다: 쉐딩이 증가하는 것은 명백히 수주 앞서 또는 몇 개월에 앞서 일어난 심리적 스트레스를 주는 일화와 연관이 있다. 뽑힌 모발은 쉐딩이 완전해질 때까지는 정상적인 곤봉의 비율로 크게 보여 준다. 헤파린이 유발하는 탈모증은 매우 비슷하지만 시간 간격은 종종 더 짧다. 매우 급속한 시작의 원형 탈모증은 보통 처음에는 반점이지만 수주 내에 전체로 변할 수 있다. 휴지기 탈모는 항상 광범위하며 결코 전체에 걸쳐 다 나타나지는 않는다. 급성 매독 탈모증은 반점형이다. 곤봉모발이 떨어지는 것이 증가하는 것은 물론 다양하지만 종종 매우 명백한 초기 안드로겐 유전성 탈모증의 증상이다.

만성 휴지기는 비교적 최근에 정의된 군이다.[22] 그것은 특히 중년 여성에서 볼 수 있다. 과도하게 모발이 떨어지는 일은 어떤 명백한 머리가 벗겨짐도 없이, 어떤 일반적 또는 실험적으로 비정상적인 것도 발견되지 않고 일어난다. 수년 내에 자연발생적으로 해결되며 2%의 미녹시딜이 도움될 수도 있다.

내분비 원인의 광범위 탈모증
DIFFUSE ALOPECIA OF ENDOCRINE ORIGIN

광범위 탈모증은 많은 내분비 증후군에서 발생하지만 사람에서 그 구조가 완전하게 조사된 적은 아직 없다. 많은 증례 보고서에서 내분비 장애의 진단에 대한 기준은 부적절했다.

뇌하수체저하 상태
Hypopituitary state

뇌하수체 저하 난장이(hypopituitary dwarf)는 대개 모발이 완전히 없다. 쉐한(Sheehan) 증후군에서와 같은 사춘기 이후 뇌하수체 결핍에서 두피 모발은 매우 가늘어지고 음모와 겨드랑이 털이 완전히 소실된다. 피부는 황색이며 건조하고 탄력은 저하된다.

갑상샘저하증
Hypothyroidism

　　두피 모발의 광범위 손실(**그림 3.105**)과 나중에는 몸의 털조차 상실하는 것은 갑상샘저하증에서 빈번하다. 눈썹이 특히 바깥쪽 절반에서 숱이 적은 것이 눈에 잘 드러날 수 있고 겨드랑이 털이 줄어드는 것이 약 증례의 50%에서 명백하다. 모발계수는 휴지기에서의 뿌리의 비율이 비정상적으로 높은데, 이는 휴지기가 늘어났거나 또는 때아닌 퇴행기 또는 둘 다를 시사하지만, 갑상샘저하증이 제어되면 모발은 다시 자라는 것이 보통이지만 완전하지 않을 수 있다. 그와 정반대의 보고들은 아마 안드로겐 유전성 탈모증의 연관에 적용할 수 있는데, 아마도 SHBG의 감소로 인한 '유리'안드로겐 때문일 수 있다. 광범위 탈모증은 갑상샘저하증의 유일한 임상적 발현일지도 모른다. 갑상샘저하증의 진단은, 티록신 수치와 갑상샘-자극 호르몬(TSH)의 측정과 함께, 임계 임상 평가에 기반을 두어야 한다. 사소한 변화의 경우, 역동적으로 탐사하는 것이 바람직하다(TRH로 자극).

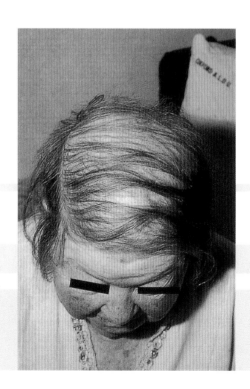

그림 3.105
심한 갑상샘저하증에서의 광범위 탈모증.

갑상샘과다증
Heperthyroidism

갑상샘과다증에서는 광범위 탈모증의 증례 중 40-50%에서 발달하지만 심한 경우는 드물다. 또한, 원상 회복된다. 원형 탈모증과 백반증(vitiligo)의 빈도가 증가되면서 발생한다.

부갑상샘저하증
Hypoparathyroidism

두피 모발이 거칠고 숱이 적고 건조하다. 경미한 외상에도 쉽사리 떨어지고 탈모증은 불규칙한 반점으로 보일 수 있다. 비슷한 변화가 가성부갑상샘저하증에서 보고된 적 있다.

당뇨병
Diabetes mellitus

서투르게 통제된 당뇨병에서 보통 휴지기 탈모 유형의 탈모증인 광범위 탈모증이 일어날 수 있다.

경구 피임약
Oral contraceptive

광범위 탈모증은 경구 피임약에 기인한다고 생각해 왔으나 그 증거는 상반된다. 성장기-휴지기 총 수에 대한 연구는 다양한 반응을 보여주었는데, 일부 여성들은 일시적이었고 어떤 여성들은 휴지기 비율에서 더 증가가 연장되었으며, 그 외

사람들은 아무 변화도 보여주지 않았다. 일반적으로 임상적으로 중요한 어떤 변화
도 유발되지 않지만 일부 여성에서 피임약을 중단하고 3-4주 후에 광범위한 쉐딩이
뒤따라 나오며, 임신한 뒤처럼 자연적으로 회복된다. 일부 모낭은 호르몬 치료를
중단하거나 수정했을 때 뿐만이 아니라 최초로 시술될 때에도 주기적 변이의 변화
에 반응할 수 있다.

화학 원인의 탈모증
ALOPECIA OF CHEMICAL ORIGIN

탈모증을 유발할 수 있는 많은 화학 약품들은 치료상 빈번하게 사용된다. 인
간은 오직 드물게 그리고 우연하게 화학 제품의 다른 유형에 노출된다. 모두 합해
서 치료용 화학 제품들은 작지만 점증하는 광범위 탈모증의 증례 비율을 설명해 준

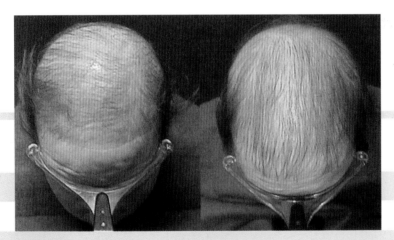

그림 3.106
Aromasin(exemestane) 효과. 화학요법 유발 탈모 후 회복 결여.
재발하는 유방암에 대해 docetaxel 약물 화학요법과 아로마테이스 억제제인
exemestane로 유지 요법을 한 결과 심한 탈모로 귀결되었다. 자연발생적으로도
또는 finasteride(1mg/day)와 조합한 국소 미녹시딜(5% 용액, 하루 한 번)로 6개월
시도한 후에도 어떤 회복도 관찰되지 않았다.

다. 많은 경우 그들의 작용 양식은 확실치 않으며 그래서 논리적으로 분류하는 것
은 실행 불가능하다(그림 3.106).

표 3.3 탈모를 유발하는 약물/화학제품(Drugs/chemicals causing hair loss)

치료 계층(Therapeutic class)	화학 명칭(Chemical name)
진통제/항염증 (Analgesics/anti-inflammatories)	이부프로펜(ibuprofen) Indometacin
항생제/anthelmetics	paraminosalicylates 벤지미다졸(알벤다졸, 메벤다졸) (benzimidazoles(albendazole, mebendazole) 클로람페니콜(chloramphenicol) 에탐부톨(ethambutol) 겐타마이신(gentamicin) 니트로푸란토인(nitrofurantoin) 술파살라진(sulfasalazine)
항응고제 (Anticoagulants)	쿠마린(coumarins) 헤파린(heparin) Phenindione Pentosane polysulphate
항간질제/CNS 약물/psychotrophic 약물	amfetanmines Cabamazepine 데시프라민(desipramine) Dixyrazine Fluxetine 히단토인(hydantoins) Impramine Levodope(L-DOPA) 리튬(lithium) Methysergide Oxcarbamazepine 나트륨 발프로에이트(sodium valproate) Trimethadione Triparanol
세포독성 약물/면역억제제 (Cytotoxic drugs/immunosuppressants)	antinomycin-D Amsacrine Azathioprine 블레오마이신(bleomycin) 클로람부실(드묾)(chlorambucil)(rare) 시클로포스파미드(cyclophosphamide) 시타라빈(cytarabine) 다카바진(dacarbazine) Daunorubicin 옥소루비신(아드리아마이신) doxorubicin(Adriamycin) Etoposide
세포독성 약물/면역억제제 (Cytotoxic drugs/immunosuppressants)	floxuridine Fludarabine 불소유라실(Fluorouracil) Hexamethylmelamine

표 3.3 계속(Continued)

치료 계층(Therapeutic class)	화학 명칭(Chemical name)
	Hydroxycarbamide
	수산화요소(hydroxyurea)
	Ifosfamide
	Lomustine
	멜팔란(melphalan)
	메토트렉세이트(methotrexate)
	마이토마이신(mitomycin)
	Mitozantrone
	질소 머스터드(nitrogen mustard)
	Nitrosureas
	Procarbazine
	Docetaxel
	Thiotepa
	빈블라스틱 약명(vinblastine)
	빈크리스틴(vincristine)
심장혈관 약물/ACE 억제제 (Cardiovascular drugs/ACE inhibitors)	amiodarone
	캅토프릴(captopril)
	Enalapril
	메틸도파(methyldopa)
	메토프롤롤(metoprolol)
	Nadolol
	칼륨 thiocynate(potassium thiocynate)
	프로프라놀올(propranolol)
류머티스병에 사용된 약물 (Drugs used in rheumatic diseases)	알로퓨리놀(allopurinol)
	Antimalarials(클로로퀸, Mepacrine)
	콜히친(colchicine)
	페니실라민(오직 왼쪽 입체이성질체만)
	(penicillamine(left−stereoisomers only)
내분비 약물 (Endocrine drugs)	브로모크립틴(bromocriptine)
	Carbimazole
	다나졸(danazol)
	티오우라실(thiouracil)
면역자극제/인터페론 (Immunostimulants/interferons)	면역글로불린 IV(immunoglobulin IV)
	인터페론 알파(interferon alpha)
	인터페론 감마(interferon gamma)
지질 저하 약물 (Lipid−lowering drugs)	clofibrate
	Fenofibrate
	트리파라놀(triparanol)
레티노이드 (Retinoids)	13−cis−레티노산(13−cis−retinoic acid)
	Acitretin
	Etretinate
	비타민 A(많은 용량) vitamin A(large doses)
기타 (Miscellaneous)	부티로페논(butyrophenones)
	Cantharidine
	시메티딘(cimeidine)
	메티라폰(metyrapone)
	Pyridostigmine 브롬화물(Pyridostigmine bromide)
	Terfenadine

표 3.3 계속(Continued)

치료 계층(Therapeutic class)	화학 명칭(Chemical name)
기타(방부제)Miscellaneous(antiseptics)	붕산염(boric acid salts)
기타(중금속) Miscellaneous(heavy metals)	수은(mercury) 비스무트, 리튬, 금, 탈륨, 비소, 구리, 카드뮴 (bismuth, lithium, gold, thallium, arsenic, copper, cadmium)
기타(식물) Miscellaneous(plants)	자운영 빗살(Selenocystathionine 함유) Lecythis olaris(coco de mono Seeds contain Selenocystathionine) Leucaena glauca(seeds contain Leucenine, also known as Leucenol or mimosine) Stanleya pinnata(Selenocystathionine 함유)

참고: Dubertret L, Therapeutique Dermatologique (파리, Flammarion, 1991); Rook A, Dawber RPR(편), *diseases of the Hair and Scalp*(옥스포드, 블랙웰 과학 출판부, 1997); Olsen E(편), *Disorders of Hair Growth*(뉴욕, 맥그로힐, 1994).

표 3.3은 최근 출간된 세 가지 교과서에서 모인 그러한 화학 물질의 목록을 보여 준다.

탈륨
Thallium

탈륨 소금은 백선증에 감연된 두피 탈모에 대해서는 영국에서 더 이상 처방되지 않으며 대중에게 판매되는 어떤 조제에도 들어가지 않는다. 다른 많은 나라들에서 여전히 그것들은 살충제로 사용되고 있으며 심각한 중독의 발생이 곡물 가게와 다른 식품에서의 오염에 뒤이어 일어났다. 탈륨 소금은 맛이 없고 살인이나 자살에 사용되어 왔다. 탈륨은 급속하게 성장기 모낭에 흡수되며 각질화를 방해한다. 많은 모발이 모낭 내에서 파손된다. 공기가 찬 각질 형성 구역의 불규칙성과 가늘어진 끝에 가까운 줄기 내부의 기포들은 독특한 모습을 띤다. 다른 많은 모낭들은 때아니게 퇴행기로 들어간다. 표면 각질화도 방해를 받는다. 탈모증은 가장 변함없는 증상이다. 탈모는 비정상 성장기 모발이 광범위하게 떨어진지 약 10일 후에 시작된다. 그것은 급속히 완전해질 수 있거나 또는, 더 적게 복용하면, 3 또는 4개월에 걸쳐 곤봉털이 점진적으로 떨어지는 일이 뒤따를 수 있다. 중독이 심하면 탈모가 일어나기 전에 급성 뇌 또는 콩팥 손상으로 인해 사망 할 수도 있다. 덜 심한 경우에 관련된 증상은 매우 다양하다: 조화운동불능(ataxia), 쇠약, 졸림(somnolence), 떨림, 두통, 구역, 구토는 가장 일반적으로 일어난다. 가벼운 중독에서는, 탈모증이 유일한 증상일 수도 있다. 모든 경우에서 모발은 6개월 이내에 완전히 다시 자라지만, 잔류 뇌 손상의 지속적인 증상이 있을 수 있다. 진단은 임상적 근거에서 의심할 수 있지만, 소변과 대변에서 탈륨이 검출될 때에만 확인되며, 소변과 대변에서 그것은 4 또는 5개월 동안 배출이 계속될 수도 있다. 특정한 치료법은 없다.

갑상샘 대항제
Thyroid antagonists

Thiouracil 또는 carbimazole로 치료받은 갑상샘항진증(thyrotoxicosis) 환자들은 광범위 탈모증을 발현한다. 오래 동안 지속적으로 요오드화물을 복용하는 것은 갑상선 기능 부전 탈모증을 유발함을 보여 주었다.

항응고제
Anticoagulants

모든 항응고제 약물(헤파린, 헤파린성 물질, 쿠마린)은 탈모증을 유발한다. 와파린과 같은 쿠마린은 쥐약으로 널리 사용되며 가끔 우연히 아이들이 먹기도 한다. 노출의 지속 정도가 아니라 용량이 탈모를 결정한다. 확실히 정상 곤봉털은 실질적인 혈압을 얻은 후 약 2-3달이면 떨어진다. 종종 뚜렷한 탈모는 없으면서 적당히 떨어지는 일이 증가하지만, 많은 용량을 복용하면 중간 또는 심한 탈모증이 일어날 수도 있다. 약물을 중지하면 완전히 회복된다.

> 약물이 아닌 만성 항응고제가 탈모를 일으킨다.

세포증식 억제제
Cytostatic

치료상 사용되거나 범죄적 의도로 주어진 많은 세포증식 억제제는 주로 성장기 탈모 유형의 탈모를 유발할 수 있다. 시클로포스파미드(cyclophosphamide)로 행한 실험상, 임상적 연구는 일부 성장기 모낭이 때이른 퇴행기에 접어들고 기질에서의 유사분열 억제는 줄기에서의 협착 또는 완전한 파손으로 귀결된다는 점을 보여주었다(**그림 3.107, 3.108**). 유사한 협착은 아미노프테린에 의해서도 만들어진다. 임상적으로 탈모증은 시클로포스파미드 치료 이후 자주 관측된다. 그것은 콜히친 치료약 이후에도, 낙태약 이후에도, 칸타리딘 이후에도 보고되어 왔다. 부서지고 협착된 줄기를 지닌 모발은 최초의 실질적인 복용량 이후 이르면 4-6일에 광범위 하게 떨어질 수 있고 명백하게 정상인 휴지기 모발 손실이 수 개월 동안 지속

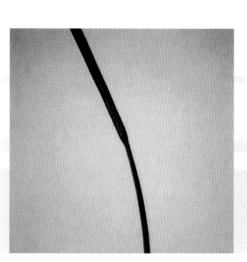

그림 3.107
세포독성 약물 요법 때문에 모발이 좁아짐.

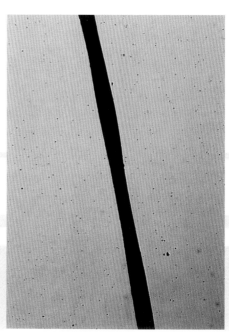

그림 3.108
간헐적인 세포독성 약물 요법 때문에 염주털의
그것과 비슷한 모발 '결절'.

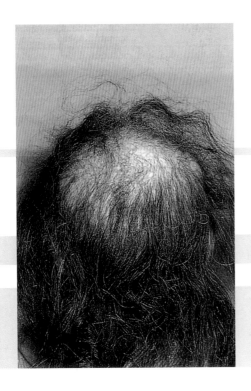

그림 3.109
엑스선 탈모 치료 때문인 광범위 탈모증.

될 수도 있다.

세포증식 억제 약물을 필요로 할 때, 탈모는 두피 체온을 저하시킴으로써, 예를 들면 약이 투여되기 전 30분 동안 두피에 얼음 주머니를 댐으로써, 최소화 시킬 수 있다. 엑스-방사선도 유사한 탈모를 유발할 수 있다(**그림 3.109**).

트리파라놀
Triparanol

트리파라놀과 화학적으로 관련 없는 정신병약인 형광 부티로페논 (fluorobutyrophenone)도 각질화를 방해한다. 두피와 신체의 털은 건조하고 숱이 적어지며 색이 흐려진다. 피부는 일반적으로 건조하고 비늘이 있다. 일부 증례에선 차후에 백내장이 발달한다.

비타민 A 과다증
Hypervitaminosis

비타민 A를 과다하게 소비하는 것은, 주요 특징으로 건조함, 발진, 때로는 피부 색소 저하증, 천천히 진행하는 양상으로 두피와 몸의 털, 눈썹, 속눈썹이 가늘어지는, 다양한 증후군을 일으킨다. 체중 감소, 피로, 빈혈, 뼈의 통증이 빈번하며, 간과 비장이 때로는 확대된다. 수 개월 동안 일일 50,000개를 초과해서 복용 - 보통보다 훨씬 더 높은 - 한 후 그 증상은 잠재성으로 발달한다. 비타민 A의 모발 성장에 대한 활동 양식은 비타민의 fasting 혈액 수치의 평가에 의해 이루어진다. 비타민 A를 중지할 때 느리게 회복된다. 경구용 레티노이드와 관련된 탈모증은 유사 구조를 갖지만 분명히 훨씬 덜 심하다.

붕산
Boric acid

나트륨 붕산염에 직업상 노출되는 것은 광범위 탈모증을 유발해 왔다. 붕산 양치질 약은 탈모와 유사한 형(pattern)을 초래했고 혈청 붕산 수치를 높이는 결과를 낳았다. 자살할 의도로 붕산을 먹으면 10년 뒤 완전 탈모가 초래됨을 보여 주었다.

다른 화학 제품들
Other chemicals

원상 복귀 가능한 탈모증은 이따금 다른 화학 제품에 의해서도 유발된다; 전에 고혈압에 대해 처방된 포타슘 티오시안산염; 간질 통제용으로 사용되는 trimethadione; 연장해서 과다 복용한 후의 비스무트; 고무 제조 하는 동안에 노출된 후의 단인자 표현 chloroprene의 주기적 농축물. 탈모를 포함하는 것으로 보고된 다른 약물들에는 리튬 탄산염, pyridostigmine, dixyrazine과 etretinate가 포함된다.

Propanolol, metoprolol, levodopa, cimetidine, ibuprofen은 모두 복용 후 수 개월 뒤 광범위 탈모증을 유발하는 것으로 의심받아 왔다.

Leucaena glauca와 견과 Lecythis에 있는 독성 물질-selenocystathionine처럼 보이는-을 포함한 Leguminous 식물에서 나오는 아미노산도 역시 탈모증을 유발했다. Seleniferous 식물은 양(cattle)에서 잘 알려진 탈모의 원인이며 사람에서도 비슷한 효과가 종종 보고 된다.

특정 약물 - amiodarone, cimetidine, danazol, gentamicin, itraconazole, metyrapone, sulfasalazine, terfenadine - 과 연관된 것으로 생각되는 일화적이고 입증되지 않은 탈모 증례들이 많이 있다.

세포독성 약물도 성장기 탈모보다는 한층 미묘한 휴지기 쉐딩현상을 유발할 수 있다.

영양과 대사 원인의 탈모증
ALOPECIA OF NUTRITIONNAL AND METABOLIC ORIGIN

모발은 단백질 결핍에서 일찍 영향을 받는다. 모낭 '연료 공급'의 필요성이 지대하기 때문에 조직은 단백질 결핍에 매우 민감하다. 유기체에서 특정하게 모낭의 단백질을 박탈해서 그것을 좀더 절대적으로 필요한 목적을 위해 보존하는 특정 작용에 대해서는 어떤 것도 증명되지 않았다. 철 공급에 대해서도 마찬가지이다. 영양 실조는 털줄기의 구조와 때때로 털의 색에도 영향을 미친다. 단기적으로 실험상 단백질을 박탈하면 망울이 위축되고 내부와 외부의 뿌리집의 상실을 초래하지만, 만약 단백질 결핍이 계속된다면 이들이 발달한다고 해도, 성장기-휴지기 비율에서는 어떤 변화도 초래되지 않는다.

소모증(marasmus)은 보통 생후 첫 해 단백질 열량 결핍의 결과이다. 모발은 가늘고 건조하며 털망울은 정상의 삼분의 일로 감소하며 거의 모든 모낭은 휴지기에 있게 된다. 단백열량부족증(kwashiorkor)은 갑작스럽게 젖을 떼고 단백질이 매우 낮고 탄수화물은 높은 식사로 이유식을 하는 아이에서 생후 두 돌 동안에 발생한다. 모발 변화는 단백질 열량부족증에서와 비슷하지만, 성장기 모낭은 거의 대부분 위축은 되었지만 더 많이 있다. 영양 실조의 이들 두 상태에서 발견된 것 사이의 차이점은 아마도 단백질 박탈의 정도와 급속함에 연관이 있을지도 모른다. 두 상태 모두에서 모발은 부서지기 쉽고 쉽게 떨어지며 부분적 또는 완전 탈모증이 일어날 수 있다; 모발은 윤기가 없고 비록 정상적으로 검다해도 붉으스름한 빛을 띨 수 있다. 많은 털줄기는 외상에 대한 취약성을 증가시키는 협착을 보일 수 있다. 그런 모발의 아미노산 구성은 매우 많이 모발 유황 이영양증의 그것을 닮는다. 자료는 고황 단백질의 조절이 영양실조 증후군에서 털줄기의 구성적 쇠약에 관계된다는 점을 시사한다.

철 결핍은, 심지어 빈혈이 없을 때에도 단백질 결핍과 같은 이유로, 가끔 광범위 탈모증과 연관된다**(그림 3.110)**; 그러나 남성에서 평균 수치인 (70 ng/ml)보다 더 적은 혈청 페리틴은 그 자체가 여성에서 광범위 탈모를 일으킬 수 있다는 생각은 논쟁거리로 남아 있다. 여성에서 철 공급의 감소는 증명되지 않았지만, 월경에서의 혈액 손실로 인해 철이 만성적으로 배출된다. 그러므로, 치료를 시작하기 전에 특히 여성에서는, 철 대사를 통제하는 것이 선결 과제이다. 연관성을 증명하기는 어려운데 그 이유는 다른 가능한 연관 요소를 평가하는 것이 항상 쉬운 일은 아니기 때문이다.

흡수를 하지 못 해 생기는 아연 결핍은 탈모증의 원인이 되며**(그림 3.111, 3.112)** 창자병증말단피부염(acrodermatitis enteropathia)에서 피부 변화를 일으킨다. 아연 결핍은 홍반선량, 비늘벗음, 물집, 탈모가 있는 부모가 영양 공급을 연장함으로써 기인할 수 있다. 부모의 영양 공급은 또한 필수 지방산의 결핍을 초래할 수 있다. 이는 홍반선량, 두피와 눈썹에서 비늘벗음, 광범위 탈모증으로 귀결될 수 있다. 남은 모발은 건조하고 제멋대로이지만, 이는 잇꽃의 기름(safflower oil)을 국소적으로 발라줌으로써 원상회복시킬 수 있다. 두 결함 모두 모발 성장에 영향을 미치는데, 왜냐하면 그것들은 세포 대사에 대해 필수적인 보조인자이

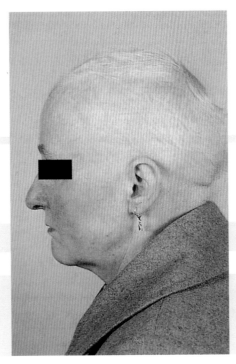

그림 3.110
만성 철-결핍 빈혈로 인한 탈모증.

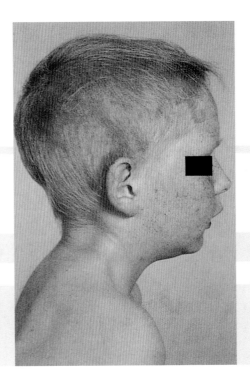

그림 3.111
아연 결핍 탈모증.

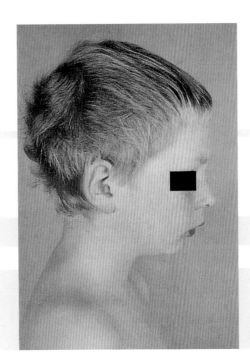

그림 3.112
경구 아연 요법 후 4개월의 아연 결핍 탈모증.

기 때문이다.

모발 성장 결함은 일정한 대사 질환에서 발생한다. 예를 들면 결절 털찢김증과 유사한 변화는 믿을만할 정도로 아르기닌호박산 뇨증에 관계돼 왔다. 메티오닌의 대사 통로에서 선천성 이상인 호모시스틴뇨증(homocysteinuria)에서 모발은 숱이 적고 가늘며 금발이다. 현미경 검사에서는 정상으로 보이지만 아크리딘오렌지에 염색하고 자외선 빛에서 검사하면 주홍-적색 형광의 발광을 보여 준다. 영향을 받은 아이들은 정신적으로 지체되며 발을 끌며 오리처럼 걷고, 뺨의 홍조와 넓고 다양한 골격상의 결함을 갖게 된다. 지체된 육체적, 정신적 발육과 대적혈구빈혈(macrocytic anaemia)로 특피리미딘 대사의 희귀 선천성 이상인 유전적 오로트산뇨증(orotic aciduria)에서, 모발은 가늘며 짧고 숱이 적다. 히스티딘, 티로신, 아르기닌을 모발 각질로 합일화함에 있어서 유전적으로 결정된 결함이 하나의 증후군에서 발견되었는데, 그 증후군에서는 건조하고 윤기없고 단단하게 엉클어진 모발이 납작하고 부서지기 쉬운 비정상 손발톱 및 치아의 에나멜 형성저하증과 연관되어 있다.

만성 광범위 탈모증
CHRONIC DIFFUSE ALOPECIA

> 안드로겐 유전성 탈모증과 급성 휴지기 쉐딩의 원인이 제외된 후에도 잠재적인 광범위 탈모증 여성들은 여전히 많다 - 이것의 원인은 무엇일까?

지속적으로 발생하지만 그 심한 정도에서는 때때로 기복을 갖는, 다소 균등하게 분포된 탈모는 남녀 모두에서 흔히 볼 수 있다. 그것은 35세 이상의 여성에서 더 자주 보이는데, 그 이유는 여성에서 어떤 형이 더욱 자주 발생하거나 또는 여성들이 도움말을 구하는데 더 열성적이기 때문이다.

'만성 광범위 탈모증' 은 이상적인 진단상의 범주는 아니다. 이 임상적 상태는 다수의 서로 다른 요소들 - 단독으로 또는 조합으로 의해 일어날 수 있다. 많은 증례에서 어떤 완전하게 확신을 주는 원인도 입증될 수 없지만 다수의 증례는 아마도 안드로겐 유전성 탈모증의 변종이다.

보통은 무시되지만, 아마도 많은 증례에서 중요하게 기여하는 요소는 30년 이후로(onwards) 발생할 수 있는 모낭 밀도에서의 광범위한 감소이다.

각 증례에서 반드시 주의깊게 조사해야 할 기타 요소는 다음과 같다:

1. 안드로겐 유전성 탈모증. 내분비 조사, 특히 혈장 테스토스테론 수치 (유리된 것과 전체)는 안드로겐 유전성 탈모증이 여성에서 흔하다는 점을 보여 주었다. 진단은 늘 그러하듯이 탈모의 유형이, 남성에서 보이는 전형적이고 한층 날카로운 양쪽 관자뼈와 수직인 탈모증과는 다른, 광범위하고, 앞이마부분이 가늘어지는 것일 때에는 간과하는 경향을 보였다. 우리의 경험에서 만성 광범위 탈모증을 보이는 여성의 대다수는 안드로겐 유전성 탈모증을 제일의 또는 유일한 결함으로 갖고 있다.

2. 다른 내분비 요소들. 갑상샘저하증은 일부 일련의 증례에서 비교적 빈번한 요소이나 우세함에 있어서는 부위에 따라 변종이 있으며 그것은 종종 부적절한 증거를 기반으로 진단된다. 갑상샘과다증, 뇌하수체저하증, 그리고 어쩌면 당뇨병이 이따금씩 관련된다. 광범위 모발 손실은, 비록 그것이 정상 폐경 뒤에 온다는 증거는 없지만, 난소절제(oophorectomy)와 관련이 있는 것처럼 보여져 왔다(안드로겐 유전성 탈모증과 비교할 것).

3. 휴지기 탈모. 출산 또는 심한 스트레스와 같은 명백하게 정의된 사건 이후 3 또는 4개월 뒤에 따라오는 급성 휴지기 탈모는 진단상의 문제는 아니지만, 늘어난 정서적 스트레스가, 적은 수의 모낭을 때이른 휴지기로 정기적으로 침윤시킴으로써, 증가된 탈모율을 유지시킬 수 있는지는 확실치 않다. 높은 휴지기 총수 하나만으로는 이 진단을 입증할 수 없는데, 왜냐하면 높은 총수는 갑상샘저하증, 단백질 결핍과 안드로겐 유전성 탈모증을 포함, 다른 조건들에서도 발견되기 때문이다. 원인이 알려지지 않은 만성 휴지기 탈모는 비교적 성인 여성에서 볼 수 있었다: 그것은 조직학 연구로 가장 쉽게 확인되며, 임시적인 현상이다.

4. 영양 결핍(전에 기술된 바처럼)

5. 손상된 간 기능. 간염이나 경화증으로부터 손상된 간 기능을 가진 많은 환자들에서 휴지기 비율은 증가되며 일부는 임상적으로 뚜렷한 탈모증이다. 방해를 받은 아미노산 대사가 그것의 원인이라고 주장되어 왔다.

6. 심한 만성 질병. 종양 질병은 가볍거나 또는 보통인 탈모증으로 귀결될 수 있으며 그 심한 정도는 아직 빈혈이나 악액질 정도 같은 요인들에 연관될 수 없으며 이는 2차 내분비 효과에 의해 결정됨으로써 증명될 수 있을 것이다. 어쩌다가 탈모증은, 휴지기 쉐딩이 증가하거나 또는 특정 종양 침윤, 즉 탈모증으로 인한, 예를 들면 호지킨 씨 병 같은 종양을 나타내는 증상일 수 있다.

이 모든 인자들을 제외하고 나면, 많은 증례들이 설명되지 않은 채 남게 되며, 그들 대다수 여성의 나이대는 30-50살에 이른다.[21] 설명되지 않는 증례들의 이 집단은, 비록 일부가 만성 휴지기 탈모를 갖지만, 단일하고 균일한 군을 대표하는 것은 아니다. 일부 환자들에서 탈모증은 심한 정도에 있어 수개월 또는 수년에 걸쳐 수시로 변하지만 마침내 거의 완전히 회복한다. 다른 환자들에서, 특히 모발이 가늘어지는 환자들에서 탈모증은, 비록 대개는 극도로 천천히 진행되지만, 진행성이기 쉽다. 탈모증은 안드로겐 의존적이지 않은 것으로 보여져 왔는데, 안드로겐 유전성 탈모증처럼 전체 앞이마 부위보다, 정수리에서 현저히 두드러지게 보인다.

'탈모'로 심한 고통을 당하고 있는 일부 여성들에서는 어떤 탈모증의 증거가 보일 수도 보이지 않을수 있거나 또는 적어도 호소하지 않는 동일 환자들보다 더 가늘어지는 모발은 볼 수 없다: 이것은 추형공포증(dysmorphophobic) 상태로 알려져 있다. 그런 여성들의 일부는 종종 임상적으로 우울하다. 추형공포증에 대한 정신과진단을 항상 고려해야 한다 - 이것은 자살로 후유증(sequela)이 나타날 수 있으므로 중요하다.

중앙 신경계 장애에서 탈모증
ALOPECIA IN CENTRAL NERVOUS SYSTEM DISORDER

탈모증은 많은 중앙신경계 질병과 연관해서 기술되어 왔지만 많은 경우 그러한 연관은 아마도 우연한 것이다. 비록 구조는 아직 알려지지 않았지만 연관이 적법하게 보이는 네 가지 탈모 형태가 있다.

- 완전하고 영구적인 탈모증은 중뇌와 뇌줄기의 흉터를 동반했다: 예를 들면 시상하부 부위에서의 신경아교종 또는 중뇌에 대한 뇌염후 손상 등이 있다.
- 일시적인 광범위 탈모증은 특히 아이들에서 머리 손상 뒤에 올 수 있으며 복귀 가능한 다모증과도 연관이 있을 수 있다.
- 완전 탈모는 척수구멍증(syringomyelia)와 연수구멍증(syringobulia)인 환자에서 20년 동안 대략 해를 두고 일어나는 것으로 보고되었다.
- 안드로겐 유전성 대머리는 mytonic dystrophy에서 초기에 발생한다.[29] 신경학적 변화의 직접적 효과보다 유전적 관련성(genetic linkage)이 아마도 우려된다. 다른 피상적 안드로겐-종속적인 변화는 평균 안드로겐 수치보다 종종 낮음에도 불구하고 볼 수 있다.

흉터에 의한 탈모증
CICATRICAL ALOPECIA

흉터 탈모증은 그 자체로 모낭에 영향을 주는 질병에 의한 것이든 그것에 대한 외부에서의 어떤 과정에 의해서 이든 모낭 파괴를 동반하거나 모낭 파괴 뒤에 오는 탈모증에 적용되는 일반적인 용어이다. 모낭들은 발달 결함의 결과로서 없을 수 있거나 또는 방사선피부염 화상처럼 외상에 의해 회복 불가능한 손상을 입을 수 있다. 그것들은 특정하고 식별할 수 있는 감염 - 예를 들면 황선(favus), 결핵, 매독 - 이나 또는 종양의 잠식에 의해 파괴될 수 있다. 다른 증례에서 그것들의 파괴는 편평태선(lichen planus) 또는 홍반루푸스(LE) 같은 잘알려진 질병의 경과에 그 원인을 둘수 있을만큼 중요하다. 모든 임상적, 조직학적으로 받아들일 수 있는 원인들이 제거되면, 피부 원인의 두 가지 증후군이 남는다: 가성원형탈모증과 덜 잘 정의된 탈모모낭염 인데. 일단 이 두 가지가 배제된다 하더라도 '흉터 탈모증'보다 더 정밀한 진단이 보장되지 않는 증례들은 여전히 남는다. 일단 예비적인 흉터 탈모증의 진단이 이루어지고 나면 두피에 다른 변화 - 모낭염, 모낭 덮개, 또는 부서진 모발 - 를 조사해야 하며 비록 전반적인 모습은 정상이더라도 곰팡이 현미경 검사와 배양을 위해 모발을 대머리 부위의 가장자리에서 뽑아야 한다. 만약 어떤 확실한 진단도 이루어지지 않는다면, 일반적인 피부 검사와 신체 검사를 적절한 곳에서 수행해야 한다.

만약 생검을 취하기로 결정 한다면 반드시 주의해서 부위를 선택해야 하며 초기의 흉터가 더 선호된다. 몇몇 펀치 생검이 단일 타원형 생검보다 선호되는데 그 이유는 생검은 모낭을 따라 방향을 지으며 질병 경과의 다른 단계를 조사할 수 있기 때문이다.

분류
Classification

흉터 탈모증의 원인은 표 3.4에서 보이는 것처럼 광범위한 집단으로 분류될 수 있다. 더 흔한 원인들은 뒤따르는 절에서 더 자세하게 고려한다.

표 3.4 흉터 탈모증의 분류(Classification of cicatricial alopecia)

발달 결함과 유전적 질환	**원충병 감염(Protozoal infections)**
(Developmental defects and hereditary disorders)	리슈만편모충증(Leishmaniasis)
피부무형성(Aplasia cutis)	
얼굴 반위축(Rombert 증후군)	**AIDS-이차적 감염(다양)**
	AIDS-secondary infections(various)
	바이러스 감염(Virus infections)
표피 모반(Epidermal naevi)	대상포진(Herpes zoster)
모낭 과오종(Hair follicle hamartoma)	**종양(Tumours)**
색소실조증(Incontinentia pigmenti)	기저 세포 상피종(Basal cell epithelioma)
Goltz의 국소진피형성저하증	편평세포 상피종(Squamous cell epithelioma)
(Focal dermal hypoplasia of Goltz)	땀관종(Syringoma)
Mibelli의 땀구멍각화증(Porokeratosis of Mibelli)	그외 전이 종양(Other metastatic tumours)
흉터모낭각화증(Scarring follicular keratosis)	Reticuloses
Ichthysis	부속기관(Adnexal) 종양(Adnexal tumours)
Darier 병	
수포성 표피박리증(Epidermolysis bullosa)	**확실치 않은 병인의 피부병**
다골성 섬유형성이상	**(Dermatoses of uncertain aetiology)**
Conradi 증후군(점상 연골이영양증)	편평 태선(Lichen planus)
(Conradi's syndrome(chondrodystrophia punctata)	Graham Little 증후군(Graham Little syndrome)
	패턴 분포에서 이마 섬유화 탈모증
육체적 상처(Physical injuries)	(Frontal fibrosing alopecia in a patterned
Mechanical trauma	distribution)
고정 수술 이후 두피 생괴사	모낭 퇴화 증후군(동의어. 중앙 원심성 탈모증)
(Scalp necrosis after immobilization surgery)	(Follicular degeneration syndrome(syn.
화상(Burns)	central centrifugal alopecia))
	피부근육염(Dermatomyositis)
방사선피부염(Radiodermatitis)	홍반루푸스(Lupus erythematosus)
	Sclerodermal 반상경피증
약물(Medicaments)	(Sclerodermal morphoea)
곰팡이 감염(Fungal infections)	지방생괴사(Necrobiosis lipoidica)
독창(kerion)	괴저성 화농피부증(Pyoderma gangrenosum)
트리코피톤 violaceum(Trichophyton violaceum)	경화 태선(Lichen sclerosus)
트리코피톤 sulphureum(Trichophyton sulphureum)	비만세포증(Mastocytosis)
황선(Favus)	사르코이드증(Sarcoidosis)
	흉터 유사포천창(Cicatricial pemphigoid)
박테리아 감염(Bacterial infections)	모낭 점액증(Follicular mucinosis)
결핵(Tuberculosis)	관자 동맥염(Temporal arteritis)
매독(Syphilis)	**진무르는 구진 피부병**
	(Erosive pustular dermatosis)
고름형성 감염(Pyogenic infections)	Eostinophilic 연조직염(Eostinophilic cellulitis)
Carbuncle	
종기(Furuncle)	**임상 증후군(Clinical syndromes)**
모낭염(Folliculitis)	**두피 절단 연조직염**
괴사 여드름(Acne necrotica)	**(Dissecting cellulitis of the scalp)**
	가성원형탈모증(Pseudopelade)
	탈모모낭염과 뭉치모낭염
	(Folliculitis decalvans and tufted folliculitis)
	alopecia parvimacularis

많은 희귀 병증의 자세한 내용을 위해서 독자는 좀더 자세히 기술해 놓은 도서를 참조하도록 해야 할 것이다.

임상적 증후군
Clinical syndromes

19세기와 그 보다 이른 시기에 이러한 임상적 증후군과 일치하는 흉터 탈모증의 증례가 기술 되었다. 가성원형탈모증은 한 세기도 더 전에 기술되었으며 영구적 대머리에 이르게 하는 모낭 파괴는 그 증후군에서 어떤 임상적으로 뚜렷한 염증 병리학 −아마도 특정 군, 가능하다면 자가면역− 에 의해서도 동반되지 않는 증후군으로 간주되고 있다.

진행된 병변 가장자리의 농포 모낭염이 뚜렷한 특징인 흉터를 남기는 탈모증의 형태는 정확하게 서술되어 왔다. '탈모 모낭염'(folliculitis decalvans)은 이제 이 조건에 흔하게 적용된다.

alopecia parvimacularis는 불확실한 군이다. 그것은 어린 시절에 나타나는 가성원형탈모증으로 간주되어 왔지만, 몇 가지 점에서 그 증후군과는 다르다; 흉터 편평태선모양각화증(scarring lichen planus)을 대표할 수 있다.

홍반 루푸스
Lupus erythematosus (LSE)

전신 LE는 일반적으로 흉터가 생기는 탈모증을 유발하지 않는다. 좀더 전형적으로 말하자면 그것은 휴지기 쉐딩에서처럼, 활동적이고 불안정한 질병의 시기 동안에 종종, 모발의 광범위한 쉐딩을 유발한다.

원반모양 LE는 매우 빈번하게 두피에 영향을 준다. 그것은 다른 신체 부위에서의 원반모양 LE처럼 붉고, 퍼져 나가고, 중심부에서 흉터가 있는 병변을 만들어 낼 수 있다. 그러나 다른 어떤 곳에 병변이 없을 때에는, 심지어 적절한 조직학적 그리고 면역 형광 연구로도, 가성원형탈모증과 편평태선모양각화증을 구분하기가 어려울 수 있다(**그림 3.113-3.115**).

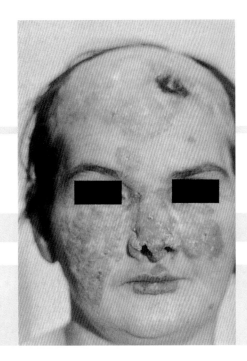

그림 3.113
중증 만성 원반모양 홍반 루푸스 - 얼굴과 두피.

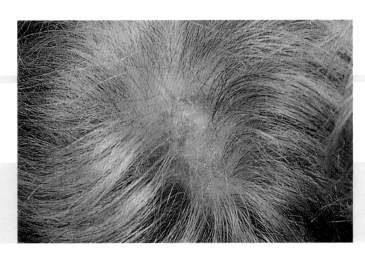

그림 3.114
원반모양 홍반 루푸스 -
초기 병변.

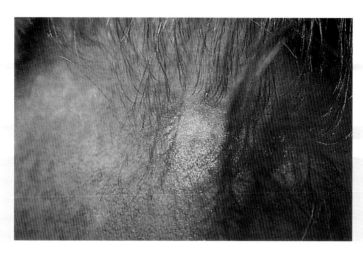

그림 3.115
두피 가장자리에서의
원반모양 홍반 루푸스.

가성원형탈모증
Pseudopelade

'가성원형탈모증' 이란 용어는 여기서는, 임상적으로 뚜렷한 모낭염이 없고 뚜렷한 염증도 없는, 천천히 진행되는 흉터탈모증을 나타내기 위해 사용한다. 편평태선모양각화증이 매우 유사한 임상적 양상을 만들어 낼 수 있다는 점은 의심의 여지가 없으며 연관된 피부 병변과 조직병리학적 소견에 기반해서'가성원형탈모증'의 증례의 90%가 편평태선모양각화증에 의해 유발된다고 주장하는 전문가들도 일부 있다. 좀더 후기의 단계에서는 LE도 또한 유사한 변화도 유발시킬 수 있다. 그러나 가성원형탈모증을 지닌 어떤 환자들에서는 결코 어떠한 임상적 또는 조직학적 편평태선모양각화증의 흔적(evidence)도 보이지 않는다. 가성원형탈모증은 그러므로 비록 특정한 임상적으로 염증이 있는 유형이 항상 인정되어 왔기는 하지만, 많은 조직병리학적 진행 중의 어떤 하나의 최종 결과일 수 있는 임상적 증후군으로 간주된다.

병리학
가상원형탈모증의 판의 가장자리에서 임상적으로 정상의 두피에서 다수의 림프구가 모낭의 위쪽 삼분의 일에서 발견될 수 있다. 나중에 그 모낭은 파괴되며,

표피는 가늘고 위축되며 진피는 촘촘하게 경화된다(sclerotic). 염증 변화가 없는 모낭 '허깨비'도 보인다.

가성원형탈모증은 모낭의 일차적 자가면역 위축일 수 있다.

임상적 특징

비록 양성 모두 영향을 받을 수 있고 그 상태는 어린 시절에 발생할 수 있지만, 환자는 대개 여성이며 40세 이상이다. 환자는 처음엔 경미한 자극만을 호소할 수 있지만, 환자나 미용사에 의해 우연히 발견된, 작고 대머리인 반(patch) 또는 반들은 그 질병의 최초 증거이다. 처음의 반점은 가장 흔하게 정수리에 있으나 두피 어느 곳에서도 나타날 수 있다. 그 후의 경로는 극히 가변적이다. 다수의 증례에서 진행의 확산은 그저 매우 천천히 일어난다; 실제로 15년 또는 20년 후 그 환자는 여전히 반점을 효과적으로 가려줄 머리를 다듬을 수 있을지도 모른다. 일부 증례에서는 한층 급속하게 확대되며, 예외적으로 2년 또는 3년 후 거의 완전히 대머리가 될 수도 있다(**그림 3.116, 3.117**).

검사를 해보면 영향을 받은 반은 매끄럽고, 부드러우며 약간 함몰되어 있다. 개별 반점의 발달 초기 단계에서 약간의 홍반이 있을 수 있다. 그 반들은 작고

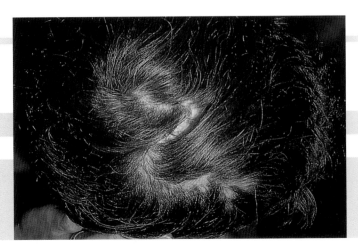

그림 3.116
가성원형탈모증 - 초기의
다수 병변.

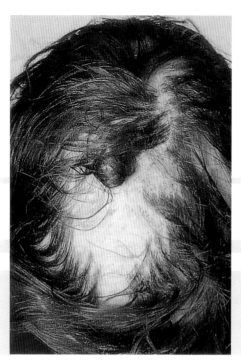

그림 3.117
가성원형탈모증 - 후기 단계.

둥글며 계란 모양이기 쉬우나 불규칙한 대머리 반들은 많은 병변의 합류에 의해 형성될 수도 있다. 관계되지 않은 두피의 모발은 정상이지만 만약 그 과정이 활성적이라면 각 반의 모서리에 있는 모발은 매우 쉽게 뽑힌다. 자세한 임상적, 조직학적, 면역 조직화학적 조사는 가성원형탈모증이 다음의 진단 기준을 지닌 독특한 군이라는 생각을 강력하게 뒷받침해 준다:

임상적 기준

불규칙하게 정의되고 합류된 탈모증의 반들

보통의 위축(후기)

경미한 모낭 주위 홍반(초기)

여성 : 남성 = 3 : 1

긴 경로(2년 이상)

자연발생적인 종결을 지닌 느린 진행

직접적인 면역 형광법

음성적 또는 적어도 오직 IgM

조직학적 기준:

두드러진 염증이 없음

넓게 퍼진 흉터 없음

피지샘이 없거나 또는 적어도 감소

정상 표피 있음(오직 이따금씩 위축)

피하조직으로 들어가는 섬유 흐름(fibrotic streams)

치료

만약 흉터를 남기는 탈모증을 편평태선모양각화증, 즉 LE에 대해 이차적이라는 것을 보일 수 있다면, 이러한 조건에 알맞은 치료는 처방될 수 있을지도 모른다. 그러나 대머리가 알려진 원인이든 아니든 간에 그것은 원상 복귀될 수 있다. 만약 기형이 고려되고 어떤 활성 염증 변화도 없다면, 영향을 받지 않은 곳으로부터 흉터가 있는 두피로 자가이식술(autografting)을 하는 것, 또는 심한 경우 외과 수술적 '확장' 기법도 고려될 수 있다.

코르티코 스테로이드의 진피내주사는 원인을 알 수 없는 경우에는 질병 경과의 확대에 영향을 끼칠 수 있다.

박리연조직염
Disseting cellulitis

박리연조직염은 주로 흑인 남성에서 보이는 희귀한 진행성의 두피 염증 유발 질병이다. 그것은 화농성 한선염(hidradenitis suppurative)과 뭉친여드름(acne conglobata)이다. 자주 덩어리의 많은 화농 염증들이 굴의 형태로 상호 연결하는 것과 함께 약물의 피하투여를 해하한다. 치료는 압도적으로 박테리아 배양에 대한 교환과 관련된 전신 항체가 한다.

탈모 모낭염과 뭉치 모낭염
tufted folliculitis

'탈모 모낭염'[30,31]이라는 일반 용어 하에서 우리는 임상적으로 뚜렷한 만성 모낭염이 진행성 흉터로에 이르는 다양한 증후군들을 함께 분류한다(**그림 3.118**).

탈모 모낭염의 원인은 여전히 불명확하지만 Staphylococcus aureus가 농포에서 자랄지도 모른다. 숙주가 일부 비정상임을 반드시 가정해야 한다. 어떤 저자들은 지루 상태의 가능한 역할을 강조했으며 어떤 이들은 '흉터 지루성 습진'이란 용어를 사용하기도 하지만, 탈모 모낭염은 희귀하고 지루 상태는 흔히 볼 수 있으므로, 그러한 연관은 특별한 의미를 갖지는 않는다.

면역 반응 또는 백혈구 기능에서 국부적 실패는 대부분의 경우 필수적인 비정상일 수도 있다는 점은 가능하지만 어떤 특정 결함도 아직 발견된 적은 없다.[30, 31] 두피 탈모 모낭염은 양성에서 모두 발생한다. 그것은 전형적으로 30-60세의 여성과 청년기의 남성에서부터 그 이후로 영향을 끼친다.

> 탈모모낭염은 십중팔구 다양한 보통 박테리아에 대한 비정상적인 '숙주의 반응'이다.

그림 3.118
탈모모낭염.

병리학

다형핵 침윤물을 지닌 모낭 '고름집'에서는 직접적으로 흉터가 뒤따르거나 또는 매우 많은 림프구, 일부 혈청 세포와 거대 세포를 지닌 육아종 모낭염의 늘어난 중간 단계가 있을 수 있다; 즉, 염증 반응은 급성에서 만성 단계로 나아간다.

임상적 특징

모발이 있는 어떤 또는 모든 부위도 연관될 수 있으며 때로는 '지루성 피부염에서의 위축 모낭염' 이라고 지칭되는 그 증후군에서, 수염, 음모, 겨드랑이 그리고 안쪽 넓적다리가 연관될지 모르며 두피는 덜 자주 연관된다. 염증 변화의 심각성은 수시로 변하지만 경로(course)는 연장된다.

두피 단독으로 연관될 수 있거나 또는 음모 및 겨드랑이와 두피가 함께 연관될 수도 있다. 둥근 또는 계란 모양의 다양한 반들이 있는데, 각각은 모낭 농포의 소낭(crop)으로 둘러싸여 있다. 다른 변화는 없을 수 있지만, 각기 영향을 받은 모낭의 파괴에 뒤이어 따라오는 연속적인 농포 소낭은 탈모증을 천천히 확장시킨다.

뭉치 모낭염은 이 군의 변종일 수 있는데 이 변종에서는 상위 모낭 급성 염증 다형핵 침윤물이 임상적으로 밀접한 군집 또는 모발의 '뭉치는 현상' 과 연관된다.

치료

모든 환자들은 효과적인 치료에 대한 가능한 지침으로서 반드시 기저의 면역 반응과 백혈구 기능의 결함에 대해 조사받아야 한다. 전신 항생제는 종종 그 질병이 더 이상 확산되는 것을 막을 테지만 오직 항생제를 복용할 때만 그러하다.

10주 동안 하루에 두 번 300mg의 리팜피신과 하루 두 번 300mg의 클린다마이신복용으로 훌륭하고 심지어는 치료적이기도 한 반응을 얻을 수 있다는 것을 명백히 보여 주었다. 이것은 명백히 항균성이지만 또한 면역 과다 반응도 조정한다.[31]

편평태선
Lichen planus

편평태선은 질병이거나 또는 더 자세히는 미지의 원인에 대한 '반응 양식'이지만 자가 면역 상태집단에 속한다. 그것은 전 세계에 걸쳐 발생하지만 발생수와 그것의 임상적 발현(manifestation)에서 현저하게 지역적인 변종들이 있다. 이 변종들은 필시 다양한 병인 인자의 중요성에서 상대적인 차이로부터 비롯된다.

병리학

초기의 비정상적인 것은 표피에 있다. 기저 세포에서 원섬유 변화는 콜로이드체를 형성시키며 초기 단계에서 이들과 색소를 함유한 큰포식세포를 진피에서 볼 수 있다. 면역형광법에 의해 섬유소(fibrin)와 lgM이 상부 진피에서 검출될 수 있으며 기저막 구역에서 다양한 보체 성분이 검출될 수 있다. '상처입은' 기저 세포는 세포자멸사체(apoptotic bodies)와 동등하고 인접 정상 표피에서 세포가 이동해 옴으로써 계속해서 교체된다. 형성된 병변에서 각질층과 과립층은 두터워지고 불규칙한 가시세포증(acanthosis)이 있다. 그물 못의 둔마(flattening of the rete pegs)는 톱니 형상이 된다. 기저 세포가 액화 퇴행된다. 표피에 대해 위쪽 가까이에서 촘촘한 림프구 침윤물과 약간의 조직구(histiocyte)가 있다. 많은 단면에서 약간의 콜로이드체를 볼 수 있다. 만약 그 과정이 모낭을 포함한다면, 침윤물은, 특히 돌출된 부위에 영향을 미치면서, 그것들 주변으로 확산되며 모발은 유실된 후 각전(keratin plug)으로 대체된다. 줄기 세포 개체군이 영향을 받는 것처럼 보이기 때문에 모낭은 궁극적으로 완전히 파괴될 수 있다.

임상적 특징

편평태선은 어느 나이에서도 나타나지만 증례의 80% 이상에서 30세와 70세 사이에서 시작된다. 두피의 심각한 관여는 비교적 덜 빈번하지만 - 오직 한 번의 발생에서 807명의 환자중 10명만이 - 발병수는 필시 그러한 수치가 제시하는 것보다 더 높은데(**그림 3.119-3.123**), 그 이유는 가성원형탈모증으로 분류된 탈모증이 유일한 그 병을 발현시키는 환자들이 배제되는 경향이 있기 때문이다. 두피의 관여는 편평태선의 두 가지 특이한 변종인 물집 또는 미란성 형태와 모공 편평태선(lichen planopilaris) 중 어느 한 쪽을 지닌 환자 중 40% 이상에서 발생한다. 두피 병변을 지닌 것으로 보이는 대부분의 환자들은 중년 여성들이다.

최근의 두피 병변은 제비꽃색의 구진, 홍반, 비늘증(**그림 3.119, 3.121**)이 보인다. 결국 모낭 마개가 뚜렷해지고 흉터는 다른 모든 변화를 대신한다(**그림 3.120,**

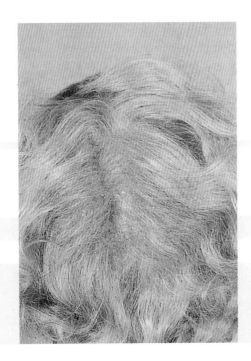

그림 3.119
두피의 편평태선 - 초기 단계.

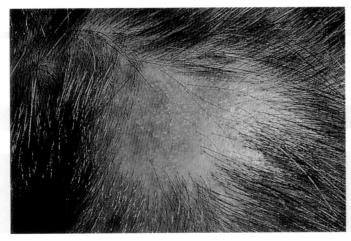

그림 3.120
편평태선 - 중증 흉터
탈모증.

3.121). 마개들은 이어서 흉터진 부위에서 떨어지고, 그 부위는 희고 부드럽게 남는
다. 비록 그 반이 확장되더라도, 각전은 여전히 반들의 가장자리 주위 모공에 있을
수 있다.

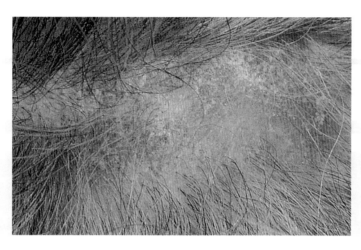

그림 3.121
중증 흉터 탈모증인
편평태선의 또 다른 예.

그림 3.122
두드러진 모낭 각화
'마개'를 보이는
편평태선.

그림 3.123
두드러진 모낭 각화
'마개'를 보이는
편평태선의 또 다른 예.

한층 자주의 두피 병변은 환자가 병원에 다닐 때 잘 성립되고, 불규칙한 흰 반들은 임상적으로 진단되는 것이 아니며 실제로는 어떤 독특한 조직학적 특징도 보여주지 않는다. 이것이 가성원형탈모증으로 알려진 임상적 상태이다(clinically picture). 편평태선모양각화증의 진단은 오직 다른 곳에서도 의심의 여지가 없는 병변과 편평 태선 조직학이 있을 때에만 행할 수 있다. 이들은 손발톱이 떨어지는 물집 편평태선, 피부와 점막(mucous membrane)의 전형적인 편평태선과 연관된 물집 병태의 형태나 또는 예컨대 오직 손발톱이나 외음부를 포함하는 매우 한정된 크기의 편평태선의 형태를 띨 수 있다.

많은 논쟁을 촉발한 임상적 증후군(Graham Little 증후군)에서, 몸통과 사지에 있는 각질 모낭 구진 집단은 흉터가 생기는 탈모증의 발달에 선행하거나 뒤에 온다. 이 증후군이 적어도 많은 경우에 편평태선의 표현이라는 증거는 그것이 전형적인 편평태선과 관련된 것과 편평태선으로 받아들일 수 있는 조직학적 변화의 초기 병변이 있다는 점에 그 기반을 둔다.

예후

일부 환자들에서 두피 편평태선의 경과(course)는 느리며 오직 소수의 눈에 잘 띄지 않는 반들이 수 해가 지난 후에 존재한다. 그러나 특히 만약 그 피부 병변이 물집이나 planopilaris 유형이라면, 그것들은 급속히 광범위하고 영구적인 대머리로 귀결될 수 있다. 희귀한 아동 흉터 편평태선은 매우 나쁜 예후를 갖는다.

치료

일부 증례에서 코르티코스테로이드를 이용한 전신 치료의 단기적 경과는 바람직할 수 있다. 다른 증례에서 병변내 코르티코스테로이드는 도움은 되지만 오직 활성적인 염증 변화가 여전히 있는 단계에서만 도움이 된다. Clobetasol 프로피온산(propionate) 같은 강력한 국소 스테로이드를 두피에 하루 두 번 바르면 그 과정을 약간 억제할 수 있다. 그리세오풀빈의 경구 섭취를 지지하는 사람도 여전히 있지만, 그것의 작용 구조는 알려지지 않았으며, 그것의 효능도 통제된 검사에서 입증된 바 없다. 투여는 하루에 약 10mg/kg, 즉 하루에 125mg을 네 번 먹는다.

모낭 편평태선모양각화증
Graham Little syndrome, follicular lihen planus

비록 전형적인 증례들에서 면역형광법을 통해 발견한 것들이 편평태선을 강력히 시사함에도 불구하고, 이 증후군이 편평태선으로 단정 짓는 것은 아직은 이르다. 그러나 원인 또는 원인들이 무엇이건간에, 그 증후군은 독특하다. 그것은 Graham Little, Lassueur-Graham Little 또는 Piccardi-Lassueur-Little 증후군 등으로 시조의 이름을 따서 그리고 다양하게 알려져 있다.

> **두피 모낭 편평태선은 약간의 염증과 탈모가 있는 모공 각화증처럼 보인다.**

병리학

두피에서, 영향을 받은 모낭의 입들은 각전으로 채워진다. 밑에 있는 모낭은 진행성으로 파괴되며 결국 위축 표피가 경화성 진피를 덮는다. 겨드랑이와 음모 부분에서 비록 피부는 위축되는 것처럼 보이지 않지만 모낭은 마찬가지로 파괴된다.

임상적 특징

대부분의 환자들은 30에서 70세 사이의 여성들이다. 본질적인 특징은 진행성 두피의 흉터탈모증, 임상적으로 뚜렷한 흉터가 없이 음모와 겨드랑이 털이 빠지고 모낭성 각화증이 발달하는 것이다(**그림 3.122, 3.123**).

대부분의 환자들에서 가장 이른 변화는 반점의 두피 흉터 탈모증이다. 일반적으로 두피 탈모증은 넓게 퍼진 각질성 모낭 병변을 수개월에서 수년 정도 선행한다. 일부 환자들에서 탈모증과 각질 모낭성 병변은 거의 동시적이거나 또는 각질 모낭성 병변이 탈모증의 소견보다 선행한다.

모공각화증이 극상태선(lichen spinulosus)의 초기 증례 보고에서 참고되는데, 이것은 각질 구진이 눈에 잘 띄는 척추등으로 연장된다는 점을 강조한다. 대부분의 경우 그것들은 적극적으로 수주 또는 수개월에 걸쳐 발달했으며 종종 몸통에서 또는 몸통과 사지에서, 그러나 이따금 눈썹과 얼굴의 측면을 포함해서, 판(plaque)으로 모였다. 가늘어지고 궁극적으로는 완전히 음모와 겨드랑이 털이 없어지는 것이 많은 증례에서 기록되었다.

치료

아무 것도 알려져 있지 않다. 외과적 치료는 다른 흉터성 탈모증에서처럼 고려할 수 있다.

섬유화 탈모증
Fibrosing alopecias

흉터(흉터를 남기는) 탈모증의 대다수는 LE, 편평태선, 가성원형탈모증과 같은 이미 기술된 집단에 포함된다 주로 모낭 상피를 파괴, 인접 피부에 또한 영향을 줄 수 있는 모낭-파괴적인 탈모증. 한층 포착하기 어려운 국소 만성 모낭주위염이 궁극적으로 모낭의 소실로 이르게 하는 또 다른 집단이 하나 있다: 이들은 가장 흔히 코카서스 여성에서 볼 수 있는 형 분포에서 앞이마 섬유화 탈모증(FFAPD)과 아프리카나 흑인 여성에서 볼 수 잇는 다른 형들 - 뜨거운 빗 탈모증(아마도 잘못 이름 붙여진; 105), 중앙 구심성 탈모증(CCA)과 모낭 퇴행 증후군(FDS)을 포함한다. 이들은 모두 본질적으로 같은 상태인 '형을 지닌-변종' 이라는 점을 시사하며 - 원인은 알려지지 않았다!

국한피부경화증
Circumscribed scleroderma

국한피부경화증은 두피에서는 드물지만 단독 또는 다수의 병변으로서 그곳에 발생할 수 있다. 국소피부경화증의 초기 단계는, 대머리 부위가 영향을 받지 않는 한, 두피에서 거의 볼 수 없다. 국소피부경화증은 자연적으로 3-5년 후 퇴화하지만 판(plaque)은 한층 더 오랜 기간 계속해서 확대될 수 있다. 모발은 초기 단계에서 떨어져 흉터탈모증을 남긴다. 진단은 조직학적으로 반드시 확인되어야만 한다. 선형 국한 국소피부군음증은 두피 부위로 확대될 수 있다(**그림 3.124**). 그것은 보체 부분(complement fraction) C2의 유전적 결핍과 연관되어 있다.

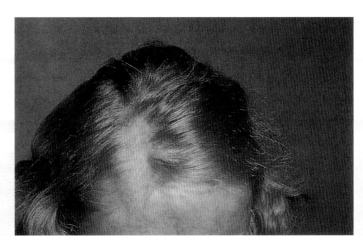

그림 3.124
두피 국소피부굳음증,
선형 유형(칼자국양).

발달 결함과 유전적 질환
Development defects and hereditary disorder

흉터를 남기는 모낭성 각화증
Scarring follicular and hereditary disorder

모낭성 각화증으로 특징지어지고, 영향을 받은 모낭의 파괴로 이르는 어느 정도의 염증 변화와 연관 지어 생각되는, 무수한 증후군들이 기술되고, 명명되어졌다. 오직 자세한 임상적, 유전적 연구만이, 일부 권위자들이 단독 상태의 형태와 정도로 간주하고 그 외의 권위자들은 독특한 군들로 간주하는, 믿을만한 차별화를 허용할 필수적인 사실을 제공해 준다. 보고된 증례들은 편리하게 세 개의 군으로 분류될 수 있으며 덧붙여서 어떤 명백하게 잘 정의된 군으로 분간될 수 있다:

1. 충식상 피부위축(atrophoderma vermiculata) (acne vermiculata, folliculitis ulerythematosa reticulate). 뺨에 벌꿀집 모양의 위축이 있다. 흉터를 남기는 탈모증이 일어날 수 있으나 드물다.
2. 모공 각화증 atrophicans faciei(ulerythema oophryogenes). 과정은 거의 눈썹 부위에 한정된다.
3. 탈모털각화증(가시모양털각화증, 모낭성 어린선). 가변적인 정도의 모낭

각화증은 흉터 탈모증과 연관된 것으로 생각된다.

비록 많은 증례들이 간헐적으로 발생하지만, 이 모든 상태들은 유전적으로 결정되는 것으로 생각된다. 입수 가능한 그러한 유전적 자료들은 개별 형태 하에서 고려된다.

모낭들은 초기에는 각전에 의해 사방으로 확장되며 진피는 부종성이며 약간의 림프구 침윤물이 모낭과 혈관 주변에 있다. 후에 모낭은 파괴된다. 작은 상피낭(epithelial cyst)은 무수히 많으며 특히 위축털각화증(keratosis pilaris atrophicans)이 얼굴에 많다.

임상적 특징
형식상 피부위축은 보통 아동기에 시작된다. 종종 귓바퀴앞 부위에 있는 모낭 덮개는 점차 떨어져서 그물 위축(reticulate atrophy)을 남긴다. 얼굴 위에서 그 진행 범위는 가변적이다.

위축털 각화증 얼굴(눈썹흉터홍반ulerythema oophryogenes)은 이른 유아기부터 있다. 홍반과 각전은 눈썹 바깥쪽 절반에서부터 시작하는데, 홍반과 각전은 그것들을 결국 파괴하고 중간과 다양한 정도로 뺨 위로 진행한다(advance). 두피가 포함되는 예는 눈썹이 압도적으로 포함된 증례에선 명백하게 보고되지 않았다.

탈모털각화증도 몇몇 유전자형을 반드시 고려해야만 하는 그러한 가변적인 증후군이다. 모공 각화증은 종종 얼굴 위에서 유아기나 아동기에 시작한다. 그것의 궁극적인 범위는 얼굴이나 얼굴과 사지에 한정되거나 또는 거의 보편적일 수 있다. 그것은 종종 얼굴에 위축이 뒤따르지만 사지나 몸통에서는 드물다. 흉터 탈모증은 어린 아동기나 그 이후에 주목되며 국소적이거나 광범위할 수 있다.

치료
오직 증상에 따른 조치만이 가능하다. 레티노익(Retinotic) 산은 시도해 볼만하다. 비록 그것의 효과에 대한 일화적인 보고가 있기는 하나, 경구 레티노이드의 사용은 논쟁의 여지가 있다.

미벨리 한공 각화증
Porokeratosis of Mibelli

이것은 위축이 따르는 각화과다증의 확장하는 판으로 특징지어지는 드문 각질화 장애이다. 면역 억제 약물을 투여받고 있는 환자에서 이전에 최소 병변의 급속한 확산에 대한 보고는 한공 각화증에서 표피 세포의 변종 복제가 있다는 점을 시사하는데, 이의 확산은 보통 면역 과정에 의해 통제된다.

미벨리 한공 각화증은 흔히 아동기에 시작하지만 어떤 나이에서도 최초로 나타날 수 있다. 가장 빈번하게는 사지, 특히 팔과 다리, 목, 어깨와 얼굴에 나타나며, 두피를 포함에서 어디에서든 발생할 수 있다.

최초의 병변은 분화구 모양의 각질 구진이 점진적으로 확산해서, 각의 판이 튀어나오는 골이 위에 놓일 수 있는 융기된 각질 가장자리를 지닌, 환상의 또는 불규칙한 위축 판을 형성한다. 두피에서는 위축기에 탈모가 있게 된다.

색소실조증
Incontinentia pigmenti

이 증후군은 드물게 여성에서만 거의 독점적으로 발생한다; 그것의 유전은 아마도 남성에서는 치명적인 엑스연관 유전자에 의해 결정되기때문으로 추정된다.

흉터 탈모증은 보고된 증례의 최소 25%에서 있어 왔다. 그것은 이른 유아기에 나타나며 2년까지의 다양한 시기 이후 확장을 중지하지만, 탈모는 영구적이다. 일부 증례에서의 다른 모발 결함은 눈썹과 속눈썹 형성저하증과 두피의 양모 모반(woolly hair naevus)이다.

증식물집표피박리증
Epidermolysis bullosa

'증식물집표피박리증' 이란 용어는 외상에 대한 반응이나 자연발생적으로, 피부와, 가끔은점막에서도 물집과 진무름이 형성되는, 독특하고 유전적으로 결정되는 질환이다. 오직 이들 질병 중의 하나에 일관되게 두피 또는 모발의 비정상 - 열성위축물집표피박리증(recessive dystrophic epidermolysis bullosa) - 이 동반된다. 탈모증은 이음부 물집표피박리증에서도 일어날 수 있다. 진피표피이음부에 있는 물집 형태와 진피 조각은 천장(roof)에 접착될 수 있다.

그 상황에서는 피부와 점막에 불변의 수포가 지배적이다. 수포 뒤에는 위축성 흉터가 뒤따른다. 이것은 광범위한 두피의 흉터 탈모증을 일으킬 수 있다.

입술-입천장 갈라짐, 외배엽형성이상(ectodermal dysplasia), 합지증(syndactyly)

이 처럼 드물게 인지되는 증후군은 아마도 유전적이며 자가면역 열성 유전자에 의해 결정된다것으로 생각 할 수 있다.

이 증후군의 변함없는 특징은 정신적 지체, 입천장 갈라짐, 생식기관형성저하증, 결합 치아, 합지증이다.

흉터 유사천포창(양성점막유천포창/눈천포창) cicatricial pemphigoid (benign mucosal pemphigoid/ ocular pemphigus

흉터 유사천포창은 노인에게 그리고 남성보다는 여성에게 압도적으로 영향을 미친다.

수포는 진피표피 접합부에서 형성된다. lgG, C3, C4의 선형 침착물이 기저막 구역에서 발견될 수 있지만, 순환 기저 막 구역 항체(lgG 또는 lgA)가 항상 실증 가능한 것은 아니다.

피부는 증례의 40-50%에서 관련되어 있으며 그 병은 지배적으로 눈 그리고/또는 점막에 영향을 준다. 그러나 피부 병변은 점액 병변을 수 개월에서 수 년 선행할 수 있다. 피부 병변은 반복적으로 재발하며 촘촘한 흉터를 남긴다. 선호되는 부위는 얼굴, 특히 두피이다. 압도적으로는 머리와 목 위 피부 병변은 Brunsting-Perry 변종의 주요한 특징이다(그림 3.125).

점액 병변을 통제하기 위해 관리를 종종 지시한다. 비록 피부의 국소 부위에서 재발하는 물집이 문제를 일으킨다 해도, 절개와 이식은 성공적일 수 있다. 피부 병변만에 대한 경구 겉질스테로이드 또는 면역억제 약물을 처방할 것인지의 여부는 논쟁거리이지만, 국소 코르티코스테로이드계인 clobetasol propionate 크림은 그 진행을 어느 정도 억제할 수 있다.

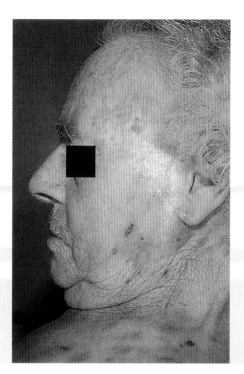

그림 3.125
흉터유사천포창.

진무르는 두피 잔고름집피부병
Erosive pustular dermatosis of the scalp

이 임상적 군은 특히 중년 이후의 머리가 벗겨지기 시작하는 하는 남성에 영향을 준다. 원인은 알 수 없지만 국소 외상과 햇빛에 의한 손상이 특히 중요하다.

조직학적 검사는 표피의 진물러진 부위를 보여 준다; 현저히 림프구와 혈청으로 구성되는 진피에서의 만성 염증 침윤물; 그리고 때로는 모낭이 파괴되어 온 이물거대세포의 작은 병변들이 관찰 된다.

초기에 작은 두피의 부위는 빨갛고, 딱지가 앉고, 염증이 생긴다(irritated). 딱지와 표층 잔고름(superficial postulation)은 수분으로 진무른 표면 위에 가로 놓인다(**그림 3.126**). 상태가 확산되면 활동 부위는 흉터 탈모증의 부위와 공존하게 된다. 흉터에서는 비늘 암종(squamous carcinoma)이 발달할 수 있다.

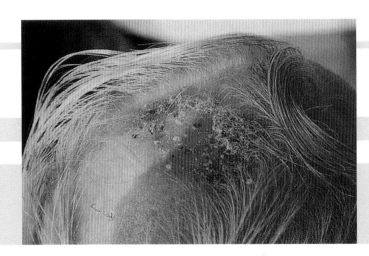

그림 3.126
짓무르는 두피 잔고름
집피부병.

감별 진단

고름과 효모 감염은 미생물학적 검사와 항균 또는 항곰팡이 인자에 대한 반응의 결여로 차단될 수 있다. 생검은 고름물집건선(pustular psoriasis), 흉터 유사 천포창, '염증이 있는' 일광각화증 또는 비늘 세포 암종을 차단하기 위해 필요할 수 있다.

치료

가리는 것(occlusion)과 함께 필요하다면 0.05%의 clobetasol propionate 같은 더 강력한 국소 코르티코스테로이드가 염증 변화를 억제할 것이다. 구강 황산아연(zinc sulfate)은 어떤 경우 치료에 쓰일 수 있다.

지방생괴사
Necrobiosis lipodica

생괴사는 당뇨병 증례의 0.2-0.3%에서 발생하며 생괴사를 지닌 환자의 약 70%는 당뇨병을 갖고 있다. 당뇨병 증례는 아동 또는 이른 성년에서, 그리고 당뇨병이 아닌 증례는 더 나중에 그리고 보통 여성에서 시작된다.

계란 모양의 위축 판은 고전적으로 정강이에서 발생하지만 두피를 포함한 다른 신체 부위에서도 볼 수 있다(**그림 3.127, 3.128**). 반들은 뚜렷한 모세혈관확장

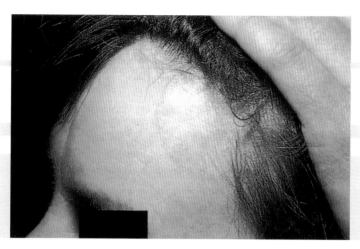

그림 3.127
두피 가장자리에서
보이는 지방생괴사.

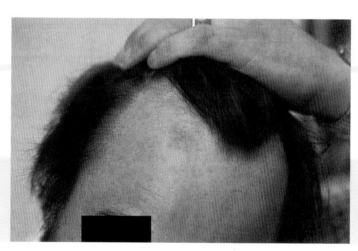

그림 3.128
지방생괴사의
또 다른 예.

증과 함께 윤이 나며(glazed) 노르스름한 색을 띤다. 흉터는 짙을 수 있다. 두피에
서 임상적 특징은 흉터 탈모증의 커다란 판에서부터 다양한 작은 흉터 부위에 이르
기까지 가지각색이다.

현저하게 앞이마와 두피에 영향을 미치는 위축 형태는 기술되어 있다. 일반
적으로 구별적인 진단은 살코이드증(sarcoidosis)으로부터 온다.

경화성, 경피성 위축성 태선
Lichen sclerosis et atrophicus

비교적 흔치 않은 이 질병은 남성보다 여성에게 10배 이상 더 자주 영향을 미친다. 두피의 경화태선(lichen sclerosis)은 드문 것처럼 보인다. 몸통과 외음부의 흉터가 있을 수 있는데 이는 진단할 수 있다.

육체적 외상
Physical trauma

두피에 대한 물리적 상체의 결과를 진단하고 치료하는 것은 피부과 의사와 대면하게 만들지는 않지만, 명백한 육체적 상처의 원인에 대해서는 상담을 받을 수 있다: 예를 들면 피부무형성(aplasia cutis)은 분만할 때 집게(forceps)에 인한 상처 탓으로 잘못 원인을 돌릴 수 있다. 분만하는 동안 태아의 심장 박동을 관찰하기 위해 두피에 전극을 붙이는 것도 이따금씩 두피에 약간의 표피 손상을 초래할 수 있으며 이 후에 작은 흉터가 생길 수 있다. 피부무형성은 그러한 병변과 가끔 혼동되어 왔다.

예외적으로 자기 가해 상해에 두피가 포함될 수 있고 흉터를 남길 수 있다.

Halo scalp ring

일시적이거나 영구적일 수 있는 탈모증의 한 유형은 출산 동안이나 전에 자궁목(uterine cervix)에 의해 정수리에 압력이 연장된 때문에 생기는 두피 탈모의 한 부위인데, 출산 머리부종의 출혈 형태로 귀결된다.

수술 색전형성 후의 두피 생괴사
Scalp necrosis after surgical embolization

뒤통수 두피의 허혈(ischaemic) 생괴사는 색전형성과 큰 meningiomata에 대한 수술 다음에 발생할 수 있다.

만성 방사선피부염
Chronic radiodermatitis

뢴트겐은 엑스선을 1895년에 발견했다. 다모증에 대해 얼굴의 엑스선 털제거는 20세기의 20년 동안 빈번하게 사용되었다. 두피 백선증 치료를 위한 엑스선 털제거는 1904년 파리에서 도입되었다. 1958년 그리세오풀빈의 발견으로 점차 엑스선 털제거는 불필요하게 되었지만 1904년과 1959년 사이에 약 삼십만 명의 아이들이 전 세계적으로 두피 백선증에 대해 엑스선으로 치료를 받은 것으로 추정되었다. 정확한 복용량은 독성을 유발하지 않았다; 그러나 기술적 결함은 부적절하고 부정확한 눈금이 매겨진 장치를 사용함에 따라 빈번했다. 이로 인한 흉터 탈모증은 그 원인을 언제나 기억하지는 않을 더 나이든 집단에서 볼 수 있다. 치료를 하면 약 3주 안에 완전히 털이 뽑히고 두 달 후 다시 났다. 아동기에 치료를 받은 환자에 대한 추적 검사(follow-up)는 통제 집단에서보다 환자들에서 암 발생수가 더 높았다. 두피 방사선피부염도 역시 내부 악성 질병과 악성 피부 병 모두를 치료하는 동안 불가피한 피부 손상의 결과로서 발생할 수 있다.

털제거에 엑스선을 사용하는 것은 성장기 모발이 높은 방사선에 영향 받기 쉽다는 가능성에 의존한다. 털제거와 sub-epilating doses는 노출된 후 이르면 4일 째에 인간의 모발에서 비정상적 변화를 만들어 낸다. 만성 방사선피부염은 급성방사선피부염에 이어 올 수 있지만 일광에 노출됨에 의해 유발되는 퇴행성 변화가 중첩되기 때문에 단지 천천히 발달할 수 있다. 만성 방사선피부염에서 표피는 일반적으로 모낭과 피지샘이 유실된 채 위축되지만, 불규칙한 가시세포증의 부위 또한 있다. 퇴행성 변화와 핵의 비정상은 표피에서 빈번하다. 피부 아교질은 불규칙하게 얼룩이 진다. 표면의 작은 혈관들은 모세혈관 확장이지만 더 깊숙한 혈관들은 부분적으로 또는 완전하게 섬유증에 의해 보이지 않게 된다(**그림 3.129-3.131**).

임상적 특징

두피의 모발이 여전히 많은 부위에서 중년 또는 그 이후에서 기저 세포 암종의 발달은 피부과 의사에게 어린 시절 백선증으로 엑스선 털제거를 했는가에 대해 질문을하도록 만든다(**그림 3.132, 3.133**). 다른 증례에선 환자가 명백하게 특정 부

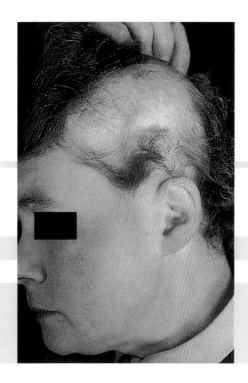

그림 3.129
흉터 탈모증 - 엑스방사선 뒤에 오는 만성 변화.

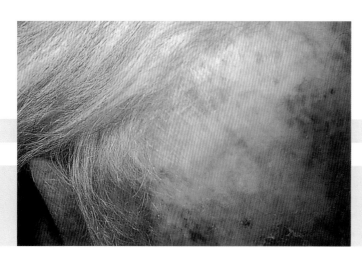

그림 3.130
엑스방사선 뒤에 오는
흉터 탈모증의 또 다른 예.

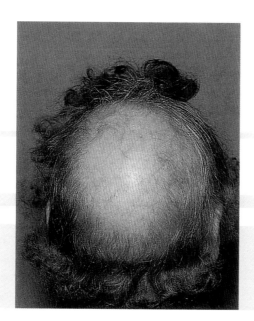

그림 3.131
엑스방사선 뒤에 오는 흉터 탈모증의 그 이상의 예.

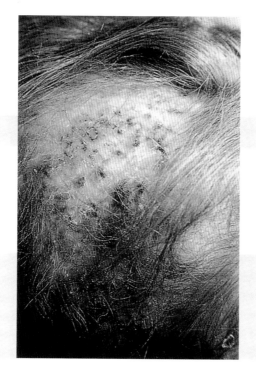

그림 3.132
두피 엑스방사선으로 인한 기저 세포 암종.

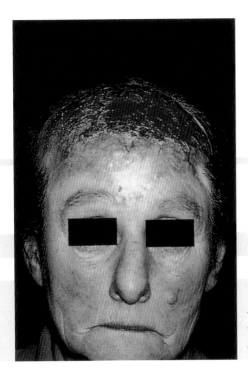

그림 3.133
두피 엑스방사선으로 인한 기저 세포 암종의
또 다른 예.

위에서 도드라진, 일상적으로 벗겨진 머리에 대해 호소하며, 이들 부위는 더 앞선 방사선의 결과로서 보통 머리가 벗어짐과 모낭 개체군의 감소를 보여주는 것을 발견했다.

두피 악성 종양의 방사선 요법에 의해 생긴 만성 방사선피부염은 흉터 탈모증의 국한된 부위를 보여준다. 방사선 생괴사는 암종의 재발을 모의실험할 수 있지만 괴사 궤양의 가장자리는 올라가지 않는다. 진단은 생검으로 확인해야 한다. Grenz선 유형의 표면 엑스선은 두피 모낭에 손상을 줄 정도로 충분하게 깊숙히 침투하지는 못 한다; 그러나 건선과 단순 태선(lichen simplex)에 대해 과거에 사용된 그러한 파장(wavelengths)은 많은 세월 뒤에 기저 및 비늘 세포 암종에 이르게 할 수 있다 - 탈모증은 없이, 방사선피부염에서 생기는 악성 종양은, 비록 일부 증례에선 냉동수술(cryosurgery)이 유용할 수 있지만, 진단 생검 이후 반드시 절개해야 한다.

FURTHER READING

1. Sinclair R, Banfield CC, Dawber RPR (1999) *Handbook of diseases of the hair and scalp* (Oxford, Blackwell Science), pp 136–138.

2. Salmon T (1981) Hypotrichosis and alopecia in cases of genodermatosis. In: *Hair research status and future aspects*, eds Orfanos CE, Montagna W, Stuttgen G (Berlin, Springer Verlag), pp 396–407.

3. Sinclair R, De Berker D (1997) Hereditary and congenital alopecia: In: *Diseases of the hair and scalp*, ed. Dawber RPR (Oxford, Blackwell Science), pp 151–203.

4. Misciali C, Tosti A, Fanta PA, Borrello P, Piraccini BM (1992) Atrichia with papular lesions: report of a case, *Dermatology* **185:** 284–288.

5. Ahmad W, Abdul Haque MF, Brancolini V, Tsou HC (1998) Alopecia universalis associated with a mutation in the human hairless gene, *Science* **279:** 720–724.

6. Ziotogorski A, Panteleyev AA, Aita VM, Christiano AM (2002) Clinical and molecular diagnostic criteria of congenital atrichia with papular lesions, *J Invest Dermatol* **118:** 887–890.

7. Klein I, Bergman R, Indelman M, Sprecher E (2002) A novel missence mutation affecting the human hairless thyroid receptor interacting domain 2 causes congenital alopecia, *J Invest Dermatol* **119:** 920–922.

8. Der Berker D, Dawber RPR (1990) Monilethrix treated with oral retinoids, *Clin Exp Dermatol* **16:** 226–228.

9. Auerbach AD, Verlander PC (1997). Disorders of DNA replication and repair, *Curr Opin Paediatr* **9:** 600–616.

10. Li VW, Baden HP, Kvedar JC (1997) Loose anagen syndrome and loose anagen hair, *Dermatol Clin* **14:** 745–751.

11. Freyschmidt-Paul P, Hoffman R, Happle R (2001) Trichoteiromania, *Eur J Dermatol* **11:** 369–371.

12. Hautmann G, Hercogova J, Lotti T (2002) Trichotillomania, *J Am Acad Dermatol* **46:** 807–821.

13. Cray J, Dawber R, Whiting D (1997) *The hair shaft – aesthetics, disease and damage* (London, Royal Society of Medicine Press), pp 13–30.

14. Hamilton JB (1951) Patterned loss of hair in man; types and incidence, *Ann N Y Acad Sci* **53:** 708–728.

15. Norwood OT (1975) Male-pattern baldness: classification and incidence, *South Med J* **68:** 1359–1370.

16. Ludwig E (1977) Classification of the types of androgenic alopecia (common baldness) arising in the female sex, *Br J Dermatol* **97:** 249–256.

17. Venning VA, Dawber RPR (1998) Patterned androgenetic alopecia, *J Am Acad Dermatol* **18:** 1073–1078.

18. Chamberlain AJ, Dawber RPR (2003) Methods of evaluating hair growth, *Austr J Dermatol* **44:** 10–18.

19. Jaworsky C, Kligman AM, Murphy GF (1992) Characterisation of inflammatory infiltrate in male pattern alopecia: implications for pathogenesis, *Br J Dermatol* **127:** 239–246.

20. Whiting DA (1993) Diagnostic and predictive value of horizontal sections of scalp biopsy specimens in androgenetic alopecia, *J Am Acad Dermatol* **28:** 755–763.

21. Van Neste DJ, Rushton DH (1997) Hair problems in women, *Clin Dermatol* **15:** 113–125.

22. Whiting D (1996) Chronic telogen effluvium, *Dermatol Clin* **14:** 697–711.

23. Savin RC (1987) Use of topical minoxidil in the treatment of male pattern alopecia, *J Am Acad Dermatol* **16:** 696–704.

24. Kaufman KD (2002) Long-term (5 yr) multinational experience with finasteride 1 mg in the treatment of men with androgenetic alopecia, *Eur J Dermatol* **12:** 38–49.

25. Price VH, Menefee E, Sanchez M, Ruane P, Kaufman KD (2002) Changes in hair weight and hair count in men with androgenetic alopecia after treatment with finasteride 1 mg daily, *J Am Acad Dermatol* **46:** 517–523.

26. Devillez RL, Jacobs JP, Szpunar MPH (1994) Androgenetic alopecia in the female. Treatment with 2% minoxidil solution, *Arch Dermatol* **130:** 303–307.

27. Dawber RPR, Rundegren J (2003) Hypertrichosis in females applying minoxidil topical solution and in normal controls, *J Eur Acad Dermatol* **17:** 271–275.

28. Dawber RPR (2000) Update on minoxidil treatment of hair loss. In: *Hair and its disorders*, eds Camacho FM, Randall VA, Price VH (London, Martin Dunitz), pp 167–176.

29. Cooper SM, Dawber RPR, Hilton-Jones D (2003) Three cases of androgen-dependent disease associated with myotonic dystrophy, *J Eur Acad Dermatol* **17:** 56–58.

30. Loo WJ, Dawber RPR (2002) Dissecting cellulitis of the scalp. In: *Treatment of skin diseases*, eds Lebwohl MG, Heymann WR, Berth-Jones J, Coulson I (London, Mosby), pp 169–171.

31. Powell JJ, Dawber RPR, Gatter K (1999) Folliculitis decalvans including tufted folliculitis: clinical, histological and therapeutic findings, *Br J Dermatol* **140:** 328–333.

Chapter 4

과다 모발 성장
EXCESS HAIR GROWTH

사람의 나이, 성, 인종에 대해 정상보다 더 거칠고, 길고, 또는 많은 어떤 일정한 부위에서의 모발 성장도 과다한 것으로 간주된다. 털이 많다는 것을 지각하는 것은 사회적 환경이 많은 영향을 끼친다는 것은 분명하다. 털이 조금밖에 없으면 일정한 유전적 배경을 지닌 사람들이 다른 문화 환경으로 이주할 때 받아들일 수 없는 것처럼 보일 수 있다. '다모증'과 '털과다증'이란 용어들은 자주 교환 가능하고 무차별적으로 어떤 분포에서의 어떤 유형의 과도한 모발 성장에 적용된다. 계통 발생학적 배경과 그것의 특정 안드로겐 유발을 기반으로 해서, 거친 종말털을 지닌 여성에서, '남자' 성인의 성적인 형에서의 성장은 폭넓고 다양한 병인을 지닌 모발 과도 성장의 무수히 많은 기타 형태들과는 명백하게 구분되어야만 한다. '다모증'이란 용어는 안드로겐에 의존적인 모발형에 국한될 것이며 '털과다증'이란 용어는 과다한 털 성장의 다른 형들에 적용될 것이다.

이 절의 목적이 선천성, 유전성, 내분비성 과다 모발 성장의 원인에 대한 포괄적인 교과서는 아니다 - 관심이 있는 피부 의사가 가끔 임상 실습에서 볼 수 있는 상태에 대한 기술서로 보는 것이 더 맞을 것이다. 더 희귀한 군들에 대

한 자세한 것은 표 4.1-4.5에 나열되어 있다.[1]

털과다증
HYPERTRICHOSIS

배냇털과다증
Hypertrichosis lanuginosa

선천성 털과다증에서 태아의 털(fetal pelage)은 솜털이나 종말털로 바뀌지 않지만 지속되고 과다하게 성장하며 항상 일생을 통해 새로워진다. 후천성 형태에서 앞서의 모든 유형의 정상 모낭들은 배냇 특성을 지닌 모발 생성으로 어느 나이에서든 복귀할 수 있다.

표 4.1 **선천성 국소 털과다증의 유형**(Table of congenital localized hypertrichosis)

선천성 멜라닌세포 모반(Congenital melanocytic naevus)
선천성 두피 피부모양기형낭유피낭(Congenital scalp dermoid cyst)
베커 모반(Beacker naevus)
매끄러운 근육 과오종(Smooth muscle hamartoma)
모반모양 털과다증(Nevoid hypertrichosis)
아래에 놓인 신경섬유종(Underlying neurofibroma)
털과다증 (털이 무성한 팔꿈치 증후군,Hypertrichosis cubiti)
반비대(Hemihypertrophy)
털투성이 손발바닥(Hairy palms and soles)
털투성이 귓바퀴(Hairy pinnae)
척추 봉합선패쇄장애-허리엉치(Spinal dysraphism—lumbosacral)
털과다증(말총머리 모반, faun—tail naevus)
자궁 털과다증 - 앞부분 뒷부분(Cervical hypertrichosis—anterior posterior)

표 4.2 털과다증과 연관된 선천성 유전성 증후군(Congenital hereditary syndromes associated with hypertrichosis)

Byars–Jarkiewicz 증후군	Winchester 증후군
Brachmann–de Lange 증후군	Cornelia de Lange 증후군
Cowden 질병	선천성 porphyries:
태아 노출(Fetal exposures):	혈구조혈포르피린증(Erythropoietic porphyria)
태아 히단토인 증후군(Fetal hydantoin syndrome)	적혈구생성프로토포르피린증
태아 알코올 증후군(Fetal alcohol syndrome)	(Erythropoietic protoporphyria)
Krabbe's 질병	지연피부포르피린증(Porphyria cutanea tarda)
Lipoatrophic 당뇨병	유전성 coporphyria
Berardinelli–Seip 증후군	혼합 포르피린증(Variegate porphyria)
Donohue 증후군	Rubinstein–Taybi 증후군
Leprechaunism	schinzel–Giedion 증후군
뮤코다당질축적증(Mucopolysaccharidoses):	Trisomy 18
Hurler 증후군	Barber–Say 증후군
Hunter 증후군	Coffin–Siris 증후군
Sanfilippo 증후군	Hemimaxillofacial 형성이상
선천성 macrogingivae	두개안면이골증(Craniofacial dysostosis)
Stiff–skin 증후군	Ito의 멜라닌저하증
수포성 표피박리증(Epidermolysis bullosa)	MELAS 증후군

표 4.3 국소적 후천성 털과다증의 원인들(Causes of localized, acquired hypertrichosis)

'후천성' Becker 모반	정맥 기형, 정맥 혈전증
	(Venous malformations, venous thrombosis)
화학 약품들(Chemicals)	골수염(Osteomyelitis)
요오드(Iodine)	화상의 가장자리(Edge of burns)
소랄렌/PUVA	예방 접종 부위(Vaccination sites)
정형외과 석고붕대와 부목	정강뼈앞점액부종(Pretibia myxoedema)
(Orthopaedic casts and splints)	
골절(Fractures)	털이 많은 귓바퀴(Hairy pinnae)
마찰(Friction)	단 털과다증(Hypertrichosis singularis)
Sack bearers and costaleros	털비대증(trichomegaly)
단순 태선(Lichen simplex)	HIV/AIDS
습관성 피부 물어뜯음(Habitual skin biting)	전신 홍반 루푸스
	(Systemic lupus erythematosus)
만성 벌레 물어뜯기 반응	Latanoprost
(Chronic insect bite reactions)	
아토피성 여드름(Atopic eczema)	선형 피부경화증(Linear scleroderma)

표 4.4 **광범위한 후천성 다모증의 원인**(Causes of widespread acquired hypertrichosis)

대뇌 장애(Cerebral disturbances)
지단통증(Acrodynia)
감염(Infection)
영양실조(Malnutrition)
피부진균증(Dermatomyositis)
갑상선 이상증(Thyroid abnormalities)
로렌스-사이프 증후군(Lawrence-Seip syndrome)
후천성 포르피린증(Acquired porphyrias)
후천성 솜털 다모증(Acquired hypertrichosis lanuginosa)
포엠(크로-후카스)증후군POEMS (Crow-Fukase) syndrome

표 4.5 **다모증의 약리작용적 원인**(Pharmacological causes of hypertrichosis)

디페닐 하이단토인(Diphenylhydantoin)
아세타졸라마이드(Acetazolamide)
스트렙토마이신(Streptomycin)
글루콜티코이드(Glucocorticoids)
동하스테로이드(Anabolic steroids)
라타노푸로스트(Latanoprost)
사이클로스포린(Ciclosporin)
솔라렌/푸바(Psoralen/PUVA)
다이아족사이드(Diazoxide)
미녹시딜(Minoxidil)
페니실라민(Penicillamine)
베녹사푸로펜(Benoxaprofen)

선천성 배냇털털과다증
CONGENITAL HYPERTRICHOSIS LANUGINOSA

이 희귀 증후군의 약 60건만이 기술되어 있다. 전통적으로 증례들은 두 집단 - '강아지 얼굴형'과 '원숭이'로 분류되어 왔다.- 그러나 표현형에서 상당한 가족 내부적인 변형을 지닌 단일 유전형이 많이 있을 것이라는 점이 시사되어 왔다. 한 가지를 예외로 하면 발조된 혈통들은 상염색체의 우성 유전을 시사한다(염색체 부위 xq24-q27.1).

임상적 특징

대개 태어날 때 아이에게서 털이 과다하게 많은 것을 눈으로 알아볼 수 있다. 털은 이른 유아기에, 손발바닥은 별도로 하고, 피부 전체 길이가 10cm 또는 그보다 더 길지도 모를 비단 같은 털로 뒤덮인다. 긴 속눈썹과 굵은 눈썹은 뚜렷이 눈에 띄는 특징들이다. 어떤 영향을 받은 개체들은, 배냇 형에 의한 다른 털이 전반적으로 대신하기 전에는, 출생시, 그리고 때때로 생후의 최초 몇 해 동안에는 정상이다. 일단 입증되면, 털과다증은 영구적이지만 몸통과 사지에서 일부 많은 털이 엷어지는 것이 유아기 후반에 관찰되기도 한다. 사춘기에 겨드랑이, 음부, 콧수염 털은 보드라운 특성을 유지한다. 치아발육부전 또는 무치아증과 외부 귀의 기형은 명백히 일부 가족에서 연관되어 있지만, 대부분의 환자들의 육체적, 정신적 발달은 대개 정상이다. 멕시코 가족에서, 털과다증은 골연골의 형성 이상과 연관되어 있다.

명백하게 열성인 형(recessive form)의 상태는 여전히 확실치 않다. 정상적인 한 엄마의 세 아이들은 태어날 때 빽빽하게 털이 많았으며 일 주 내에 사망했다. 한 드문 증례에서 신생아를 면도하는 것은 미용상 도움이 될뿐이다.

후천성 배냇털과다증
Acquired hypertrichosis lanuginosa

위중한 형태에서의 이 증후군은 드물지만, 종종 심각하고 종종 치명적인 질병을 동반하기도 한다. 가늘고, 솜털 같은 털이 신체의 넓은 부위에 걸쳐 자라며 정상 털과 주요한 그리고 이차적인 솜털을 대치한다(**그림 4.1-4.4**). 많은 증례들이 보고 되어 왔으며 매우 적은 소수(2% 미만)를 제외하면 모두 위장관, 기관지, 유방, 쓸개 담낭, 자궁, 담낭 또는 기타 장기에서 악성 질병을 앓고 있었다. 드물게는 림프종 또는 림프모구백혈병이 털과다증 뿐 아니라 후천성 비늘증과 함께 발생한다. 털과다증은 몇 해 차이로 악성 진단을 선행할 수 있다.

병리학적으로 말하자면 표면과 거의 평행한 배냇 모낭들을 볼 수 있다.

임상적 특징들

좀더 가벼운 형태들에서('악성 솜털', malignant down), 털은 얼굴에 한정되며, 얼굴에서는 보통 임상적으로 털이 없는 코와 눈꺼풀과 다른 부위의 모습으로 눈길을 끈다. 털의 성장이 지속되는 동안, 그것은 결국 손발바닥을 제외하면 전신을 포함할 수 있다. 기존의 두피 털끝은 대체되지 않을 수 있으며 매우 가늘고 희거나 금발인 배냇털과 색이나 결에서 대조적일 수 있다. 그러한 털은 전에 대머리였

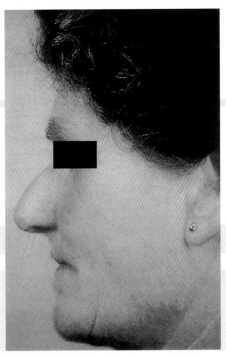

그림 4.1
얼굴의 후천성 배냇털과다증.(M Price 박사 제
공, 영국, 브라이튼)

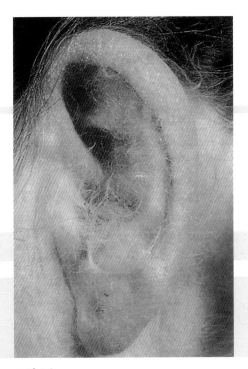

그림 4.2
귀의 후천성 배냇털과다증.(M Price 박사 제공,
영국, 브라이튼)

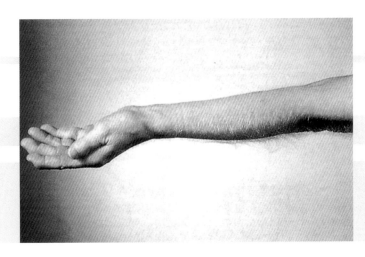

그림 4.3
팔의 후천성 배냇털과다
증(M Price 박사 제공,
영국, 브라이튼)

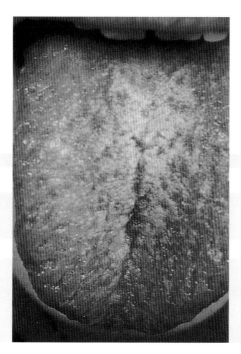

그림 4.4
후천성 배냇털과다증 혀의 변화.(M Price 박사 제공,
영국, 브라이튼)

던 두피에서도 풍성하게 자랄 수 있다. 털은 상당히 급속하게 자랄 수 있으며 10cm
이상 자랄 수 있다.

악성 '솜털'은 오랜 세월 동안에 종양 진단에 선행될 수 있는 병증이다.

보편적인 털과다증
Universal hypertrichosis

이 증세는 털 형태는 정상이나 어떤 부위에서 털이 보통보다 더 크고 거친
상태를 기술한다. 눈썹은 두 배일 수 있다(면이 두 배 또는 매우 굵은 점에서).

유전은 보통염색체 우성 유전자에 의해 결정된다. 상태는 드물지 않으며 전
통적으로 가려졌던 부위를 좀더 드러내는 현대 패션은 이전에는 자신들의 몸을 가

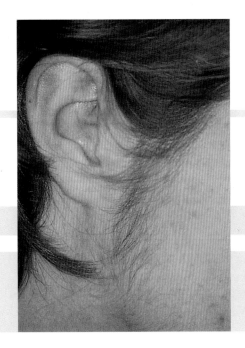

그림 4.5
정상적인 털 - 파키스탄 태생 사춘기 소녀.

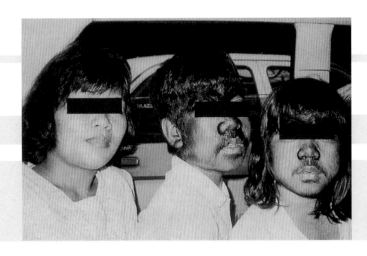

그림 4.6
중증 선천성(가족성)
털과다증.

리는 것에 만족했을 환자들이 병원에 가도록 만들고 있다(**그림 4.5**).

상태는 검은 피부의 지중해나 중동의 코카서스인들에서 가장 빈번하게 볼

수 있다(**그림 4.6**).

모반 모양 털과다증
Naevoid hypertrichosis

길이, 줄기 지름과 색에서 환자의 부위와 나이에 비해 비정상인 털의 성장은 한정된 발달 결함으로서, 독립적으로 또는 다른 모반 모양의 비정상적인 것들과 연관해서, 발생할 수 있다(**그림 4.7-4.11**).

멜라닌세포모반은 거친 털이 튼튼하게 자라는 일을 도와 줄수 있으며 이것

그림 4.7
모낭 모반.

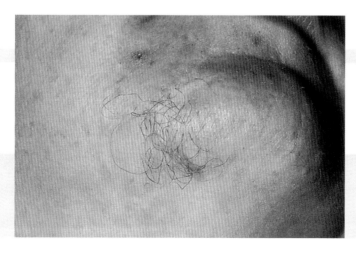

그림 4.8
모낭 모반.

은 추정상 안드로겐-의존적인 구조에 알맞은데 그 이유는 안드로겐 수용체의 증가된 숫자가 멜라닌세포모반들 안에 있기 때문이다(**그림 4.9, 4.10**). 털은 유아기에 있을 수 있거나 또는 사춘기에 발달할 수 있다.

보다 덜 흔하게, 국한 털과다증이 유일하게 임상적인 면에서 비정상적인 것으로서 발생할 수도 있다. 조직학상 표피는 가시세포증적이고 모낭은 크다. 그러나 멜라닌 세포모반은 없다(**그림 4.7, 4.8**).

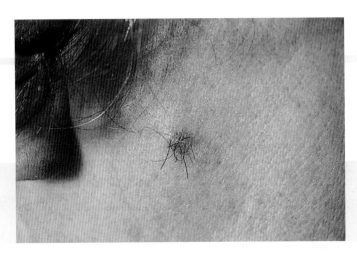

그림 4.9
털이 많은 색소성 모반.

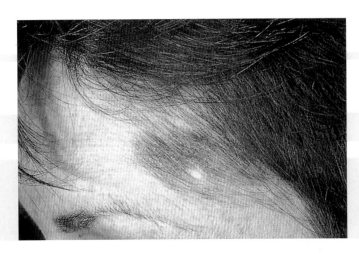

그림 4.10
털이 많은 선천성
색소성 모반.

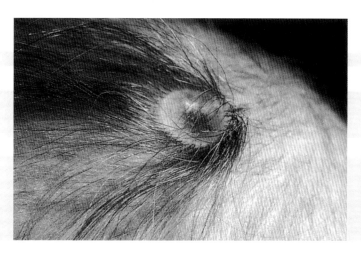

그림 4.11
털과다증인 선천성 피부
모양낭.(C Darley 박사 제
공, 영국, 브라이튼)

털과다증은 베커 모반의 독특한 특징 중 하나이다(**그림 4.12**). 거친 모발은 색소침착과 주로 편측성의 분절된 패턴에서 흉부 또는 다리이음뼈 같이 동일한 신체의 부위에서 발달하지만, 색소침착과 털과다증이 항상 함께 광범위하지는 않다. 이 모반은 기능적인 것이며 안드로겐 의존적이라고 암시되어 왔다; 영향을 받은 부분에서는 여드름이 날 수 있으며 사춘기 이후 색소침착된 부분의 털이 점점 많아지는 것이 진행성으로 증가하는 경향이 있다.

허리엉치에 있는 털 뭉치는 소위 말총모양 모반이라고 불리는데, 자주 선천 척수척추갈림증(diastemmatomyelia)과 연관된다. 방사선사진(또는 적절한 부분에서 다른 영상화 방법)은 faun-tail 모반을 지닌 모든 증례에서 필수적이다(**그림 4.13, 4.14**).

증상적으로 본 다모증
Symptomatic hypertrichosis

대칭적이고 대개 넓게 퍼진 다모증은 폭넓고도 다양한 병리학적 상태에 대한 표현으로서 또는 후유증으로서 발생한다. 또한, 어떤 것에서도 모발 성장의 발병기전을 완전히 이해하고 있지 않다. 일부에선 내분비 구조를 추정하기도 한다(그

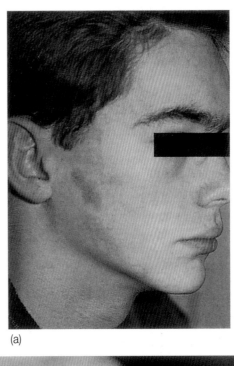

(a)

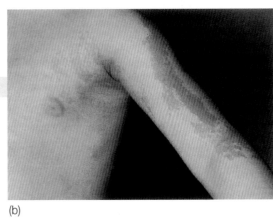

(b)

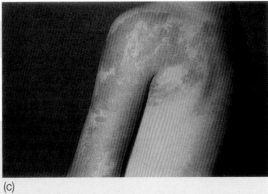

(c)

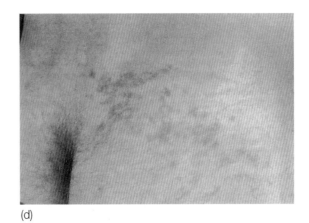

(d)

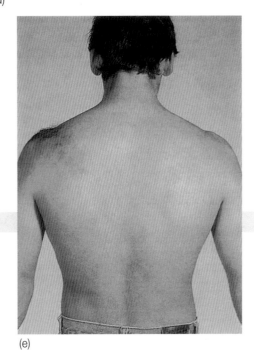

(e)

그림 4.12
(a-e) 베커씨 모반의 스펙트럼.

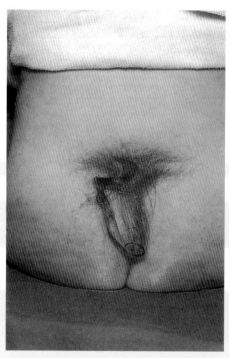

그림 4.13
Faun-tail(허리엉치 털과다증).

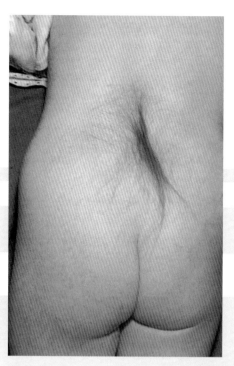

그림 4.14
Faun-tail의 또 다른 예.

림 4.15). 그 외의 것들에서는 어떤 생화학 약물에 자극을 받은 모유두를 포함, 피부 결합 조직의 비정상성은 어느 정도의 연계성을 갖고 있다고 가정할 수 있다. 나머지 조건들에서 털과다증의 발병기전은 한층 더 모호하다.

유전 질환
Hereditary disorders

포르피린증
Porphyria

노출된 피부의 털과다증은 매우 희귀한 적혈구조혈 포르피린증의 흔한 특징

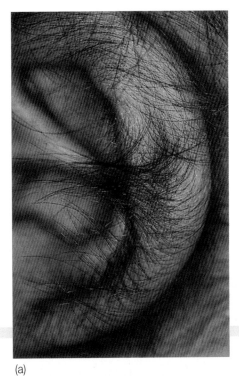

(a)

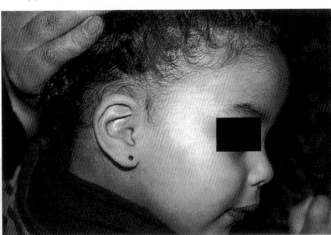

(b)

그림 4.15
(a)선천성 귀 털과다증 -
당뇨병 엄마를 둔 아이.
(b) 몇 달 후 어떤 털과다증
도 남아 있지 않음.

이다(염색체 위치 10q25.2-q26.3). 처음에는 앞이마에 나타나며 나중에는 뺨과 턱
으로 확대되며, 보다 더 적은 정도로 다른 노출 부위로 확대된다. 그것은 또한 적혈
구조혈 프로토포르피린증의 많은 증례들에서도 있다(염색체 위치 18q21.3).

표피형(Custanea tarda)피부 포르피린증에서 털과다증이 늘 발견되는 것은 아니지만 노출된 피부에 색소침착, 물집, 피부경화증을 동반할 수 있으며 그 병을 지닌 일부 아이들에서 뚜렷하게 잘 드러난다. 흑인종들에서 물집 없는 털과다증과 색소침착이 있을 수 있다. 가장 극심한 정도의 털과다증은 헥사클로르벤젠과 기타 화학 약품에 의해 유발되는 간 포르피린증을 지닌 아이들에서 볼 수 있다. 털과다증은 얼룩 포리피린증(porphyria variegate)에서 빈번하다. 관자놀이, 앞이마, 뺨은 솜털 같은 털로 덮힌다. 색소침착도 증가한다.

증식물집표피박리증
Epidermolysis bullosa

얼굴과 사지의 총체적 털과다증은 비정상 유형의 증식물집표피박리증과 연관해서 기록되어 왔다.

Hurler 증후군과 다른 뮤코다당질축적증
Mucopolysaccharidoses

털과다증은 초기 유아기나 초기 아동기부터 얼굴, 몸통, 팔다리에 보통 있으며 눈에 잘 띄는 특징일 수 있다. 눈썹은 흔히 덥수룩하고 융합한다(confluent). 부전 형태에서 모발 성장은 사춘기 이후에 처음 나타날 수 있으며 크기에서 한층 제한적이다.

선천성 거대잇몸
Macrogingivae

격리된 선천성 결함으로서 잇몸이 원기왕성하고 과도하게 성장하는 일이 흔하다. 몸통, 사지, 얼굴 하관의 털과다증은 몇몇 경우에 보고되어 있다. 일부 환자들은 현저하게 말단이 비대한(acromegaloid) 특징을 갖고 있다.

Cornelia de Lange 증후군

이들 경미하게 작은 머리를 지니고, 정신적 결함을 지닌 아이들에서는 앞머리털이 난 언저리가 낮고 눈썹이 과하게 많이 자라 있다. 앞이마는 길고, 가는 모발로 덮인다. 털과다증은 보통 등 아래에서도 뚜렷이 보이고 보편적일 수 있다.

윈체스터 증후군
Winchester syndrome

이 드문 유전성 질환은 난장이증, 관절 파괴, 각막 혼탁(corneal opacity)으로 특징지어진다. 신체의 많은 부분에서 피부는 두꺼워지고 색소침착되며 털의 과다 증상을 보인다.

18번 염색체 증후군
Trisomy 18

이들 환자에서 다양한 정도의 전신 털과다증이 존재한다.

내분비 교란
Endocrine disturbances

갑상선저하증
Hypothyroidism

등에 털이 과다하게 성장하고 사지의 폄근 문제는 갑상선 저하증을 지닌 일부 아이들에서 발달한다.

갑상선과다증
Hyporthyroidism

거친 모발이 정강뼈앞의 점액부종(pretibial myxoedema)의 판 위로 자라는 양상을 보인다.

버라다넬리 증후군
Berardinelli's syndrome

생의 초기부터 성장과 성숙이 가속화 되며 근육비대증(muscular hyperdystrophy)을 지닌 지방이형증(lipodystrophy)이 있다. 그 밖의 변함없는 특징은 간이 확대되는 것과 고지질혈증(hyperlipidaemia)이다. 피부는 거칠고 자주 털과다증을 보인다.

가능한 간뇌 또는 뇌하수체 구조
Possible diencephalic or pituitary mechanisms

중증 전신 털과다증은 수뇌염(encephalitis)과 볼거리(mump) 뒤에 갑작스레 비만이 시작되는 어린 아이들에서 보고되어 왔다. 간뇌의 교란이 가정된다. 전신 털과다증이 외상 충격 이후에 일어날 수 있으며 약 6개월이 되면 경감된다. 특히 아이들에서 머리를 다친 후 털과다증이 나타났다는 보고가 많이 있다. 모발 성장은 병후 4-12주에 처음 눈에 띄며, 이것이 일관된 유형은 아닌 것처럼 보이며 앞이마, 뺨, 등, 팔, 다리에 가늘고, 비단 같은 털이 나타나며 비대칭적일 수 있다. 가끔 수개월 후 떨어지기도 하지만 지속될 수 있다.

크랍 씨 질병
Krabbe's disease

털과다증은 드물게, 유전적 구상의 루코퇴행위축인, 크랍 씨 병에서 발생한다. 대부분의 환자들은 유아기에 사망한다.

기형발생 증후군
Teratogenic syndrome

태아 알코올 증후군
Fetal alcohol syndrome

정신적 육체적 지체는 대개 만성 알코올 중독인 엄마를 둔 유아들에게 영향을 미친다. 피부 변화는 털과다증과 모세혈관종증(capillary haemangiomatosis)을 포함한다.

다른 상태들
Other condition

영양실조
Malnutrition

복강내 질병이나 다른 흡수장애 상태 또는 심한 감염에서 주된 또는 발생할 수 있는 총체적 영양실조는 아이들에서 전신 보편적인 털과다증을 많이 유발시킬 수 있다.

신경성 식욕부진
Anorexia nervosa

얼굴, 몸통, 팔에 가늘고 솜털 같은 털이 나는 것이, 때로는 심각할 정도로, 증가하는 것으로 증례의 20%에까지 보고된 바 있다. 눈에 보이는 형태는 포착하기 어려운 털투성이 형태일 수 있다.

> 모발 용어에서, 신경성 식욕부진에 걸린 피부는 광범위한 탈모를 보여 주는 뇌하수체 저하증(hypopituitarism)과는 대조적으로 포착하기 어려운 다모증 같이 보일 수 있다.

말단통증
Acrondynia

사지에서 털 성장이 약간 증가하는 것이 보통이다. 심한 경우 털과다증은 얼굴, 몸통, 사지에서 매우 뚜렷할 수 있으며 때로는 '원숭이 같이' 보인다.

피부근육염
dermatomyositis

과도한 털의 성장은 주로 아이들에게서 그리고 주로 팔뚝, 다리, 관자놀이에서 관찰된다; 더 광범위한 경우는 거의 없다.

약물로 유발되는 털과다증
Drug- induced hypertrichosis

약물로 유발되는 털과다증에서는 몸통, 팔과 얼굴 위에 가는 털이 일정하게 자라는 것이 증가하는데, 이것은 즉 안드로겐 종속적인 모발 성장과는 관련이 없음을 나타낸다(**그림 4.16-4.27**).

모낭에 병을 일으키는 약물의 작용 양식은 알려지지 않았다; 똑 같은 구조가 모든 증례에 연관되는 것은 아니다. 모든 스테로이드, diphenylhydantoin과 페

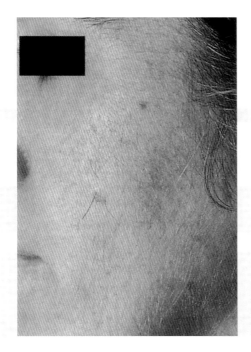

그림 4.16
경구용 diazoxide로 인한 얼굴의 털과다증.

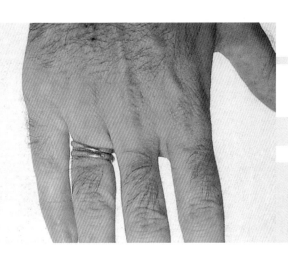

그림 4.17
경구 diazoxide로 인한 손
등과 손가락의 털과다증.

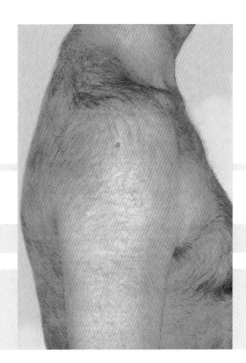

그림 4.18
경구 diazoxide로 인한 윗몸통 털과다증.

니실라민은 모든 아교질에 영향을 미치는 것으로 알려져 있으나, 서로 다른 방식으로 영향을 미친다. 소랄렌(Psoralens)은 추정상 햇빛이 이 일시적인 변화를 유발하

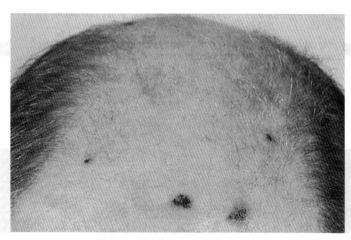

그림 4.19
경구용 미녹시딜로 인한
머리의 대머리 부분의
털과다증.

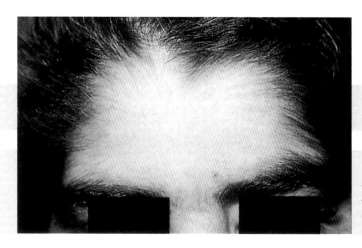

그림 4.20
경구용 미녹시딜로 인한 앞
이마와 눈썹의 털과다증.

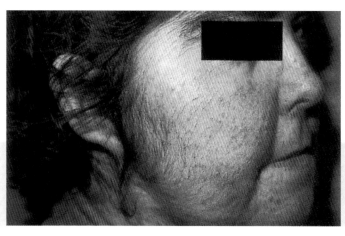

그림 4.21
경구용 미녹시딜로 인한
얼굴 털과다증.

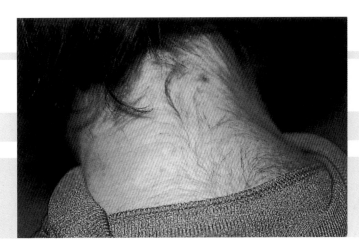

그림 4.22
경구용 미녹시딜로 인한
목 뒤 털과다증.

는 경향을 두드러지게 함으로써 영향을 받기 쉬운 환자들에서 털과다증을 유발한다. benoxaprofen으로 태양에 노출된 부위의 모발 성장을 모의 치료하는 것은 유사한 구조를 가질 수 있다. 기존의 솜털은 길이에서 증가하고 지름은 덜 증가한다. 모발은 길이가 거의 3cm를 넘지 않으며 종말털보다 상당히 더 가늘다.

　　Diphenylhydantoin은 치료 후 2-3달만에 털과다증을 유발한다. 그것은 사지에 그리고 다음에는 얼굴과 몸통의 폄근 면(aspect)에 영향을 미치며 치료를 중단하면 일 년 이내에 사라진다.

　　Diazoxide는 모든 치료 받는 사람들에서 털과다증을 생성시키지만 성형 문제는 단지 약 50%에서만 유발하는 것 같다. 성인에서, 성장기는 더 오래 지속된다 (**그림 4.16-4.18**). 피지샘에서는 어떤 연관된 변화도 없다.

　　경구용 미녹시딜은 흔히 털과다증을 유발한다(환자의 80%까지에서). 치료 후 수 주 뒤면 명백하게 호전된다. 솜털 부위에 과다하게 바른 국소용 미녹시딜도 모발 성장을 증강시킬 수 있다(**그림 4.23**).

　　어느 정도의 털과다증은 ciclosporin으로 치료받은 환자의 80%에서 발달한다(**그림 4.24-4.26**). 모공각화증을 생각나게 하는 상태가 환자의 21%에서 발생할 수 있는데, 이에 앞서 두껍고, 색소침착된 모습이 얼굴, 몸통, 사지에서 나타난다. 털피지샘 단위(pilosebaceous unit)의 다른 부분과 연루되는 것도 일어날 수 있다: 피지 과다형성(10%)과 여드름(15%).

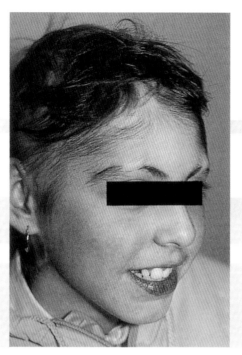

그림 4.23
미녹시딜로 인한 국소적(또는 제한적) 털과다증.

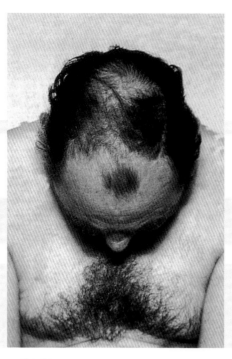

그림 4.25
경구용 ciclosporin A에 의한 다모증의 다른 증례.

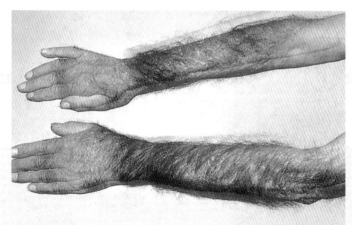

그림 4.24
경구용 ciclosporin A로
인한 털과다증.

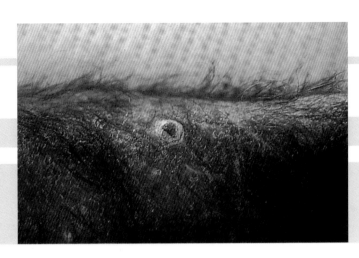

그림 4.26
Ciclosporin A로 인한 털
과다증 증례에서 관련된
약물로 유발된 비늘 암종.

Benoxaprofen은 단지 수주 뒤에 얼굴과 노출된 손발에 가늘고 솜털 같은 모발이 자라도록 유발한다.

스트렙토마이신은 좁쌀 결핵 수막염(miliary tuberculous meningitis)으로 하루에 1g을 복용한 아이들의 80% 이상에서 털과다증을 유발시킨 것으로 보고되어 있다. 털과다증은 그렇게 치료받은 수막염 증례의 약 66%에서 발생한다; 스트렙토마이신이 모낭에 직접 작용하지 않는 것도 가능하다.

경구 겉질스테로이드(Cortico steroid)를 연장해서 복용하면 털과다증을 유발할 수 있으며, 앞이마, 관자놀이, 뺨의 측면에서 가장 두드러지지만 등과 사지의 폄근 면에서도 두드러진다.

페니실라민은 몸통과 사지의 털을 길고 거칠게 하는 것 같다.

백반증(vitiligo)과 건선(psoriasis)의 치료에 사용되는 소랄렌은 빛에 노출된 피부에 일시적인 털과다증을 유발할 수 있다; 약물(PUVA)을 사용하는 UVA 치료가 모발 성장에 기여하는지는 알려지지 않고 있다.

> 경구 ciclosporin A로 치료받은 환자들의 80% 이상에서 털과다증이 두드러지게 발생한다.

후천성 국한 털과다증
Acquired circumscribed hypertrichosis

털을 자르거나 면도하는 것이 성장률이나 털줄기의 지름에 영향을 주는지는 연구된 적이 없다. 그러나 반복적이거나 오래 지속된, 피부를 포함해서, 임상적으로 뚜렷한 흉터가 생기든 그렇지 않든 간에, 염증 변화는 길고 거친 모발이 그 부위에 자라는 것으로 귀결될 수 있다. 털이 자라는 이유는 확실히 외상을 입기 쉬운 직업적인 것일 때에는 간과하기 쉽다; 예를 들면 자주 무거운 부대를 져나르는 남자들의 왼쪽 어깨 위에 털과다증의 국한된 반들(patches)이 나타 날 수 있다. 팔뚝 위에 있는 털과다증 반은 때로 이 부위를 씹는 습관을 갖게 된 정신적으로 정상보다 낮은 지능을 지닌 사람들에서 볼 수 있다.

때때로 털과다증은 너무도 많은 모공을 갖고 있어서 환자의 관심을 끌지 못하는데, 사고로 다치거나 또는 예방 접종 흉터의 부위에서 발전한다. 사마귀를 절개하고 난 후 3개월 뒤 손등과 손가락에서 볼 수 있었다. 그것은 또한 화상 가장자리 주변에서와 다양한 균주군 또는 피부가 벗어진 벌레 물린 부위에서 만성적으로 혈관이 부족한 다리에서 불규칙한 양식으로 있는 것으로 보고 되어 왔다. 이 유형의 털과다증은 염증을 일으킨 관절 주변에서 발생할 수 있으며 임균성 관절염(gonococcal arthritis)과 연관해서 그리고 정강뼈(tibia)의 만성 골수염(chronic osteomyelitis) 위에 있는 피부에서 특히 보고되어 왔다.

매우 예외적으로는 특히 아이들에서 염증 피부염(inflammatory dermatoses)이 일시적인, 예를 들면 여드름이나 수두(varicella)를 앓은 뒤에, 털의 과다 성장을 유발할 수 있다. 다리의 털과다증의 선으로 된 양식은 일년을 지속했던 재발성 혈전정맥 엽(recurrent thrombophlebitis) 이후 기술되어 왔다. 털과다증은 melorheostotic 경화증에서 경화성 피부(indurated skin)로 발생할 수 있다; 진단은 피부가 완전히 치유되면서 방사선 검사로 입증된다. 수포성 표피박리증(epidermolysis bullosa)에서 손상된 피부 또한 털과다증이 될 수 있다. 아이들은 알루미늄 염화물, 클로라이드로 흡착된 디프테리아-파상풍(diphtheria-tetanus) 주사를 놓은 자리에서 가려운 여드름과 국소 털과다증을 발달시켰다.

석고 붕대(특히 면도하고 수술 한 후)를 한 기간이 연장된(6주) 후 한 쪽 다

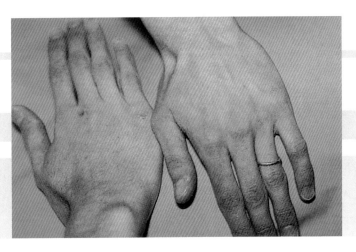

그림 4.27
석고붕대에 의해 골절로 인해 움직이지 못하게 한 결과로 나타난 털과다증.

리, 팔, 또는 손등의 털과다증은 정형외과의에겐 잘 알려진 현상이다(**그림 4.27**). 그것은 주로 아이들에서 발생한다. 털과다증은 어쩌면 정상적인 풍화작용으로부터 석고가 피부를 보호하기 위해서이거나 또는 피부 온도 증가에 기인할지도 모른다. 모발을 깨끗하게 하기 위해 수소 과산화물로 표백하는 성형 절차는 필요할지도 모른다. 석고를 제거하고 수주 내로 털은 정상으로 돌아 온다.

다모증[2,3]
HIRSUTISM

다모증을 인지하는 것은 정의에 따르면 주관적이며, 그 심각도에서 여성들은 넓은 변화를 보여 준다. 다모증의 심각성과 그것을 받아들이는 정도는 둘 다 인종적, 문화적, 사회적 요소들에 의존한다. 심지어 의사들이 사용하는 다모증의 정의에 대한 기준도 매우 다양하다. 이러한 문제를 풀기 위해서 서로 다른 집단이 털 성장에 대한 다른 등급을 매기는 방식(scheme)을 마련했다. Ferriman과 Gallwey의 등급 매기기는, 표준 등급 체제가 되었는데, 순전히 양적인 것을 바탕으로 해서 다모성을 정의내렸다(**그림 4.28**). 다른 의사들은 다모를 호소하는 여성

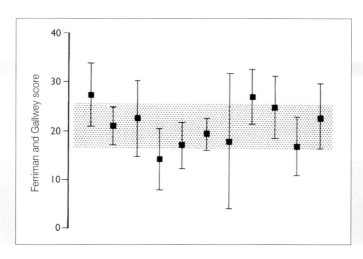

그림 4.28
서로 다른 연구에서 Fer-
riman과 Gallwey의 폭넓
은 다양성을 보여 주는 도
표.(J Barth, 박사 제공,
영국, Leeds)

들을 검사하고 그들을 통제 집단과 비교했다; 자신을 다모증상을 지닌 사람이라
고 생각하는 여성과 통제 집단 여성 사이에 다모성의 점수에 있어서 상당히 중복
되는 부분이 있다는 점을 그들은 논증했다. 얼굴, 가슴 또는 등 위쪽의 털은 유사
한 털 성장 점수를 지닌 다모증 여성과 통제된 여성 사이의 훌륭한 차별화 요소이
다(그림 4.29, 4.30).

　　　　털은 인종상의 차이를 나타내는 특징으로서 유일하게 피부에 버금가는 것이
다. 얼굴과 몸의 털은 코카서스인들보다 몽골인, 흑인, 순수 아메리카 인종들에서
더 흔히 볼 수 있다. 심지어, 코카서스인들 중에서도 차이는 있다; 털 성장은 북방
인종 조상의 것보다 지중해 사람들에서 더욱 굵다. 서로 다른 인종 집단 내의 다모
성에서 털 성장의 형태는 동일하다; 그러나, 서로 다른 기준 때문에 이들 집단 내에
서의 비교 발생수와 심각성을 결정하는 것은 평가하기 어렵게 만들었다. 정상 여성
의 꽤 큰 비율에서 얼굴, 유방 또는 하복부에 종말털이 있는 것이 다모성을 정의하
는 데 중요하다. 다모성에서 가족 군집화 하려는 경향은 잘 인지된다. 왜냐하면 안
드로겐과다증으로 귀착되는 많은 기저의 질환들은 가족적 토대를 갖고 있을 수 있
기 때문이다; 예를 들면 선천성 아드레날 과다형성은 주조직 적합 복합체(major
histocompatibility complex)와 연계되어 있으며 매우 강력한 관계가 다낭난소 증
후군(polycystic ovary syndrome)(PCOS)에서 보고 되었다.

　　　　다모증 같은 상태에서, 사회는 '정상'에 대한 문턱 수준(threshod level)을

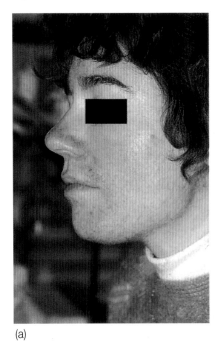

(a)

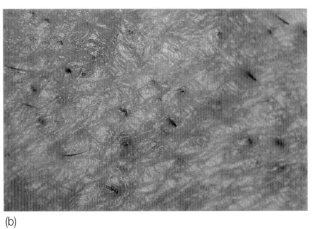

(b)

(c)

그림 4.29

(a) 얼굴의 다모증. (b) 같은 얼굴에서 면도한 부위. (c) 이틀 뒤에 촬영된 급속한 재성장을 보이고 있는 같은 부위.

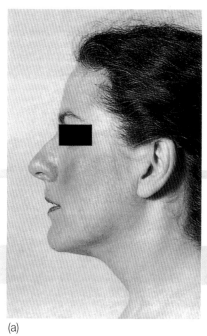

(a)

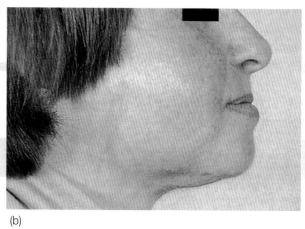

(b)

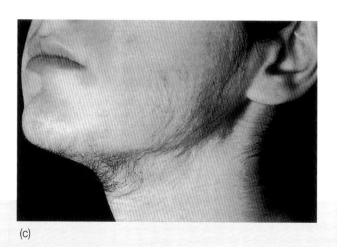

(c)

그림 4.30
(a-e) 얼굴 다모증의 스펙트럼.

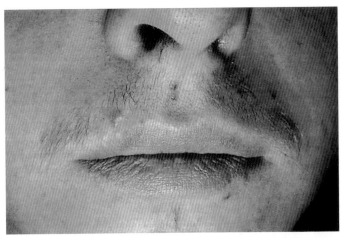

(d)

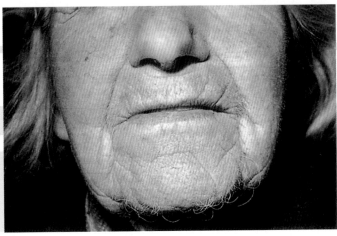

그림 4.30 계속

(e)

결정하며, 이것은 이제 매체에 의해 상당히 영향을 받는다. 여성들은 오직 털이 없는 몸을 지닌 여성이 정상이며 건강하고 행복할 수 있다는 전제에 기반을 둔 화장품 광고 세례(barrage of advertisements)를 받는다.

　　다모증인 여성의 심리적 상태에 대한 연구는 거의 없었다. 어떤 사람들은 불안과 정신적 장애를 언급했던 반면 다른 통제 연구는 증명되고 연관된 정신적 상태를 발견했다. 많은 저명한 권위자들은 '스트레스'가 종종 다모증에 앞서 선행된다는 그들의 확신을 말해 왔다.

> 만약 성인 여성이 자신을 다모증을 지닌 사람이라고 생각한다면 실제로 그녀는 다모증인 것이다!

안드로겐과 다모증
Androgens and hirsutism

안드로겐 호르몬은 성격상 다양하지만, 그것의 효과는 X 염색체 위에 암호화된 단일 안드로겐 수용체 유전자의 단백질 물질을 통해 중화된다고 믿어진다. AR(안드로겐 수용체)는, AR 단백질의 transactivation 영역인 아미노종단에 있는 폴리글루타민 사슬의 다양한 길이를 위해 코드화 하는, 엑손 1 지역에서 크게 다형인 삼뉴클레오티드 반복(CAGn)을 함유한다. DI 반복의 길이는 AR 표현과 기능 모두에 영향을 준다. CAG 반복의 숫자는 역으로 안드로겐 수치와 서로 연관되어 있으며 다모증, 여드름, PCOS, 남성 대머리를 포함해서 다양한 조건들과 연관이 있는 것으로 생각되어 왔다.

여성들의 모발 성장을 혈청 안드로겐 수치와 서로 연관시키려는 많은 시도가 행해졌지만, 이들은 매우 상충하는 결과 - 모발 성장 점수와 유리 토스테스테론 사이의 상당한 가변성 그러나 어떤 유의미한 관계도 없는 것에서부터 복잡한 공식이 사용될 때 모발 성장과의 상호 연관성에 이르기까지 - 를 연구 해 냈다:

테스토스테론/성 호르몬-결합 글로불린

+

안드로스테네디오네/100

+

Dehydroepiandrosterone sulphate/100

이것은 특발성 다모증을 지닌 여성에서 모발 성장에만 서로 관련된다! 털의 성장과 타액의 테스토스테론 수치 사이에서는 어떤 관계가 암시되었다. 이들 관계는 명백히 만족스럽지 못 한데, 그 까닭은 그들이 신체의 다른 지역에 있는 모낭의 안드로겐에 대한 차별적인 반응을 설명할 수 없기 때문이다.

안드로겐 활동에 대한 생리학적 구조는 세 단계에서 고려될 수 있다: (1) 부신 샘과 난소에 의한 안드로겐 생산; (2) 수송 단백질 위에 있는 혈액에서 그들의 수송, 주로 성호르몬 결합 글로불린(SHBG); (3) AR에 대한 세포내 변화와 결합.

여성에서의 안드로겐 생산의 첫 번째 징후는 부신 분비 때문에 사춘기 이전 2-3년에서 발생한다. 이 발달에 대한 신호는 알려져 있지 않다; C17-20-lyase의 활동이 증가할 수 있는데, 이것은 안드로겐 경로로 글루코코르티토이드 전구물질들을 다시 보낸다; 또는 Δ^5-3β-hydroxysteroid dehydrogenase의 활동이 줄어들기 때문에 dehydroisoandrosterone(DHA)의 전향 대사가 줄 수도 있다. 이 과정은 부신 그물층(adrenal zona reticularis)의 성숙을 나타낸다. 부신샘에서 분비하는 주요 안드로겐은 안드로스텐디오(androstenedione)와 DHA, DHA Sulphate(DHAS)이다. 사춘기 이후의 생활에서 그들의 통제는 알려져 있지 않지만 안드로스텐디온과 DHA는 부신겉질자극호르몬(ACTH)의 통제를 받을 수 있는데, 이는 그들의 혈청 수치가 코르티솔의 그것을 반영하기 때문이다.

난소 안드로겐 생산은 황체형성호르몬(luteinizing hormone: LH)의 사춘기적 분비의 영향 하에 시작되며 포막세포(theca cell)에서 일어난다. 난소가 분비하는 안드로겐은 가임 연령(reproductive years)에서의 안드로스텐디온과 폐경 후의 테스토스테론이다. 안드로겐 분비는 월경 주기 내내 계속되지만 배란 주기 중 정점에 이른다.

정상 여성에서 대다수의 테스토스테론 생산(50-70%)은 피부와 기타 내장외 부위(extra-splanchnic sites)에서의 안드로스텐디온의 말초 전환에서 도출된다. 나머지 부분(proportion)은 부신샘과 난소에서 직접 분비된다. 개별적으로 측정되는 상대적 비율은 난소로부터의 5%에서 20%와 부신샘으로부터의 0%에서 30%에 이르기까지 보고된 연구 사이에서 차이가 있다. DHA는 순환 안드로스텐디온의 10% 미만과 순환 테스토스테론의 1% 미만의 근원이다.

전신의 안드로겐 순환의 '오류'는 안드로겐 유전성 탈모증보다 다모증에서 더 흔하다.

안드로겐 수송 단백질
Androgen transport proteins

비임신 여성에게서, 대다수의 순환 안드로겐은 고친화력(high-affinity)의 β 글로불린인 SHBG에 결합되어 있다. 추가적으로 수송되는 20-25%는 느슨하게 알부민에 결합되며 약 1%는 자유롭게 순환한다. 유리 스테로이드가 활성화 되는 것으로 믿어지며 결합 단백질은 그러므로 매우 중요하다. SHBG에 대한 안드로겐의 친화력은 그것들의 생물학적 활동에 비례한다.

SHBG의 기능은 알려진 바 없다. 그것의 주요 기능은 결합되지 않은 안드로겐 수치에서 중대한 변화를 저장하고 퇴화로부터 안드로겐을 보호하는 것이 확실하다. 그것은 어쩌면 생물학적 '변경 인자' 로서 활동하는지도 모른다. 높은 에스트로겐 수치는 SHBG를 증가시키며 그래서 가용 안드로겐을 감소시킨다; 높은 안드로겐 수치는 SHBG를 감소시키며 가용 유리 안드로겐을 증가시킨다.

다모성에서의 안드로겐 병태생리학
Androgen pathophysiology in hirsuties

다모증은 안드로겐 자극에 대한 모낭의 반응이며 증가된 모발 성장은 그러므로 안드로겐 과다로 특징지어지는 내분비 질환에서 자주 보게 된다. 이들 질환은 난소나 또는 부신샘 중 어느 하나의 비정상에서 기인할 수 있다. 다모증을 지닌 여성의 대다수는 내재하는 PCOS를 갖고 있다고 본다(**표 4.6**). 다모증 여성의 작은 비율은 어떤 검출 가능한 호르몬 이상을 갖고 있지 않으며 보통 '특발성' 다모증으로 분류된다.

하부 집단은 점차 진단 기법이 더욱 세련화 되면서 점차 더 작아지고 있으며, 어쩌면 좀더 포착하기 어려운 난소 형태 또는 혈청 안드로겐-결합 단백질에서 또는 피부 안드로겐 대사에서 부신호르몬의 과다분비에 의한 변형 때문에 점차 더 작아지고 있다. 비록 많은 다모증 여성이 뚱뚱하다 해도, 이것의 역할은 아직 정의되지 않았지만, 월경이 불규칙한 비만 다모증 여성의 살이 빠지는 것은 월경 규칙과 몸의 털 감소로 귀결된다는 사실을 인식하는 것은 중요하다.

> 비만은 다모증과 기타 '남성화의' 징후와 연관 되거나 또는 그것들을 발병케 유도할 수도 있다.

다낭난소 증후군(PCOS)[4,59] Polycystic ovary synrome

PCOS의 인지는 60년 전 Stein-Leventhal 증후군에서 처음 기술된 이래 극적으로 변해 왔다.

표 4.6 다모증의 원인들(Causes of hirsutism)

특발성(Idiopathic)

난소(Ovarian):
다낭 난소 증후군(PCOS)
(Polycystic ovary syndrome(PCOS))
난소 안드로겐-분비 종양
(Ovarian androgen-secreting tumours)
힘줄 종양(Thecal tumour)
라이디히 세포 종양(Leydig cell tumour)
남성배세포종(Arrhenoblastoma)
폐경(Menopause)

부신(Adrenal):
선천성 부신 과다형성
(Congenital adrenal hyperplasia)
21-수산화효소 결핍(21-hydroxylase deficiency)
11β-수산화효소 결핍(11β-hydroxylase deficiency)
3β-hydroxysteroid 탈수소효소 결핍
늦은-시작 선천성 부신 과다형성
(Late-onset congenital adrenal hyperplasia)
쿠싱 증후군(Cushing's syndrome)

양성 부신샘종(Benign adrenal adenoma)
부신 암종(Adrenal carcinoma)

뇌하수체(Pituitary):
쿠싱 증후군(Cushing's disease)
프로락틴분비종양(Prolactinoma)
말단비대증(Acromegaly)

약물(Drugs):
예컨대 글루코코르티코이드,
단백동화스테로이드, 프로제스틴
(For example, glucocorticoids, anabolic teroids, progestins)

기타 원인들(Other causes):
안드로겐 과다증, 인슐린 저항과 흑색가시세포증 (흑색가시세포증(HAIR-AN) 증후군
(Hyperandrogenism, insulin resistance and acanthosis nigricans(HAIR-AN) syndrome
지루, 여드름, 다모증, 안드로겐 유전성 (SAHA) 증후군
(Seborrhoea, acne, hirsutism and androgenetic alopecia (SAHA) syndrome)

이 증후군은 비만, 무월경(amenorrhoea), 다모증, 커진 다낭 난소와 연관된 불임으로 구성된다. 이 질환의 진단에 논쟁이 있는데, 그 이유는 그것이 시각화 하기 힘든 기관을 육안에 보이는 모습에 의해 정의했기 때문이다. 이는 임상적, 생화학적 이상에 기반을 둔 다양한 진단 공식을 사용하게 만들었다. 한층 근본적인 문제는 근대 사진 기법에 의해 제기되었는데, 이는 명백히 정상인 여성에서 다낭 난소가 빈번하게 있음을 밝혀냈다. PCOS의 발병기전에 관한 생각들은 논쟁거리인데, 그 이유는 진단과 서로 다른 학자들이 그것을 주로 난소 의 비정상, 부적절한 생식선자극호르몬(gonadotrophin) 분비, 부신의 질환 또는 에스트로겐과다혈증으로 귀결되는 아로마타아제(aromatase, 안드로겐을 에스트로겐으로 변환시키는 효소) 활동의 증가 때문이라고 믿기 때문이다. 증가된 안드로겐이 부신으로 인한 것인지

아니면 난소가 원인인지는 여전히 논쟁거리로 남아 있다.

PCOS 환자의 임상적 특징의 형태는, 그것이 피부, 내분비 또는 부인과적인 것이라 할지라도, 어느 정도는 질환의 진단적 정의와 나타나는 증후군에 의존한다. 다낭 난소를 초음파를 이용 시각적으로 이용하여, 많은 연구에서 다음 임상적 특징을 PSOS에서 발견했다: 다모, 여드름, 탈모증, 흑색가시세포증, 비만, 월경과다(menorrhagia), oligomenorrhoea, 무월경, 불임. 대부분, 피부과 의사들을 찾아간 환자들은 예외 없이 여드름, 다모 그리고/또는 안드로겐 유전성 탈모증이 선행되었을 가능성이 크다.

PCOS를 실험실에서 조사하면 종종 황체형성/모공-자극 호르몬 비가 늘어나고 테스토스테론, 안드로스텐디온, 에스트라디올의 수치가 올라가는 것과 함께 LH의 수치도 올라가는 것을 밝혀 준다. 촘촘한 중앙 핵 주변에 있는 다수의 말초 난소낭을 초음파 검사로 실증하는 것은 조작자의 숙련성에 달려 있다.

난소 종양 *Ovarian tumours*

다모성은 거의 보편적으로 남성화 되어가는 난소 종양에 있다; 그러나 남성화를 초래하는 기능성 종양은 단지 난소 종양의 약 1%만을 대표한다. 무월경이나 oligomenorrhoea는 모든 폐경 전 환자에서 발달하며 탈모증, clitoromegaly, 목소리가 낮아짐과 남성 체형화는 환자들의 약 50%에서 발달한다. 남성화 난소 종양을 지닌 이들 중 대다수는 융기된 혈장 테스토스테론 수치를 갖는다.

임신 다모증 *Hirsutism in pregnancy*

임신 중의 다모증은 드물게 보고되어 왔다. 그것은 PCOS의 발달 또는 임신 시작 이후의 남성화 되는 종양 때문일 수 있다. 이것의 훌륭한 역사적 실례는 Ribera가 그린, 아이에게 모유 수유를 하던 수염이 있는 여성의 그림이다. 그러한 갑작스런 발달은 틀림 없이 임신 중에 발달하는 난포막종(thecoma) 종양 때문이었을 것이다. PCOS는 첫번 째 또는 세번 째 석달에 남성화와 더불어 나타날 수 있으며 출산 후에는 예전 상태로 돌아간다. 안드로겐은 자유롭게 태반을 가로지르며 여성 태아의 남성화를 발생시킬 수 있다.

선천성 부신 과다형성 Congenital adrenal hyperplasia

콜레스테롤은 부신 피질에서 복잡한 경로에 의해 알도스테론, 코르티솔, 안드로겐, 에스트로겐으로 대사 된다. 경로에서의 결함은 다른 경로에 대한 전조물질의 재배포와 관련된 경로의 생산 감소로 이어지는데, 이는 다른 호르몬을 과다 생산하는 결과를 낳는다. 특별한 효소가 없이는 살 수 없으며, 효소 활동의 심한 감소는, 염분을 잃는 상태인 탈수 그리고/또는 남성화 때문에, 보통 태어날 때 또는 이른 아동기에 뚜렷하다.

효소 활동에서의 부분적인 감소는 아동기 이후 나타날 수 있으며, 최근에 사춘기 이후 다모성을 보이는 여성의 작은 비율은 '늦게 시작하는' 선천성 부신 과다형성(CAH)의 포착하기 어려운 형태를 갖고 있는 것으로 보여졌다. 진단은 임상적으로 행해질 수 없으며 역동적인 내분비 조사는 PCOS와 '특발성' 다모증 사이를 구분하기 위해 필요하다. 늦게 시작하는 CAH를 지닌 여성은, 비록 약 80%가 다낭난소를 지니고 있지만, 정상 월경 주기를 갖고 있을 수 있다.

늦게 시작하는 CAH와 관련된 가장 흔한 결함은 21-수산화효소 결핍이다. 많으면 다모를 지닌 여성의 3-6%가 이 유형에 의해 영향을 받을 수 있다. 소금을 낭비하는 유형인 아동의 고전적 대립 변종이다; 고전적 형태는 HLA-Bw-47과 HLA-B14를 지닌 늦은 시작 형태와 연관된다. 이러한 비정상을 지닌 여성 중에서 75%는 월경이 불규칙하거나 하지 않은 채 나타날 수 있다.

CAH에서 좀 덜 흔한 것은 3β-와 11β- hydroxysteroid 결핍이며 따라서 다모 여성에서는 덜 자주 발견된다.

> **선천성 부신 과다형성은 최초로 상당히 경미한 다모증 그리고/또는 정수리 모발 소실과 여드름이 있는 성인에서 진단될 수 있다.**

후천성 부신겉질 질병 Acquired adrenocortical disease

부신 암종(adrenal carcinomata) 환자들은 보통 복부 팽만 또는 복통을 나타낸다. 그러나 아데노마타(adenomata)와 암종 둘 모두의 10%는 남성화를 발현 시킬 수 있다. 남성화와 쿠싱 증후군의 조합인 암종이 있다는 것을 암시한다. 테스토스테론 수치는 보통 후자에서 현저하게 올라가 있다.

쿠싱 증후군(Cushing's syndrome) 환자는 털과다증과, hypercortisolaemia 로 인한 보편적이고 광범위한 가는 털의 성장과 보통 남성형 탈모증에 있는 안드로 겐의 거친 모발을 갖는다.

생식선발생장애 *Gonadal dysgenesis*

46, XY 생식선장애를 지닌 모든 환자들은 명백히 여성 생식기를 갖고 있지 만 남성 골격 특성(폭 넓은 어깨와 가슴)을 갖는다; 그외에 관찰 되는 것으로는 털 이 많고, 관자놀이의 후전(temporal recession)과 낮은 목소리가 포함된다. 이런 군 을 지닌 증례는 느리게 진행하는 다모와 2차 무월경을 보일 수 있다.

고프로락틴혈증 *Hyperprolactinaemia*

프로락틴과 다모 사이의 정확한 관계는 아직 확실치 않은 채 남아 있다. 다 모는 무월경-젖샘 분비과다(amenorrhoea-galactorrhoea) 증후군 환자의 22-60%에 서 발생한다. 이는 부신 안드로겐 생산에 대한 프로락틴의 직접적인 효과 때문이거 나 PCOS 때문일 수 있는데, 그것은 자주 PCOS와 연관지어 생각된다.

프로락틴은 피부 5α-환원효소의 활동을 생체내에서와 시험관내 모두에서 약화시킨다고 생각된다.

특발성 다모 *Idiopathic hirsuties*

특발성 다모는 어떤 잠재하는 병리학적 내분비 질환도 탐지되지 않는 다모 증을 지닌 여성에게 주어지는 진단 상의 범주이다. 비다모증 여성과 비교해 볼 때 다모증 여성의 안드로겐 대사에서 포착하기 어려운 역동적인 변화가 무수히 많다. 다모증 여성에서는 일일 테스토스테론 생산은 3.5-5배이고 안드로겐의 대부분은 안드로스텐디온보다는 테스토스테론으로서 분비된다(다모증 75% 대 정상 40% 미 만). 다모 여성에서 안드로겐의 증가는 SHBG의 낮은 수치와 연관되어 있으며, SHBG는 테스토스테론과 덜 결합하며, 그러므로 말초 대사와 배설에 가용하다. 유 리된 테스토스테론은 테스토스테론 상태를 좀더 민감하게 측정한 것이고 비다모 여성보다 다모증에서는 3배나 많다.

전체 테스토스테론에 대한 정상적인 값은 다모 여성 중 25-60%와 규칙적 월경 주기를 지닌 사람의 80%에서 찾을 수 있다. 이는 아마도 SHBG의 효과 때문이거나 또는 다모증이 있는 여성에서 볼 수 있는 혈장 테스토스테론에서의 폭 넓은 변화 때문일 수 있다. 그러므로 증가된 수치를 발견하기 위해 다각적인 측정이 가끔 필요하다. 일부 여성들은 그러나 철저한 조사에도 불구하고 테스토스테론이 올라가는 모습을 보이지 않는다. 역설적으로, 이들 여성에서는 그들 피부에 있는 털의 성장이 유일하고도 가장 민감한 안드로겐 생물학적 검증인 것이다.

표피의 남성화
Cutaneous virism

안드로겐에 대한 피부 민감도는, 정상 혈청 안드로겐과, 상승된 안드로겐의 수치를 가진 여성이, 다모증의 증세를 보이지 않는 것과, 혹은 다모증을 보이는 것에 대해 알 수 있는 기준이 될 수 있다. 그러나, 그들이 다른 안드로겐 과다증인 피부의 변형된 특징을 지녔는지 아닌지를 구분하기 위한 안드로겐 과다증에 대한 어떤 체계적인 연구도 없었다. 안드로겐의 자극에 대해 반응할 특정 세포 개체에 대한 정의를 내리는 것도 필수적인데, 이것 역시 아직 행해지지 않았다. 실제로 피부는 다른 많은 조직을 함유하고 있는 복잡한 구조이며 피부 내의 모든 구조는 안드로겐에 의해 변형되며 그것들은 또한 안드로겐 대사의 변형 인자일 수 있다. 외분비와 피지샘은 한층 활동적이며 그 피부는 더 두껍고 여성보다 남성에서 더 많은 아교질을 함유한다. 화농땀샘염(hidradenitis suppurativa)에서 아포크린 샘의 염증은 안드로겐 과다생성과 연관된 것으로 생각되는데, 솜털과 종말털 모두에서 모낭염의 환자 것과도 같은 소견을 보인다. 따라서 비다모증 안드로겐 과다증 여성의 피부는 안드로겐에 반응하지도, 종말 털의 발달에 의해서 반응하는 것도 아니라는 추측이 가능하다.

일부 사람들에서 유전적으로 결정된 피부 효소의 수치는 부정적인 유전적 배경을 난소와 부신을 생산하기에 충분할 정도로 활동적이어서 그런 식으로 안드로겐 생산을 증강시키며, 그러므로 피부에 일차적인 역할을 제공한다는 생각이 제안되었다. 많은 조사자들은 피부 안드로겐 대사에서 일차적인 증가에 대한 자료를 제공해 왔다. 예를 들면 다모 상태가 된 지 매우 짧은(1년 미만) 여성에서 유일한 안드로겐 비정상은 피부 안드로겐 생산 디하이드로테스토스테론(DHT)과 3α-androstanediol의 증가라는 사실이 언급되었다. 다모 상태에서 피부의 대사 활동은 피부의 직접 배양 분석과 체내에서 예를 들면 3α-androstanediol 글루큐로나이드의 측정에 의한 것 양자 모두에서 증가된다. 다모인 여성의 생식기와 두덩 피부에서 채취한 전체적인 피부 균질화는 테스테스테론을 DHT로 전환시키는 것을 증가시키는 것으로 보여졌다. 그러나, 다모 여성의 격리된 모낭은 통제된 여성의 것에 비해 서로 다른 효소 활동을 갖는 것처럼 보이지는 않는다. 모발피지샘의 역할은 상당한 안드로겐-대사 능력을 가지고 있기 때문에, 전체적인 피부 균질화에 의해 증가된 테스토스테론의 전환은 단지 다모증의 여성에게서 모발 피지샘 조직의 질량 증가를 반영하는 것일 수도 있다.

3α-androstanediol 글루큐로나이드는 피부 안드로겐 대사의 특정한 표시인 것으로 제안되었다. 초기 연구는 다낭 난소를 지닌 다모 여성에서만 상승되지만, 다낭 난소를 지닌 억제된 집단과 비다모 여성에서는 상승되지 않는다는 생각을 제안했지만, 좀더 최근의 조사들은 그것의 무오류성에 의심을 던져 왔다.

다모 여성은 많은 대사와 전신 비정상을 갖고 있는데, 이는 다모가 성형상의 장애일뿐 아니라 한층 중요한 예후를 갖는다는 점을 암시한다. 다모증 여성은 일반적으로 '남성'의 모습이 되기 쉬운 체형을 갖고 있으며, 이와 함께 그들은 심장혈관병의 위험 증가를 암시할 지질 프로필(lipid profile)을 변경시켜 왔다. 여성에서 당뇨병과 안드로겐 과다증 또는 '수염난 여성의 당뇨병'과의 관계는 오랜 세월 인정되어 왔다. 그러나 이제 장애를 일으킨 탄수화물 대사가 인슐린 저항(IR)의 원인이라는 것이 입증되었다. 게다가 흑색가시세포증(AN)은 인슐린 저항(IR)에 대한 피부의 표시기로 작용한다. AN과 IR의 조합은 안드로겐과다증(HA) 여성의 5%에서, 다모증을 보이는 여성의 7%에서 발생한다. 이러한 여성들은 남성화의 매우 명백한 특징을 갖고 있다; 그것은 근육질 체격, 여드름, 탈모증, 화농성 한선염 등이다.

인슐린은 안드로겐 과다증의 발병기전에서 중요한 역할을 갖고 있을 수 있다. 시험관 내에서의 연구는 인슐린이 난소 안드로겐 생산에서 자극적인 효과를 발휘하며 그것이 간에 의한 SHBG의 합성을 억제한다는 점을 실증했다. 그것의 활동 양식은 난소와 피부에 모두 있는 인슐린 같은 성장 요소에 대한 수용체를 통해서일 수 있다. 후자의 자극은 화농성 한선염으로 귀결될 수 있다. 그러나 고인슐린혈증

(hyperinsulinaemia)과 IR이 일차적인 것인지 또는 이차적인 것인지에 대한 것은 알려져 있지 않다.

> 피부의 남성화는 종말적인 안드로겐의 징후이며 진단 불가능한 순환 내분비 이상 환자에 대해 임상적으로 의심해 볼만한 증상이다.

다모 여성에 대한 진단적 접근
Diagnostic approach to the hirsute woman

많은 다모 여성들은 사춘기 이후, 모발이 급작스럽게 과다하게 많아지는 것을 경험한다. 이들의 병력은 연령에 따라 달라진다. 다모 양상과 탈모증 또는 그 외 피부 남성화의 특징과 생리 불순 또는 불임과 같은 PCOS에 대한 증거에 관한 기록에서 사실을 얻는 것이 중요하다. 남자 형제의 조숙한 사춘기 등의 가족력은 선천성 부신 과다형성의 특징일 수 있을 것이다. 많은 경구용 피임약 약제의 progestogenic 성분들은 안드로겐적이며 이것은 종종 다모의 원인으로 인용된다(**표 4.7**).

피부 검사는 털 성장의 양상과 심각성 그리고 여드름, 안드로겐성 탈모증과 관련된 것들이 있는지를 진단하기 위해 실시 된다. 여성의 남성화를 암시하는 특징은 목소리가 낮아지고, 근육 부위가 늘어나고, 부드러운 피부 윤곽이 사라지고, 고혈압, 피부열선(striae DISTENSAE), cliteromegaly 등을 포함한다. 이 마지막 특징인 cliteromegaly는 전신 남성화로 향하는 것을 제시하는 가장 중요한 육체적 징후일 것이다. 특히, 발병 후 1년 미만에서 전신 남성화의 원인은 종양 때문일 가능성이 크다. 따라서 그것은 '피부 남성화'와는 사뭇 다르다.

다모 여성에 대한 상세한 조사의 중요성에 대한 주요 이유는 특발성 다모, PCOS 그리고 임상적 기반 위의 CAH 사이에 식별할 구분이 없다는 점이다. 현재 가용한 치료 도구는 너무 열악하므로 정확한 진단을 얻기 힘들다.

표 4.7 다모증에 대한 조사(Investigations for hirsutism)

조사 (Investigations)	의심되는 상태 (Suspected condition)	논평 (Comments)
1단계 테스토스테론(Testosterone) * 디히드로에피안드로스테론 황산염성 호르몬-결합 글로불린 (Dehydroepiandrosterone sulphate) * 17-알파-디하이드록시프로게스테론 (17-alpha-hydroxyprogesterone)	* 늦게 시작하는 선천성 부신 과다형성 * 선천성 부신 과다형성 (Congenital adrenal hyperplasia) (21-수산화효소 결핍)	월경 주기의 모낭 기에 검사를 한다(좀더 희귀 한 선천성 부신 과다형 성에 대한 형태에는 다른 검사 필요)
2 단계 * 황체형성호르몬/모낭 자극 호르몬 비율 (Luteinizing hormone/follicle) * 골반 초음파 또는 transvigianl 초음파 (Pelvis ultrasound or transvigianl ultrasound) * 지질 양상(Lipid profile) * 포도당 견딤 검사(Glucose tolerance) * 프로락틴(Prolactin)	* 다낭 난소 증후군 (Polycystic ovary, syndrome, PCOS) * 프로락틴 분비종양 (Prolactinoma)	3 이상의 황체형성 호르몬/모낭자극 호르 몬 비율은 약 PCOS의 2/3에서 발견됨 ('프로락틴'?)은 PCOS에서도 올라갈 수 있는지도 모름
* 혈청 코르티솔 또는 24-시간 소변 유리 코르티솔(Serum cortisol or 24-시간 urinary free cortisol) * 덱사메타손 억제 (Dexamenthasone suppression)	* 쿠씽 증후군 * 부신 병리학 (Adrenal pathology)	0900 시간 혈청 수치가 가장 좋음 테스토스테론의 명백한 억제는 종양병 원인을 덜 일어나게 함
* 골반 MRI 또는 CT 스캔 (Pelvis MRI or CT scan) * 뇌하수체 오목 (Pituitary fossa CT scan or MRI)	* 종양 또는 악성 (Tumour or malignancy) * 뇌하수체 병리학 (Pituitary pathology)	성장 호르몬 분석과 함께 포도당 견딤 건사가 말단 비대증에 대해 필요

주: 만약 특별 진단을 강하게 암시하는 특징이 있다면, 2단계 조사를 처음 방문 했을 때 수행할 수 있다.
CT: 컴퓨터 단층 촬영; MRI, 자기 공명 영상.

치료[2,3]
Therapy

심리적으로 여성환자에게는 자신들이 '남성으로 변하지' 않는다는 확신을 갖게 하는 것이 중요하고, 그 조건이 충족된다면, 만족할 것이며 어떤 의료적 도움을 필요로 하지 않거나 국소적 파괴 조치에 대한 조언만을 필요로 할 수 있다; 그러나 많은 여성들은 의사에게 보여 주기 전에 이미 이 방법들을 시험해 보았을 것이다.

미용과 육체적 조치
Cosmetic and physical measures

　　원치 않는 털을 제거하거나 또는 '감추는' 방법들로는 표백, 면도, 뽑기와 탈모제 같은 집에서 할 수 있는 간단하고 저렴한 것에서부터 간호사, 의사, 견습자나 훈련받은 기술 전문가들이 쓰는 전기분해장치, 레이저와 (드물게는) 엑스선 등과 같은 훨씬 값비싸고 시간을 소모하는 방법들이 있다. 이 모든 방법들은 다모증의 정도에 따라 특정 부위에서 특정 사람에게 선택되는 치료가 될 수 있는 맥락을 갖는다. '속눈썹뽑기' 와 '탈모' 는 수년에 걸쳐 그것들에 대한 정의가 달라져 왔다. 어떤 방법도 전적으로 만족스러운 것은 아니며 채택되는 것도 사람의 취향에 따라 틀려질 것이다.

표백 Bleaching

　　이것은 특히 입술과 팔에 있는 털에 매우 널리 사용된다. 통증이 없다.(그러나 자주 반복되면 털이 부러질 정도로 손상을 충분히 입힐 수 있다). 그러나, 표백된 털은 검은 피부에 대해 매우 뚜렷하게 보인다. 일부 사람들은 표백에 대해 자극 반응을 보인다; 따라서 예비 검사를 하는 것이 바람직할 것으로 보인다 - 만약 자극이 30-60분 내에 발생하면 과산화물의 강도와 바르는 지속 시간을 줄여야 한다.

면도 Shaving

　　이것은 너무 '남성적' 이어서 일부 여성들은 받아 들일 수 없을 것이다; 그러나 대다수는 즐겁게 겨드랑이와 다리의 털을 면도한다. 몸에 털이 많으면, 여성들은 다리를 면도할 필요를 갖게 하며 음부 부위의 일부도 면도하게 한다. 이들 부위에서 털이 다시 자라는 동안이나 또는 황색포도알균(Staphylococcus aureus) 감염 때문에 모낭염을 경험하는 것은 흔한 일이다.

　　일부 실험 쥐에서 면도를 하면 휴지기에서 성장기로의 전환을 촉발하기도 하지만, 사람의 경우 그렇지 않다. 그렇지만 면도를 하면 안 깍인 털의 가늘게 된

끝 부분을 제거하며 그것이 두피에서 자라 멀어지면 거칠고 '뭉툭한' 끝을 남긴다: 그러나 털 성장의 동력은 바뀌지 않는다.

왁스이용 Waxing

이것은 제모의 가장 오래된 방법이다. 일반적으로 밀랍은 예열한 후 치료할 곳에 바르고 냉각한 다음 떼어내면서 그 안의 털도 같이 떼어 낸다. 같은 방식으로 '차가운' 밀랍도 사용 가능하다. 포도당과 산화 아연(zinc oxide) 납형 제작은 반복할 필요가 있기 전까지 수주간 지속되는 이점을 갖는다. 상대적으로 긴 털만 이 방식으로 치료할 수 있다. 일부 여성들은 그것이 아프거나 자극적이라는 것을 깨닫게 된다. 집보다 미용실에서 더 자주 사용된다. 당화(sugaring)로 알려진 과정도 비슷한 원리에서 작용한다.

뽑기 Plucking

이것은 사람 또는 거칠고 산재한 모발을 지닌 소집단에서만 실로 만족스러운 방법일 수 있다. 이것은 숱이 적은 유두나 복부 털에 유용하다. 보통 겸자를 갖고 한다. 왁싱하는 것처럼 이것은 수주마다 반복을 요한다. 널리 광고되는 전자 또는 고주파대 겸자는 뽑기의 '세련된' 방식일뿐 보다 이로운 점은 없다. 뽑기의 부작용은 색소침착저하증, 모낭염, 그리고 심지어는 흉터가 포함되기도 한다.

화학적 모발 제거 Chemical hair removers

이것은 자극의 가능성 때문에 사용이 한정되지만 얼굴을 포함한 대부분의 부위에서 불필요한 털을 제거하는 데에 널리 사용된다. 과거에 유용하게 쓰였던 황화물과 철회색 광물(stannites)은 이제 대용 메카탄에 의해 대부분 대체되었다. 황화물은 피부자극과, 특히 약제를 씻어냈을 때 생성되는, 냄새(수소 황화물에서 기인하는), 이 둘 모두 때문에 만족스럽지 않다; 그러나 스트론튬 황화물 약제는 여전히 사용 가능하다. 대용의 디티올(메카탄)은 거의 모든 현대 화학 발모 약제의 토대를 형성한다. 그것들은 작용은 황화물보다 느리지만 필요할 경우 얼굴에 사용하기에 충분할 정도로 안전하다. 티오글리콜산염(thioglycolates)은 2-4%로 농축해서 쓰이며 일반적으로 5-15분 안에 작용한다. 티오클리산염 중에서 칼슘 소금을 가장 선호하는데, 그 이유는 자극이 가장 적기 때문이다 - 수소이온농도 지수(ph)는 칼슘 수산화물 초과에 의해 유지되는데, 이는 또한 피부에 자극을 주는 것으로 알려진 알카리도(alkalinity) 과다를 방지하는 작용도 한다. 현대 약제들은 거품, 크림, 액체, 분무제 형태로 사용이 가능하고 선택은 사람의 취향에 달려 있다. 티글리오그린산염은, 특정하게 털이 아닌, 각질을 공격하기 때문에 제조업자의 권고를 준수하지 않으면 표피에 좋지 않은 효과를 나타낼 수 있다; 피부가 민감한 사람은 좀더 광범위한 자극 반응을 방지하기 위해 우선 작은 시험 부위를 먼저 치료하도록 일반적으로 제안한다.

전기분해[6] *Electrolysis*

위의 모든 방법들은 일시적인 것들이다; 레이저가 도래하기 전 유일하고도 실질적인 영구 치료는 '전기분해' 였다. 이것은 가는 철사 바늘을 모낭으로 통과 시키고 그것을 통해 전파되는 전류로 모낭을 파괴 한다 - 느슨해지고 치료된 각 모낭에서 털은 제거된다. 감염의 위험을 막기 위해 일회용 바늘을 사용해야 한다. 직류 또는 수정된 고주파 전류 중 하나가 사용된다. 직류 전기분해는 느리지만 한 번에 더 많은 모낭을 파괴한다. 고주파 전류(전기응고술electrocoagulation)는 더 빠르지만 이 방법을 쓰면 털이 다시 더 많이 자라는 것을 보게 된다. 상대적으로 싸고, 건전지로 작동하는 기계가 가정용으로 개발되었다. 이들은 비전문가가 작동한다는 추가적인 문제점과 전문가들이 쓰는 것들의 잠재적 위험을 갖는다.

숙련가의 장인들에서 전기분해의 한계는 비용과 시간의 한계이기도 하다; 심지어 가장 뛰어난 조작자도 한 번의 시술 당 25-100개의 털만 처리할 수 있고 치료 받은 모낭의 40%까지 털이 다시 자란다. 전기분해 하기 며칠 전의 면도는 성장기 털의 수를 증가시키며 이들은 한층 쉽게 파괴된다. 일반적으로 전기분해는 대부분 국소적이고 거친 얼굴의 털에 사용되며 대안이 되는 방법은 다른 신체 부위의 과다한 털에 대해 사용된다. 털의 재성장과는 별개로 이런 털 제거 방식과 함께 일어나는 문제점들은 치료 동안의 불편함, 모낭 주위 염증과 흉터, 점 과다색소침착과 드물게는 세균 감염 등을 포함한다.

전기분해의 결과를 열치료(diathermy) 결과와 비교하기 위해 수행된 조사에서, 어느 쪽 방법으로도 영구적으로 제모를 할 수 있으며 일정 부위에서 모든 털뿐리가 완전히 파괴되는데 필요한 시간은 같았다; 그러나 열치료 후 다시 자라는 털의 지름은 전기분해 후 다시 자라는 털보다 더 컸다. 발모의 결과는 조작자의 기술과 숙련도에 달려 있다. 의료 전기분해 자격증이 존재하는 영국에서는 환자들이 가능한 자격증을 갖춘 기술자에게 진료 의뢰를 받도록 하고 있다. 미국에서는 미국 전기분해 협회가 직업적 표준을 규제한다.

레이저[7] Lasers

몇 가지 서로 다른 레이저를 제모를 하는 데에 쓸 수 있게 되었다(**표 4.8**). 그들은 작용 매개체가 다양하며 따라서 생성되는 단색광의 파장도 다양하다.[2,5-7]

특정 색소함유세포(chromatophore)가 레이저광을 흡수하는 것은 활동 매체가 무엇이든간에, 힘을 열로 변화시키고 열화의 비율과 정도는 힘의 밀집도(힘 방출/실질적인 지점 크기)와 노출 길이에 의해 결정된다. 결과, 열 손상은 목표 단백질의 변성(denaturization) 또는 응고(coagulation)에 이르게 된다. 선택적 열 전기분해의 원리는, 만약 이 부위가 광선을 충분하게 선택적으로 받아들인다면, 이러한 손상이 주어진 목표에 전적으로 한정될 것이라는 점을 예측한다. 따라서 많은 레이저들에게는 맬라닌 색소가 목표이기 때문에 오직 색소 모낭들만이 반응할 것이다. 현재까지는, 어떤 레이저로도, 치료하는 털 부위에 대한 후속 연구도, 털 제거를 영구적으로 하지 못한다.

레이저로 '발모' 를 위해 성장기 털의 수를 늘리기 위해, Liew와 동료들은 alexandrite 레이저 치료를 하기 2주 전 밀랍 제모를 수행했다.[7] 한 달후, 미용상의 개선된 점은 그 성과가 증가됨을 보여 주었다.

에플로니틴 하이드로클로라이드 크림제재
Eflornithine hydrochloride cream (Vaniqa)[8]

오르니틴 디카르복실레이스(ODC)는 새로운 털 합성에 관여하는 핵심 효소이다. 이 효소가 억제되면 털망울에서의 세포 분열과 털 성장에 영향을 주는 합성기능을 억제한다. 에플로니틴은 ODC의 억제제이며 11.5%의 Vaniqa (eflornithine) 크림은 임상 전 연구에서 털 성장 비율을 줄이는 것을 보여 주었다. 하루에 두 번 24주간 바른 결과, 70%의 환자가 개선되었다. 이들 연구는 얼굴 아래

쪽과 턱의 털에 대해서만 실행되었다. 치료 중단 8주 내에, 털 성장은 치료전 수준으로 복귀된다.

표 4.8 다른 레이저 유형의 특징들(Characteristics of different types of laser)

	에너지(nm) (Energy)	점의 크기(mm) (Spot size)	목표 (Target)
루비 레이저(Ruby laser)	694	10까지	멜라닌(Melanin)
다이오드(Diode)	800	9 x 9	멜라닌(Melanin)
Alexandrite	755	12.5까지	멜라닌(Melanin)
네오디뮴 야그 (Neodymium YAG)	1064	10	국소 발색단(Topical chromophore)

전신 항남성호르몬 치료
Systemic antiandrogen therapy

다모증은 안드로겐이 매개체이기 때문에, 항남성호르몬 성질을 지닌 약물을 사용해서 털의 성장을 개선하려는 시도를 행해 왔다.[3,9] 다모증의 치료에서 평가된 치료 약제의 완전한 스펙트럼은 아래에 기술되어 있다. 그러나 다모 증세가 너무 심해서 전신 치료가 불가피한 여성들을 위해 제1선의(first-line) 치료로 사이프로테론(cyproterone acetate)과 알닥톤(spironolactone)을 사용하는 것은 다반사이다.

다음과 같은 이유로 치료를 시작하기 전에 다모 여성을 조심스럽게 선택해야 한다는 점이 중요하다. 첫째, 털 성장에 관한 효과는 명백해지기까지 수 개월이 걸릴 수 있으며 오직 부분적 개선만이 기대될 수 있다. 둘째, 항남성호르몬은 남자 태아를 여성화시키며 여성은 임신 상태가 아니어야 한다는 것이 필수적이다. 셋째, 이들 약물들은 오직 억제 - 치료가 아닌 - 효과를 갖고 있는데, 치료를 중단하면 몇 달 뒤 복귀되며 그러므로 적합한 개선을 위해서는 치료를 끊임 없이 행해야 할 필요가 있다. 마지막으로, 이들 약물의 장기적 안전성은 알 수 없으며, 다음에 나오는 몇몇 약물을 쓴 결과 실험실 동물에서 종양이 보고된 적은 있다.

사이프로테론 Cyproteron

사이프로테론(CPA)은 항남성호르몬제이자 생식샘자극호르몬 분비 억제제이다. 그것은 안드로겐 생산을 감소시키고 테스토스테론의 대사를 증가시키며 AR와 결합한다; 게다가 장기적인 치료는 피부 5α-환원효소 활동의 감소와 연관된다.

CPA는 강력한 프로게스테론 이지만 신뢰 할만하게 배란(ovulation)을 억제하는 것은 아니다. 그것은 규칙적인 생리를 지속시키고 남자 태아를 여성화할 위험성을 고려하여 임신을 막기 위해 보통 주기적 에스트로겐과 함께 복용된다.

몇몇 복용량 요법(dose regimen)은 지지되어 왔다. 저복용 치료(Dianette, Schering Health)는 35 μg의 ethinylestradiol과 2mg의 CPA를 함유하고 매 28마다 21일 동안 매일 복용하는 경구용 피임약이다. 그러나 모든 복용량 범위(dose-ranging)와 효능 연구는 50 μg ethinylestradiol을 함유한 약제를 사용해서 수행했다 - 이것은 적절할지도 모른다. 왜냐하면 오직 더 많은 에스트로겐 용량만이 SHBG를 증가시키기 때문이다. 현재의 CPA 복용량 권장 사항은 보통 50 또는 100 MG CPA를 10일/주기로 복용하도록 권고한다. 그러나 복용후, 효과가 없다는 사실을 시사하는 많은 복용량-범위에 대한 연구가 이제까지 있어 왔다. 여분의 CPA와 함께 또는 없이 Dianette를 비교하는 객관적인 연구도 전반적인 다모 등급의 감소나 또는 털줄기 지름의 감소 등 어느 한 쪽에서 어떤 차이점도 찾지 못했다.

CPA의 부작용은 체중 증가, 피로, 성욕 상실, 유방통증(mastodynia), 어지럼증, 두통, 우울증 등을 포함한다. 이들 모두는 복용량을 높이면 더욱 빈번히 나타난다. 그것을 사용하는데 있어서 금기 사항(contraindications)은 피임약에 대한 것과 같으며, 흡연, 나이, 비만, 고혈압 등을 포함한다.

스피노락톤 *Spironolactone*, 알닥톤

스피노락톤은 몇몇 항남성호르몬적 약리 성격을 갖고 있다. 그것은 테스토스테론의 생산을 방해함으로써 그것의 생체이용율(bioavailability)을 감소시키고 대사를 증가시킨다. 그것은 AR에 결합되며, CPA처럼 장기적인 치료는 피부 5 α-환원효소 활동의 감소와도 연관된다. 그것은 다모증에서의 치료적 이점을 실증하는 행위 중 하나이다. 19세의 PCOS를 지닌 다모 여성이 합병증인 고혈압에 대해 (하루 200mg으로) 스피노락톤으로 치료를 받았으며, 그녀는 석달 후 자신이 면도를 자주 할 필요가 덜했다고 기록했다. 이 보고는 곧 스피노락톤이 테스토스테론 생산을 감소시키고 주관적인 면에서 다모 여성의 털 성장을 감소시켰음을 실증하는 연구가 뒤따랐다. Spironolactone의 서로 다른 복용량의 일정을 연구한 결과, 매일 또는 주기적(매 4주마다 3주 동안 매일)으로 50과 200mg 사이에서 다양했다.

> 사이프로테론과 spironolactone은 다모증을 억제하는데 있어서 효과는 상당히 동등하다.

코르티코스테로이드 *Corticosteroid*

이들은 선천성 부신 과다형성에 대한 제1 치료법이며, 부신 안드로겐의 생산을 억제할 목적으로 다모 치료에 사용된 첫 번째 내분비 요법이었다. 겉질스테로이드는 혈장 안드로겐 수치를 감소시키는 데에 효과적이었지만 털 성장에 대한 그것들의 치료적 효과에 대한 보고서는 모순적이다.

메드록싸이프로게스테론 아세테이트 *Medroxyprogesterone acetate*

Medroxyprogesterone acetate(MPA)는 생식샘자극호르몬 분비를 차단하는 능력 때문에 무배란 약제(anovulatory agent)로서 도입되었다. 그것은 테스토스테론의 생산을 감소시키고 그것의 대사를 증가함으로써 안드로겐 수치를 감소시킨다.

근육내 주사(매 6주마다 150mg)에 의한 또는 MPA의 피하주사(매 6주마다 100mg)에 의한 국소(0.2% 연고)와 전신 치료를 비교하는 것은 대부분의 환자들에게 도움이 되는 반응을 주었다. 단독으로 주어진 MPA는 월경과다로 연결될 수 있다.

데소제스트렐 *Desogestrel*

이것은 Marvelon 피임약(Organ Ltd)에서 사용된 프로게스테론인데, 이것은 30 μg의 ethinylestradiol과 150mg의 desogestrel을 함유한다. 착수된 모든 연구들은 높은 정도의 환자 만족도와 함께 6-9개월 뒤 20-25%의 털 성장의 주관적 그리고/또는 객관적 감소를 보고했다.

케토코나졸 *Ketoconazole*

이것은 강력한 부신과 난소 스테로이드 합성 억제제이다. 다모에서 그것을 사용한 것에 대한 격리된 보고만이 있어 왔지만 이들은 6개월 후 털 성장이 현저하게 감소함을 실증했다. 그러나 이 치료는, 장기적으로 치료 하는 동안의 간 독성의 위험도를 고려할 때, 권장되는 방법은 아니다.

생식선-방출 호르몬 작용제
Gonadotrophin-releasing hormone agonists

생식선-방출 호르몬(GnRH) 작용제는 LH 생산을 억제하며 이것은 안드로겐 생산을 깊이 억제하는 결과를 낳는다. 이들 약물들은 조사 중이지만 예비적인 연구는 그들은 PCOS를 지닌 여성에서 털 성장과 여드름을 효과적으로 줄인다는 점을 시사한다.

시메티딘 *Cimetidine*

AR-결합 연구에 의해 조정되는 약한 항남성호르몬이다. 특발 다모를 지닌 환자에 대한 연구는 털의 무게를 이용, 털 성장에서의 현저한 감소를 실증한 반면, 오직 약제의 효과로서 주어진 통제된 집단에서는 그러한 효과를 볼 수 없었다.

부로모크립틴 *bromocriptine*

이것은 도파민대항제(dopamine against)이며 그것으로 장기적인 치료를 하면 생리 주기 길이를 조절하지만 12개월에서 다낭 난소를 지닌 여성의 치료에서는 선형 털 성장에 대한 어떤 측정 가능한 효과도 생산해 내지 않았다.

피나스테라이드 *Finasteride*

Finasteride는 효소 5α-환원 효소 유형 2를 차단하며, 그 때문에 테스토스테론이 좀더 강력한 DHT로 전환되는 것을 막는다. 다모증 치료에 도움이 되는 것으로 밝혀졌으며 내성이 있을 수 있다.(well tolerated). Finasteride 5mg을 날마다 사용하면 3-6달 내에 털이 감소하는 것을 관찰할 수 있고, 초기 연구에서는 flutamide와 CPA만큼이나 효과가 있었다; 그러나 경구용 피임제와 함께 사용될 때는 콜레스테롤 수치를 증가시킬 수 있다.[10]

플루타마이드 *Flutamide*

Flutamide는 순수 항남성호르몬제로 작용하며 안드로겐 P450 수용체를 차단의 기능을 가지고 있다. Flutamide 250mg으로 일 주일에 두 번 일 년 동안 치료하면 정상으로 간주되는 Ferriman-Gallwey 수치로 감소됨을 보였다. 부작용으로 간 중독이 올 수 있으며, 관찰을 요한다.

메트포민 *Metformin*

Metformin 같은 인슐린-저하 약물은 PCOS와 관련된 다모증을 치료하는 데에 성공적으로 사용되어 왔다. Metformin은 인슐린 저항을 감소시키고, 유리 테스토스테론 수치를 감소시키고, SHBG을 증가시키고, 체중 감소를 돕는다.

체중 감소
Weight loss

과도한 테스토스테론과 인슐린 저항 때문에, 살을 빼는 일이 PCOS 여성에겐 상당한 도전일 수 있다. 이들 여성들에서 그들의 여분의 체중의 원인은 주로 대사가 원인이며, 많은 사람들이 체중을 줄이거나 유지하기 위해 설계된 저-탄수화물 식이요법을 따른다. 그러나 체중 감소는 식사 조절 변화를 통해 이루어졌으며 운동은 PCOS를 지닌 여성을 대상으로 몇 가지 방식으로 도움을 줄 수 있는데 그 이유는 체중을 감소시키면 심장혈관병과 유형 2 당뇨병의 위험도를 줄이기 때문이며, 이는 테스토스테론의 난소 생산을 감소시킨다.

FURTHER READING

1. Wendelin DS, Pope DN, Mallory SB (2003) Hypertrichosis, *J Am Acad Dermatol* **48:** 161–179.
2. Dawber RPR (2002) Hirsuties, *J Gender Spec Med* **5**: 34–42.
3. Trueb RM (2002) Causes and management of hypertrichosis, *Am J Clin Dermatol* **3(9):** 617–627.
4. Homberg R (2002) What is polycystic ovarian syndrome? A proposal for a consensus on the definition and diagnosis of PCOS, *Human Reprod* **17:** 2495–2499.
5. Simpson NB, Barth JH (1997) Hair patterns: hirsutism and androgenetic alopecia. In: *Diseases of the hair and scalp*, 3rd edn, ed. Dawber RPR (Oxford, Blackwell Science) pp 67–122.
6. Richards RN, Meharg GE (1995) Electrolysis: observations from 13 years and 140 000 hours of experience, *J Am Acad Dermatol* **33:** 662–666.
7. Liew SH (2002) Laser hair removal: guidelines for management, *Am J Clin Dermatol* **3:** 107–115.
8. Barman Balfour JA, McClellan K (2001) Topical eflornithine, *Am J Clin Dermatol* **2:** 197–201.
9. Dawber RPR (1998) Treatment of androgen-related hair disorders: antiandrogens. In: *Dermatologic therapy*, ed. Olsen EA (Copenhagen, Munksgaard) pp 63–67.
10. Wong IL, Morris RS, Chang L (1995) A prospective randomised trial comparing finasteride to spironolactone in the treatment of hirsute women, *J Clin Endocrinol Med* **80:** 233–238.

Chapter 5

원형 탈모증
ALOPECIA AREATA

병인

원형 탈모증(AA)은 영국과 미국 피부과 외래 신환의 2%를 차지한다.

AA는 하나의 원인으로 발병하는 것이 아니고 환자의 유전적 체질, 아토피 상태, 불특정 면역과 장기 특이적인 자가 면역 반응, 그리고 정신적 스트레스 등 여러 가지 원인들이 복합되어 나타나는 질환이다.

스테로이드 국소자극, 광화학요법, 접촉 피부염 유도, 또는 경구 ciclosporin 등 여러가지 다양한 치료법들에 의해 임상 경과는 달라진다.

AA치료에 대한 다양한 연구가 이루어지고 있고, 유전적 소인과 아토피가 예후에 중요한 영향을 주는 것으로 밝혀져 있지만 유발 기전에 대해서는 아직 규명되지 않았다.

AA의 가족력은 4.27%에서 9%까지 보고 되었다. 유전 양식은 다양한 발현성을 지닌 상염색체 우성인 것으로 생각된다. 인종적 요인도 중요하다; 예를 들면 AA는 하와이에 사는 일본인 사이에서 흔한 것이 발견되었다. 동시 발현을 보이는 일부 커플들과 쌍둥이에 대한 몇몇 연구가 있었다. HLA 연구에서는, 일부 계열의 class 1 HLA 표시에서 어떤 증가도 없는 것부터 HLA-DR4와 DR5(DRW 11) 또는 DQ에 이르기까지 증가하는 상충되는 결과를 보였다. 어떤 HLA halotype과 AA 사이에 다양한 관련이 있는 것으로 생각되어진다. 분자 복제가 잘못되었거나, 자가 항원에 직접적인 면역 반응이 생기거나, 특정 halotype의 경우 helper T cell에 더 효율적으로 반응한다. 이미 언급된 일배체형의 일부 조합은 한층 심한 AA 경과와 연관되어 있을지도 모른다. 어떤 halotype은 AA와 연관성이 없었고 일부는 면역요법에 대한 임상 반응이 효과적이었다.

AA와 아토피는 연관성이 많은 것으로 밝혀졌다. AA는 자가 면역에 대한 감수성이 높은 다운증후군과 상당히 연관되어 있다. 병인과 관련된 명확한 장기 특이적 자가 항체는 발견되지 않았지만 AA가 자가 면역질환인 것은 이미 알려져 있다. 면역기전은 자가면역 질환, 체액 면역, 체세포 면역 등 세 분야로 연구되어지고 있다.

갑상선 질환은 AA와 가장 관련이 많은 질환 중 하나이지만, 약 8%에서 임상적 질환을 동반하였고 약 24%에서는 갑상선 기능의 이상만을 보였다.

AA와 관련된 다른 자가 면역 질환은 Hashimoto 병, 악성 빈혈, Addison 병, Testicular atrophy, 백반증, 홍반성 루프스, 류마티스 관절염, 류마티스성 다발성 근육통(polymyalgia rheumatica), myasthenia gravis, ulcerative colitis, lichen planus, candida-polyendocrinopathy 등이다.

AA에서 장기 특이적 항체에 대한 연구는 상충되는 결과를 가져왔는데 이는 환자와 대조군이 적고 방법이 달랐기 때문으로 생각되고 혈중에서 갑상선과 위장의 parietal, smooth muscle cell 자가항체를 발견할 수 있었다.

AA에서 세포 매개 면역(cell mediated immunity)에 관한 연구 역시 결과가 일관되게 나타나지는 않았다. 혈중 총 T-세포수는 감소 또는 정상인 것으로 보고 되었고, 억제 T-세포수는 감소, 정상, 또는 증가하는 것으로 다양하게 보고 되었다. 항원 비특이적이고 항체의존형 세포매개 세포독성 반응에 대해 말초혈액의 임파구가 증가하였다. 다양한 결과들에 다소 모순이 있지만, AA에서 순환 T세포의 수가 감소하고, 증상이 심해질수록, 오래될수록 세포수가 감소하였다. 유사하게 helper T-cell 기능의 손상과 suppressor T-cell 수의 변화는 AA의 활성도를 반영한다.

자가 면역에 대한 강력한 증거는 모낭내와 주위에 림프구 침윤이 일관되게

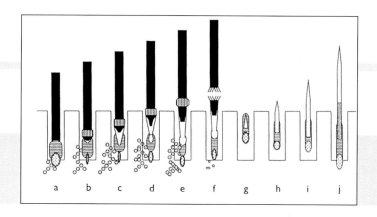

그림 5.1
원형 탈모증. 성장기의 어느 때이든 모낭은 림프구에 의해 시작된 염증 진행의 중심이 될 수 있다(a). 침입 림프구가 모낭 구조로 통과되는 것의 결과와 세포독성 물질의 국소 전달은 진피 유두가 갑자기 줄고, 정상 각화와 색소침착 분화 프로그램의 정지, 외모근초의 세포자멸체의 유발과 털줄기의 협소화이다(b). 침윤물의 밀도는 시간과 함께 증가하고 림프구의 혼합 개체군은 모낭에 대해 독성 상태를 계속해서 구성한다(c). 가속화된 휴지기 단계가 시작된다(d). 모발이 위로 움직일 때, 부서지기 쉬워진 분절(정상 분화 과정의 갑작스런 정지의 결과)은 두피 표면에 이르며(e), 이것은 모발이 부서지는 것으로 귀결된다(f). 그러한 모발을 검사하면, 마치 느낌표처럼 생겼다: 이것이 탈모증 확산 반들의 질병 특유의 징후이다. 염증이 줄어들 때 새로운 모발 주기가 시작하면(g), 가늘고 새롭게 합성된 털 줄기는 두피 표면에서 합해진다(h). 비록 침윤물이 자연발생적으로든 또는 치료 후이든 사라진다 해도, 솜털(h)은 결국 종말-유형의 털로 더 자라거나(i,j) 또는 짧은 솜털 주기 이후 모낭은 종말 유형의 색소성 털줄기를 시작한다. 면역 과정은 그러나 AA의 활성 과정의 모낭을 유지할 수 있을지도 모른다. 만약 그렇다면 모발 주기는 성장기 단계3-4 이상으로 진행하지 않는다(g). 만성적인 단계는 침윤물이 뿌리가 아래로 진행하는 것을 막을 때 발달할 것이다. 매우 짧은 모발 주기는 임상적으로 눈에 보이는 모발을 만들지 않고 발생할 수 있다(g-h-g-h를 반복).

발견된다는 것과(**그림 5.1 5.2**) 주변에 Langerhans' 세포가 발견되는 점이다. 접촉 알레르기 항원 DPCP(diphencyprone)와 경구용 및 국소 미녹시딜로 치료한 환자의 두피를 생검하면 AA 부위의 모낭 주변부에 T-cell 이 감소되었으나, 치료 후에도 다시 자라지 않는 부위에는 특별한 변화가 없었다. 직접 면역 형광 검사로 AA의 모낭에서 다양한 항체가 발견되었으나 논란이 많다. AA 환자의 두피 생검 조직의 일부 체외 실험에서는 임파구의 변화가 없었으나, 다른 활성 병변이 있는 AA 환자의 모낭 피질의 상피 세포에서는 MHC type 2 Ag HLA-DR 이 표현되었다. 이로써 세포는 감작된 MHC-restricted T-inducer cells을 통해 자가 특이 표면 항원을 나타낸다.

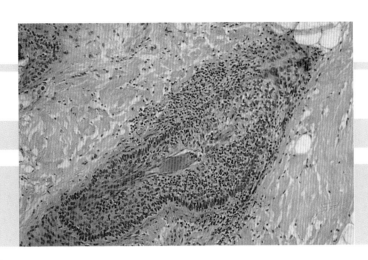

그림 5.2
원형 탈모증 - 림프구
'무리' 에 둘러싸인
퇴행기 모낭.

AA는 장기 특이적 자가 면역질환(organ-specific autoimmune disease)이다. 유전적 감수성, 장기 특이적 항체의 증가, T세포의 면역반응 조절의 변형과 관련이 있다. 대부분의 장기 특이적 자가 면역 질환과는 달리 모낭 세포에 직접적인 특별한 원인과 활동에 대한 임상적 연구가 더 진행되어야 한다. 전향적인 장기적 연구가 필요하며, 임파구와 질병 활성도의 관계에 대한 연구에 관심을 가져야 한다.

AA의 일부 환자에서 스트레스가 중요한 유발 요인임을 시사한다. Rorschach Test를 통한 객관적 평가에서 AA환자의 90% 이상이 심리적으로 비정상이고 29%가 AA의 발병과 경과에 영향을 줄 수 있는 정신적 요인과 가족 상황이 있었다. 암시와 수면 요법은 스트레스 가설을 지지해준다. AA에서 Bernereuter 인성 지수는 '열등감, 내성, 격려에 대한 필요성' 을 보여 주었으나 이것이 AA의 발병에 연관이 있는지 단지 AA 환자의 행동상의 결과인지에 대한 것은 아직 명확하지 않다.

AA 병변을 유도하기 위한 실험은 만족할 만하지 못했다. athymic 또는 SCID 생쥐가 AA 연구용으로 유용하다. 공여부 이식편에 혈청 성분을 이식했을 때는 이식된 두피의 모발 성장에 특별한 영향을 미치지 않았으나, 특정 인간의 동종 T 세포를 이식하였을 때는 모발 성장에 영향을 주었다. T 세포 활동의 강력한 조정 역할을 하는 ciclosporin A는 누드 생쥐에서 모발의 성장을 촉진하였다. AA와 전신 탈모증(Alopecia universalis) 환자로부터 생쥐로 성공적으로 이식된 두피에서의 모발 성장이 ciclosporin에 의해 촉진되었다.

두 가지 소견 모두 병리적 침착물에 의한 간접적인 결과이다. 이식된 두피에 침윤된 세포가 희석되면 모발 성장 억제 작용이 완화된다. 이는 ciclosporin A에 의해 더 촉진된다. alopecia rat(DERB) 실험이 흥미로운데, 이 쥐는 모낭내와 주위의 현저한 침윤과 연관되어 탈모가

> **원형 탈모증은 특정 자가 면역 질환이지만 확정적인 것은 아니다.**

진행된다. 하지만 동물 모델들은 각각의 생물학적 특징을 연관하여 평가하여야한다. DERB 쥐의 경우 항체보다 세포 침윤이 먼저 나타나는 반면, C3H/HeJ 생쥐의 경우는 반대로 나타난다. 흥미롭게도, 설치류 모델에서 AA에 이환되지 않은 동물에 AA에 이환된 두피를 이식하면 두피를 이식받은 동물에서 범발성 AA가 진행되었다. 확실히 규명된 것은 아니지만, AA에 이환되지 않은 이식편을 AA에 이환된 부위에 이식할 경우 AA가 이식된 정상 모낭으로 진행되는 것은 국소 침윤물의 중요성을 의미한다.

병리학과 병역학

AA는 모낭 이행부 심층의 염증성 침윤으로 시작되는 것으로 생각되어진다. 이는 가역적인 상태임을 의미하기도 한다. AA는 원심성 파동 양상으로 주위 모낭으로 진행되어 조기에 퇴행기, 휴지기로 진행된다(**그림 5.1**). 생장기/휴지기 비율은 질병 진행의 단계 및 유병 기간에 따라 상당히 다양하다. 질병 초기 경과에 취한 조직편의 대부분은 휴지기나 퇴행기 후기의 모낭들이다. 일부 생장기 털망울(hair bulb)은 정상보다 진피 상부층에 위치해 있다. 털망울 주위에 임파구 침윤이 생기고 이는 질환 초기에 침윤이 더 치밀하며, T-세포가 월등히 많고 Langerhans' 세포 또한 증가되어 있다. 모발이 재생하는 동안 침윤은 사라지지만 그 과정이 어떻게

이루어지는지는 밝혀져 있지 않다. 병변 부위의 모낭수는 감소하지 않는다. 내모 근초가 표피 각화없이 원뿔 모양의 초기 표피 분화가 이루어지면 생장기는 중단된다. 이 시기가 생장기 3단계에 해당되며 배아 발달기(embryonic development) 3단계에 해당된다. 감탄부호 모발이 특징적인 소견이기는하나 항상 나타나는 것은 아니다. 이 특징적인 모발은 직경이나 색소는 정상이나 끝이 지저분하고 쉽게 부서진다. 모발의 끝이 부러진 나머지 부분은 모낭쪽을 향해 가늘어지면서 감탄부호 모양이 된다. 모발이 재성장 하는 부위의 일부 모낭에는 가는 모간이 다수 나타나게 된다. 모낭내와 주위에 치밀한 임파구 침윤이 지속적으로 보이는 특징적인 조직학적 소견을 보인다. 모낭의 상부 영구 부분에도 생장기나 휴지기에 임파선 침윤이 있는 것으로 보인다. 생장기 모낭의 손상은 생장기 3단계 피질의 각질세포에 국한되어 나타난다. 이 연구의 확대로 AA의 조직학적 특징, 감탄부호 모발의 형성과 비파괴적인 질병의 특징을 설명할 수 있는 가설적 모델이 제안되었다.

AA를 전자 현미경으로 보면 진피 유두 상극부의 기질 세포와 피질 세포에 대한 비특이적인 손상을 볼 수 있다. 유두부 기질 상층부의 퇴행성 변화와 세포내 HLA-DR의 이상 표현이 나타난다. 특히 precortical matrix에서 HLA-DR 항원이 나타나는 것은 AA의 병리적 기전상 중요하며 AA 질병 경과에 중요한 병변 부위가 됨을 말해준다.

Precortical matrix와 presumptive cortex의 세포 손상으로 모발 주기에 변화가 생긴다. AA가 생장기 모낭에 영향을 미치지만 기질에서 세포 분열이 갑자기 중단되지는 않는다. 그리고 흰머리가 왜 AA의 영향을 받지 않는가는 의문으로 남아 있다(**그림 5.3**). 일단 휴지기 모낭은 AA의 공격에서 안전하다고 생각하지만, 다시 생장기로 진입할 때 재공격을 받게 되고 생장기가 끝나고 조기에 휴지기로 진행하게 된다. 이처럼 AA는 주기적으로 변화되는 과정을 보이게 되고 모낭 또한 영구적으로 파괴되지는 않는다. 정상 휴지기 모발에는 다양한 양상을 볼 수 있는데, 변형된 모발이나 감탄부호 모발은 병리적 손상 정도에 따라 모낭이 세 가지 다른 방법으로 반응을 나타내는 것으로 보인다. 가장 심한 경우에는 각질부의 모발이 손상되고 약해지며 모낭은 퇴행기와 휴지기로 진행된다. 이 경우 각질부가 두피에 이르면 부서지게 되는데 이것이 감탄부호 모발이다. 이 반응과 달리 모낭이 정상 퇴행기로 진행되어 곤봉모양의 모발로 떨어질 수 있는데 이것이 변형 생장기 모발(dystro-

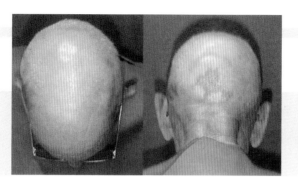

그림 5.3
합쳐진 안드로겐 유전성 탈모증과 AA.
이 남자의 정수리에서 색소성 털 섬의
보존에 의해 병이 한층 눈에 띈다. 비록
머리가 벗어지는 것이 모발 주기와는
덜 연관이 되어 있으나 그것이 AA의 확
장을 막는 것은 아니다. 그것은 AA를
임상적으로 덜 눈에 띄게 한다.

phic anagen hair)이다. 마지막으로 일부 모낭은 약간의 손상만 받고 생장기의 성장을 계속하기도 한다. 최근 증거에 의하면 AA는 모발 주기중 생장기에만 손상을 받는 것으로 알려져 있다. 모발 성장은 세포 분화를 비롯한 색소의 재활성화, 여러 수용체의 조절, 그리고 생물학적 분비물(e.q growth factor) 등이 관련되어 있다. 색소 침착과 성장에 관여되는 국소 환경(local ecosystem)의 극적인 변화로 인해 면역 세포의 면역 재활성이 유발되는 것으로 생각되어진다.

AA의 경과에 따라 침적물의 양상이 다양하나 T4/T8의 비율은 positive이다. HLA class 2항원과 ICAM-1이 과도하게 표현되는 등의 모낭 미세 환경에 큰 변화가 생기는데, 이러한 변화는 특히 모발의 기질. precortical cells과 진피 유두 세포에서 두드러진다.

미세혈관계에서는 내피세포간, 내피세포와 백혈구(ICAM-1, ELAM-1, VCAM-1)간의 접촉 분자가 많아져서 진피로의 진행이 용이하게 해준다. 이들 구획은 서로 연결되어 있어 전신적인 영향을 주게 된다.(활성화된 T세포 숫자와 증식 지수의 증가, IL2 수용체 증가)

활성화된 T세포에 의해 유리된 cytokine에 의한 일련의 1, 2 차 반응은 확실하지 않다.

대부분의 학자들은 AA를 임상병리학적 질환군으로 생각하지만, AA가 다양한 질환과 연관되어 있고, 질병 경과를 예측하기 어려운 점들을 고려하면 AA는 이질성(heterogenous) 임상 증후군으로 보는 것이 더 타당해 보인다. Ikeda 분류는 네델란드와 영국의 연구에서 AA의 유형별로 지리적 발병율이 다른점과 AA의 탈모외 임상 증상을 고려하여 4가지 유형으로 분류하였다.

유형 1 : The common type 흔한 유형으로 환자의 80%를 차지하며 20-40세에 호발하고, 3년 이하의 경과를 거친다. 대체로 6개월 이내에 모발이 다시 자라고 약 6%에서 전두 탈모로 진행된다,

유형 2 : The atopic type 아토피 유형으로 환자의 10% 정도이다. 소아기에 주로 발병하고 10년 이상 진행되는 양상을 보인다. 병변은 1년 이상 지속되는 경향이고 약 75%에서 전두 탈모로 진행한다.

유형 3 : The prehypertensive type 전고혈압 유형, 환자의 4%를 차지하고 주로 젊은 성인에서 발병하며, 급속히 진행하는 경과를 거치고 약 39%에서 전두 탈모로 진행한다.

유형 4 : The 'combined' type 혼합 유형. 환자의 5%를 차지하고 주로 40세 이상에서 발병하며 장기간 진행되고 약 10%에서 전두 탈모로 진행한다.

대부분의 저자들은 아토피가 있으면 예후가 불량하고 완화율도 느리다고 생각한다. AA에 관한 대부분의 책들은 AA를 단일 질환으로 생각하고 아래의 임상 기술도 그러하다. Ikeda 분류가 아직 질병에 타당하게 접근할 수 있도록 광범위하게 이용되고 있지는 않지만 이 유형별 분류는 임상적, 예후적, 치료적 요법에 유용하게 쓰일 수 있을 것이다. 나이와 성별에 따른 통계는 병원 방문 횟수를 기준으로 한 것이어서 정확한 AA의 빈도를 나타낸다고는 할 수 없다. 성별 발병 빈도를 보면, 남성이 3대 1로 많은 것, 동일한 것, 여성에서 두 배 더 흔한 것에 이르기까지 다양하다. 이태리의 한 연구에서는 AA를 가진 213명의 어린이 중 1% 미만에서 1세 이전에 발병하였고, 4-5세에 발병률이 가장 높은 것으로 나타났다. 북미에서는 2세 이전에 발병하는 경우가 2% 미만이였다.

요약하면, AA의 모든 임상적 유형을 한 범주로 묶는다면 대부분 국가의 병원 통계에서 남녀별 이환율이 동일했고 어느 연령에서도 발병할 수 있으며, 20-50세 사이에 가장 높은 발병율을 보였다.

임상적 특징

AA의 초기 병변은 주로 완전히 탈모된 부드러운 표면을 나타내며 국한된 양상이다. 병변은 주로 환자 자신보다 부모나 미용사, 친구에 의해 발견되는 경우가 많다(그림 5.5). 약간의 염증이 생기고 분홍색을 띠며 다소 부기가 생긴다. 두피는 탄력이 훨씬 더 좋아지는데 염증에 의한 이차적인 현상인지, 병변 부위에 모발이 없어서인지는 알 수 없다. 병변 가장 자리에 감탄부호 모발이 있고(그림 5.6, 5.7), 정상으로 보이는 모발도 쉽게 뽑아진다. 이후의 진행은 매우 다양하다. 초기 병변에서 모발은 수개월내 다시 자라거나, 수주 간격으로 다른 병변이 생기기도 하며, 병변이 주기적으로 나타나기도 한다(그림 5.8). 여러 개의 흩어져 있는 병변들의 남은 모발이 빠지면서 급속히 합쳐진다(그림 5.9-5.19). 일부 증례에서는 발병 이틀 만에 확산성 탈모가 진행되고 두피가 벗어지는 경우도 보고 되었다. 확산성 탈모는 대머리로 진행하지 않더라도 두피의 일부 또는 전체에서 나타날 수 있다. 다시 자라나는 모발은 가늘고 무색소이지만(그림 5.19) 점차 모발은 굵어지고 정상적인 색깔로 된다. 한 부위에는 병변에서 모발이 다시 자라는 반면, 다른 부위에서는 병변

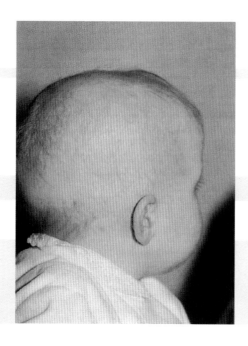

그림 5.4
아동에서의 전체 탈모증.

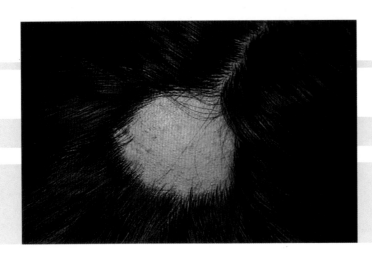

그림 5.5
원형 탈모증 - 단일 반.

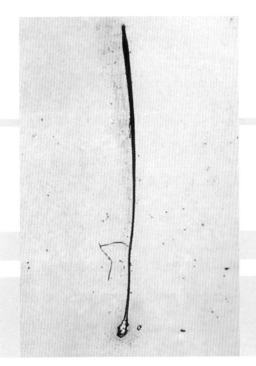

그림 5.6
활성 부위에서의 곤봉털.

그림 5.7
너덜너덜한 끝을 보여 주는
활성 부위로부터의 곤봉털
(스캐닝 전자 현미경도).

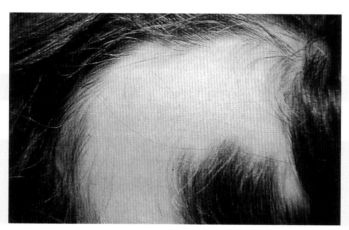

그림 5.8
원형 탈모증 복수의 인접
반들.

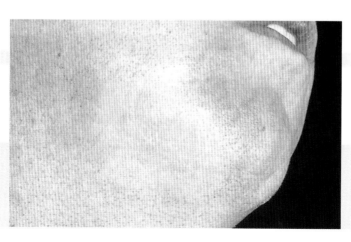

그림 5.9
원형 탈모증 - 수염 반.

이 진행되는 양상을 보인다.

증례의 60% 이상에서 두피에 가장 먼저 병변이 생긴다. 검은 모발인 남자의 탈모 부위 병변은 특징적으로 먼저 눈에 띄게 된다. 눈썹이나 속눈썹은 AA 병변이 잘 생기는 부위이고 그 부위만 AA의 침범을 받는 경우도 있다. 전두 탈모증 (alopecia totalis)은(그림 5.4) 두피의 모발이 모두 빠지는 것이고 전신 탈모증 (alopecia universalis)은 전신의 모발이 모두 소실되는 것이다. 사행성 원형탈모증 은 두피 변연부를 따라 뱀모양처럼 진행되고 후두부에서 시작된다(그림 5.16). 두 부 손상 후에 신체의 절반에서만 AA가 진행되는 경우가 보고 되기도 했다.

> 원형 탈모증은 색소침착된 모발을 선택적으로 공격하고 급격히 머리가 하얗게 될 수 있다.

경과

AA 환자들의 치료 전망은 실제로 그다지 낙관적이지는 않다. AA의 이질성 (heterogeneity)으로 여러 나라에서 예후가 다양하게 보고 되었다. 시카고 연구에 서 보면 33%에서 초기 이환 기간이 6개월 미만이었고, 50%에서는 1년 미만이었으 며, 33%는 초기 이환된 후 회복되지 못하였다. 230명의 환자중 86%에서 재발이 되 었고, 20년내에서는 100% 재발되었다. 사춘기 전에 AA가 발병한 50%에서 완전히 대머리가 되었으며 다시 회복되지 않았다. 이와 대조적으로 사춘기 후에 발병한 경 우는 약 25%에서 완전 대머리가 되었고, 5.3%에서는 다시 회복되었다. Mayo 클리 닉의 조사에서는 전두 탈모증에 이환된 성인의 10%, 소아의 1%에서 완전히 회복됐 음을 보고 하였다. 다른 연구에서는 전신 탈모의 10-50명에서 완전 회복되었다고 보고 하였고, 사춘기 전 발병시 예후가 불량하였다. AA의 어떤 경우에도 예후를 정 확히 예측하기는 어렵다. 어떤 AA여자 환자의 경우는 16세에 완전 탈모가 되었고, 이후 여덟 번의 출산 후 50세에 모발을 다시 회복한 경우도 있었다.

아토피 상태에서 AA가 발병하면 예후가 불량하고, 사춘기 이전에 전두 탈모

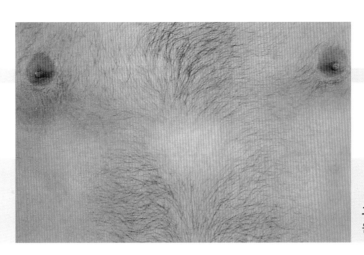

그림 5.10
원형 탈모증 - 흉부 병변.

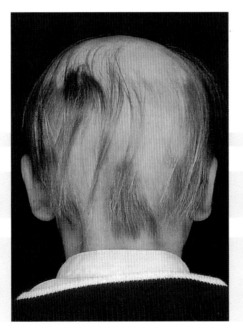

그림 5.11
원형 탈모증 - 광범위 양상.

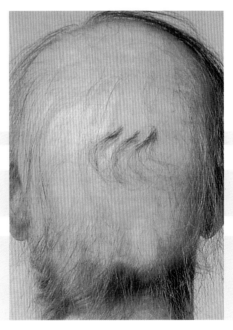

그림 5.12
원형 탈모증 - 광범위 양상.

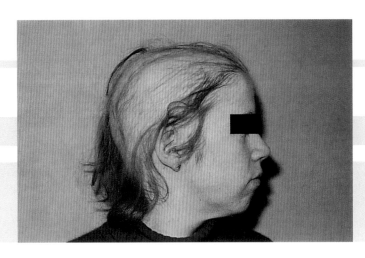

그림 5.13
원형 탈모증 광범위 양상.

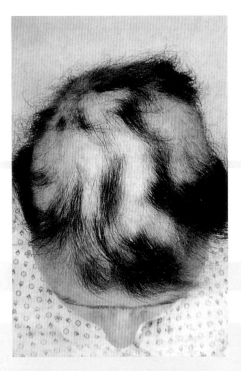

그림 5.14
원형 탈모증 - 그물 양상.

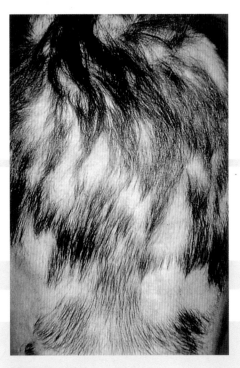

그림 5.15
원형 탈모증 - 그물 양상.

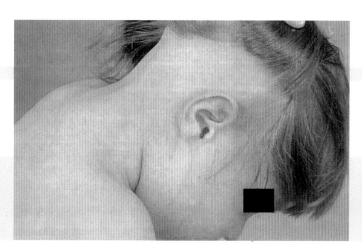

그림 5.16
원형 탈모증 연변원형탈
모증 유형.

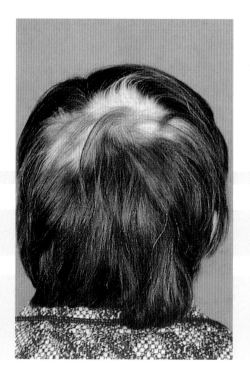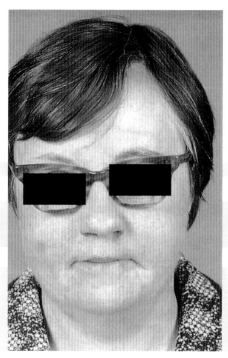

그림 5.17
(a, b) 갑상샘저하증을 지닌 다운 증후군 환자에서 원형 탈모증.

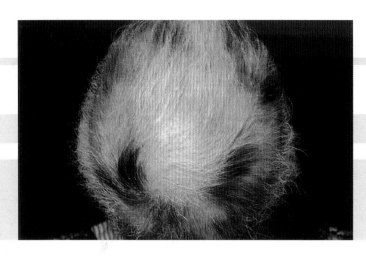

그림 5.18
원형 탈모증 - 반점형으로 무색소 모발이 다시 자람.

가 생기면 모발이 다시 자라는 것은 상당히 어렵다. 아토피가 없고 6개월 이상 국한되어 있다면 어느 연령층에서 발병하더라도 상당히 예후가 양호하게 된다. 아토피와 관련된 사행성 AA는 예후가 좋지 않은 것으로 되어있다.

원형탈모증에서 흰머리

흰모발은 초기에는 AA의 영향을 받지 않아서 갑자기 AA가 진행하는 환자의 경우에는 며칠만에 머리가 하얗게 시어버리는 것처럼 보이게 된다(**그림 5.19**). 이러한 현상은 몇몇 역사적으로 유명한 인물에서도 보고되었다. 다시 자라는 모발도 가끔 일시적으로 색소 침착이 되지 않은 상태로 나오기도 한다(**그림 5.17 5.18**).

연관된 임상적 변화

조갑

AA환자의 7-66%에서 조갑변형이 동반된다고 보고되었다. 조갑이 심하게 변형되는 경우부터 전반적으로 조갑이 얇아지는 경우까지 다양한 변화가 생겼다(그

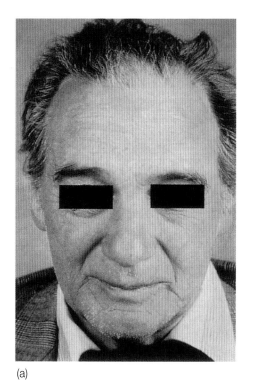

(a)

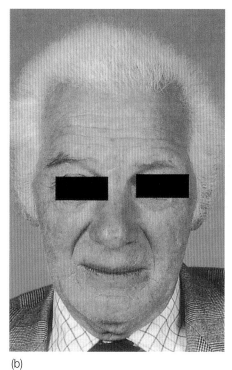

(b)

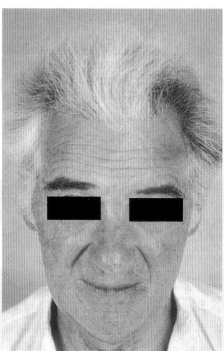

(c)

그림 5.19
(a) 보통 환자. (b) 2주 뒤 급속하게 셈. (c) 약간 다시
자람.

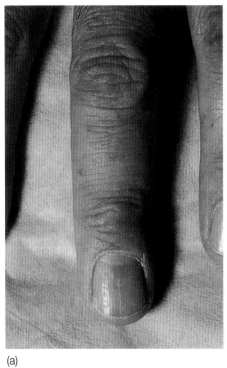

(a)

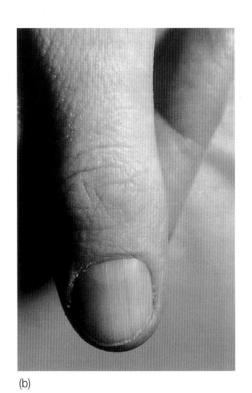

(b)

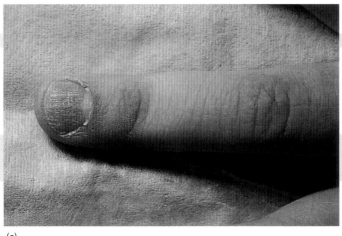

(c)

그림 5.20
(a-h) AA와 연관된 손톱 변화 스펙트럼.

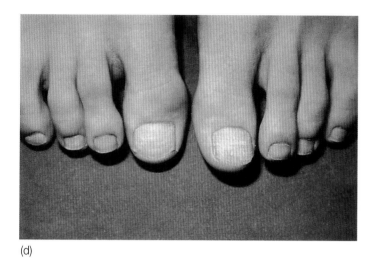

(d)

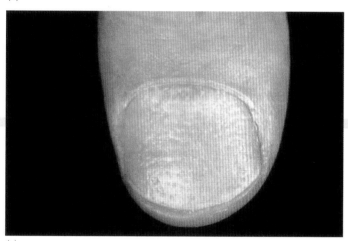

(e)

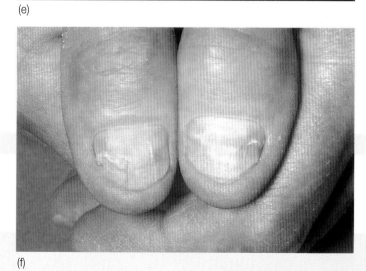

(f)

그림 5.20 계속

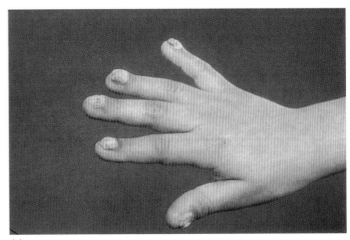

(g)

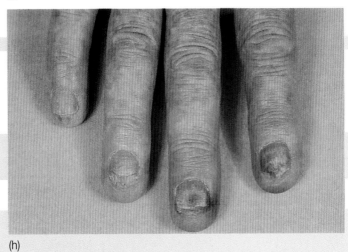

(h)

그림 5.20 계속

림 5.20). AA로 인한 변형은 한 개의 조갑에만 올 수도 있고, 여러 개의 조갑에서 나타날 수도 있다. 육안적인 변형의 정도가 모발 손상 정도와 비례한다고 한다. 조갑이형증(onychodystrophy)은 AA보다 먼저 나타나거나 후에 나타날 수 있다. 일부 AA 증례에서는 조갑 변형만 임상 증상으로 나타나는 경우도 있고 모든 조갑에 변형을 가져오는 경우도 있다(20-조갑 변형증, 20-nail dystrophy) 조갑 표면은 세로로 갈라지거나(onychorrhexis), 교차균열(cross-fissure), Beau 선, 일정한 구멍의 가로션이 나타나는데 이는 건선(psoriasis)에서 나타나는 증상과 유사하다.

눈

전두부 탈모증과 백내장과의 연관성에 대한 보고가 많다. 한 연구에서는 AA 환자 58명과 대조군에서 무증상의 점수정체 혼탁(punctate lens opacity)이 동일한 빈도로 나타났다. Horner 증후군, Ectopia of pupil, 홍채위축(iris atrophy), tortuosity of the fundal vessels 도 AA와 연관되어 있을 가능성이 많다.

감별 진단

AA의 임상적 특징은 두피가 깨끗하고, 모낭이 열려있으며, 갑작스럽게 단독 또는 좀더 광범위한 탈모 병변이 생겼다가 자연적으로 모발이 다시 나는 비위축성 탈모이다. 다른 질환을 가진 일부 환자들이 AA로 잘못 진단될 수도 있다. Triangular alopecia of Sabour, atrichia with papule or Marie-Unna hypotrichosis, symmetrical seborrhoea-like dermatitis 등이 AA와 감별되어야한다. 감별이 어려운 경우에는 조직 검사를 하고 임상의와 병리학자가 공동으로 감별 진단하기도 한다.

치료

AA 질환의 다양성으로 인해 치료 또한 다양하다. 이러한 문제로 인해 연구 가들은 치료가 어렵고 비교적 안정된 경과로 진행하는 전두 탈모나 전신 탈모 환자 들을 선택하는 경향이다. AA와 전신탈모, 전두 탈모가 확실한 연관이 있지만 AA의 치료 효과를 검증하기에 좋은 모델은 아니다. AA와 전신 탈모,전두 탈모를 동질성 (homogenous)의 질환군으로 보기는 어렵기 때문이다. Ikeda 유형 1은 경과가 비 교적 양호하며 자연 완화율이 높고 약 6%에서 전두 탈모로 진행되는 반면, Ikeda 2

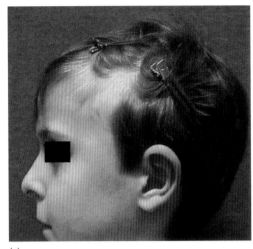

(a)

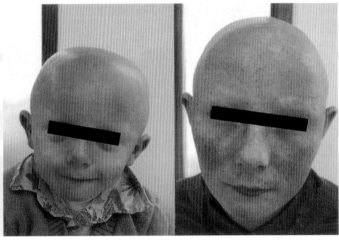

(b)

그림 5.21
이따금씩 환자들은 AA로 제안된 진단과 함께 진료 의뢰된다. 감별 진단에는
빈번하게 Sabouraud의 삼각 탈모증(a)과 구진을 지닌 atrichia 같은 유전적
질환의 더 많은 증례들(b)과 Marie-Unna 털과다증(c) 또는 후천성으로 매우
특이하고 중증으로 대칭적인 흉터 지루와 비슷한 피부염(d)를 포함한다.

형의 아토피 유형은 75%에서 전두 탈모로 진행한다. 향후 임상 연구에서는 아토피
환자를 제외하는 것이 더 유용할 것으로 생각된다.

AA에 대한 보편적인 치료가 아직 정립되지 않았다는 것은 매우 안타까운 현
실이다. 치료는 아래 네 가지 방법에서 다양하게 시도되고 있다.

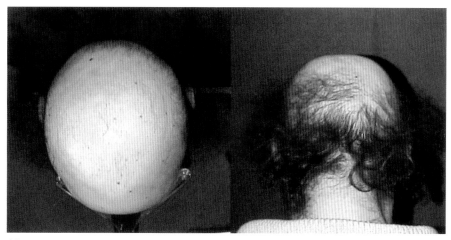

(c)

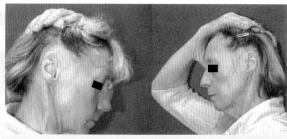

(d)

그림 5.21 계속

1. 비특이적 자극제 예) dithranol, phenol

2. 면역 억제제 예) 전신 스테로이드, PUVA

3. 면역 증강제와 억제제 예) 접촉 피부염 유도제(topical diphencyprone),
   ciclosporin A, inosiplex

4. 작용 기전을 알수 없는 약물 예) minoxidil

역자극제
Counter-irritants

많은 자극제들이 AA에 시도되고 있지만 임상적 효과가 입증되지는 않았다.

phenol, benzoyl benzoate, UBV의 효과 역시 정확히 알 수 없다. 하지만 dithranol 에 대한 주장은 약간 과학적 근거를 가지고 있는데 증증 AA환자에서 25%가 미용적 효과가 좋았다. 환자들은 소양증, 국소 홍반, 각질을 호소하기도 했다. 모낭 사이와 모낭내의 각질세포 그리고/또는 외모근초 세포에서의 cytokine 방출이 염증 반응의 완화를 유도하는 중요한 과정이라 생각된다.

전신 스테로이드

전신 스테로이드는 AA의 많은 증례에서 정상적인 모발 재성장을 유도하였다. 모발은 갑자기 색소침착이 다시 이루어지고 끊김없이 두터워진다. 스테로이드는 잠재적 부작용이 많은 약이라 처방에 논란이 있고, 또한 대부분의 증례에서 치료를 하는 동안, 또는 금단후 일정 시기에 재발하기 때문이다. Prednisolone은 하루에 100mg까지 처방이 권장되고 있으나, 전신적인 부작용이 나타날 수 있다. 환자의 2/3 이상에서 치료 중단 후 탈모를 격게 될 것이다. 이러한 문제점들로 인해 의사들은 전신, 국소, 병변내 스테로이드의 혼합 요법을 시도하게 되었다. 몇몇 특별한 AA 환자 외에는 전신 스테로이드를 고려하지 말아야 하고, 꼭 써야 될 경우라면 이차적 부작용에 대한 충분한 설명을 하고 동의서를 받아야 한다. 경미하고 유병 기간이 짧으며 젊은 연령층에서 스테로이드 pulse 요법이 더 효과적이지만 의학적으로 권장할 만하지는 않다. 이는 고농도의 스테로이드를 반복하거나 만성 스테로이드 치료를 함으로써 모발이 영원히 나기를 바라는 잘못된 바램을 가질수 있고 그러는 동안 스테로이드로 인한 부작용은 계속 누적되기 때문이다.

> 원형 탈모증을 치료하는 가장 좋은 방법은 치료를 시작하지 않는 것일 수도 있다!- 아무 치료도 않는 것도 특정한 '치료' 일 수 있다.

국소적, 병변내 스테로이드

전신 스테로이드의 위험을 줄이려는 의도로 국소적, 병변내 투여를 시도하게 되었다. Flucinolone, halcinonide clobetasol propinate의 국소 효과에 대한 많은 주장이 있어 왔다. 지속적인 모발의 재성장은 자연발생적으로 일어날 것으로 여겨졌던 증례들에서 발생한다. 일부 증례에서는 모낭염과 여드름이 발생하기도 한다.

병변내 스테로이드 사용은 더 효과적이지만, 제한적인 적응증을 가진다. 병변내 triamcinolone을 많이 사용하며 바늘 주사나 분사 주사에 의해 주입된다. 병변내 스테로이드는 AA 치료에 있어서 유용하다. 병변내 스테로이드는 미용상 보기 흉하거나 가리기 어려운 AA의 국한된 병변에서 모발의 재생에 유용하며, 전두부 탈모증에서 눈썹의 재생을 유지시키는 데 사용할 수 있으나, 이때는 눈의 스테로이드 부작용을 피하도록 세심한 주의를 기울여야 한다. 주사시 높은 압력을 가했을때 시력 손상이 보고 되기도 하는데, 이 시력 손실은 관자 부위에 높은 압력을 가했을 때 결절로 인한 눈동맥의 허혈로 인해 발생한다. 높은 압력을 가하여 주사하면 가장 저항이 적은 선을 따라 있는 스테로이드 결정을 함유한 액체를 밀어내게 되는데, 이것이 혈관의 순환을 변화시키게 된다. 병변내 스테로이드 주입시 주사 부위에 국한되어 보기 흉한 피부 위축이 올 수 있다(**그림 5.22**).

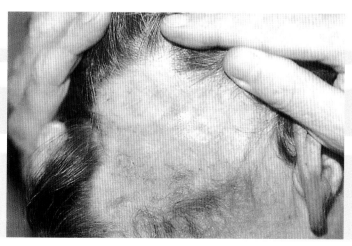

그림 5.22
병변내 스테로이드와 함께 AA를 과도하게 치료함으로써 생기는 두피 위축.

국소 면역 요법

부분적이거나 중증의 AA 환자 두피에 접촉성 피부염을 유발하는 강력한 감작 화학물을 쓴 경우 모발의 재성장이 이루어졌다(**그림 5.23-5.25**). Dinitrochloro-benzene(DNCB), squaric acid dibutyl ester(SADBE), diphencyprone(DPC)에 좋은 반응을 보인 경우가 많았고, primula obconica 식물의 추출물에 반응을 보인 경우도 보고 되었다. 많은 임상 연구에서 10-78%의 치료 효과를 보였고, 국소 AA에서 가장 효과가 좋았으며, 전두 탈모와 전신 탈모에서는 효과가 좋지 않았다. AA의 가족력을 지닌 환자들, 아토피가 있거나 가족력을 지닌 환자들, 접촉 피부염 유도에 실패한 이들은 모발의 재성장이 잘 되지 않았다. DNCB는 돌연변이 유발과 발암성이 보고되어 사용에 제한을 받게 되었다. 가장 최근 연구에서 DPC에 좋은 결과가 보고 되기도 했지만 전혀 효과를 보지 못한 경우도 있었다. 이러한 감작제가 다루기 힘들고, 치료를 행하는 의사, 약사, 간호사 그리고 환자와 치료받은 피부를 접촉할 지도 모르는 사람들에게 문제를 일으키지는 않는다.

AA에서 접촉성 감작 작용의 기전은 아직 확실하지는 않다. 국소 면역 기전은 많이 제시되어 왔다. T세포가 병변으로 모이는 것으로 제안되어 왔다. 국소적인 항원 경쟁이라는 제안도 있었고, 다른 연구자들은 AA에 반응하는 세포를 억제하기 위한 비특이적 억제 기전이 활성화된다는 제안도 하였다. 역시 cytokine 분비를 통한 상피의 자가 분비 기전의 조절을 통해 효과가 나타나는 것으로 생각되어진다.

> **가장 좋은 예후를 지닌 환자를 치료하는 것이 가장 합당하다.**

AA의 치료에서 국소적 접촉 감작 요법은 소양증, 부종(특히 전두부와 눈꺼풀), 삼출성, 수포, 이차 감염과 두드러기 등의 부작용이 있다. 전두부 탈모증의 반응은 만족스럽지 못하며, 치료로 인한 부작용이 이득보다 많아서, 거의 완전한 탈모와 오래 지속된 반점(patchy) 탈모에서만 제한적으로 시도해 볼 수 있다.

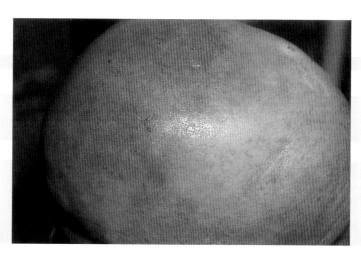

그림 5.23
전신 탈모증-국소 DNCB
요법을 따르는 어떤 재성
장도 없음.

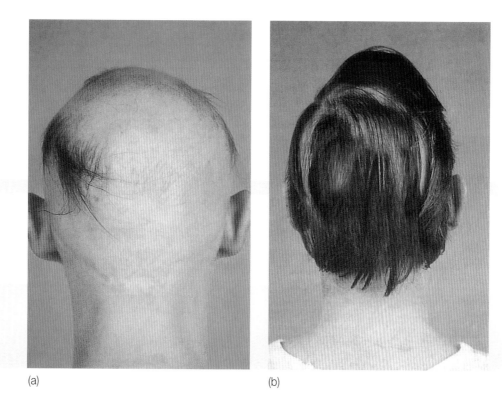

(a)   (b)

그림 5.24
(a) 원형 탈모증, 국소 diphencyprone(DPC) 치료를 받기 전의 거의 원형 탈모증. (b) DPC 치료를 시작한
후 4개월.

광화학 요법
photochemotherapy

    AA 환자에 8-methoxypsoralen(8-MOP)과 햇빛으로 모발 재성장이 된다. 8-MOP과 UVA(PUVA)를 함께 사용 했을 때 환자의 60%에서 성공적인 것으로 보고 되었다. 프랑스의 한 연구에서는 오직 전신 조사(irradiation)에서만 반응이 좋았다. 환자의 약 30%에서 반응을 하지만 효과를 얻기 위해서는 20-40회의 치료가 행해져야한다. 치료가 중단된 모든 환자에서 50-90%의 높은 재발율을 보였다. 전두 탈모는 반응이 좋지 않았다. PUVA는 피부내의 국소 면역 반응에 많은 효과를 지니며 이들은 AA에서 PUVA의 작용에 중요하다. 국소 haematoporphyrin과 UVA의 치료 효과는 아직 정확히 검증되지 않았다. PUVA를 부분적으로 조사하는것보다 전신에 조사하는 것이 더 효과적이지만, 조사량이 몇백 주울(joules)이상이 되므로 사용에 제한이 있다.

Minoxidil

    미노시딜(2-4-diamino-6-piperidinopyrimidine-3-oxide)은 항고혈압제로 쓰이는 강력한 혈관 확장제이다. 경구용으로 쓰는 것은 가역적이긴 하지만 얼굴,팔, 다리 등에 다모증 등을 유발하여 미용상 사용하기 어렵다. AA환자에서 국소 미녹시딜 사용시 이중 맹검법으로 조사한 치료 효과는 아주 좋았으며, 용량-반응 연구에서는 3% 미녹시딜을 사용한 경우와 위약의 경우에서 효과의 차이가 없었다. 64주 후에 좀더 좋은 효과가 나타났다. 결과는 초기 심한 정도에 따라 달라졌는데 5% 국소 미녹시딜을 사용했을 때 가장 효과가 좋았다.

    미녹시딜의 AA에 대한 작용 기전은 알려져 있지 않다. 조직이나 혈액내 임파구와 모낭 각질 세포에 영향을 주는 것으로 생각되어지고 있다.

면역 조절

면역 상태를 변경시키는 약은 AA의 발병 기전과 치료 효과에 새로운 기대를 할 수 있게 한다. 경구 ciclosporin 은 T-세포의 강력한 조절이며 전두 탈모에서 모발 재성장을 유도한다. 하지만 경구 ciclosporin은 신독성과 간독성을 가지고 있다. 부분적 ciclosporin A를 기름 부형제(oily excipients)에 섞어 5-10% 농도로 사용했을 때는 위약(placebo)과 유사한 정도의 부분적인 모발 재성장이 이루어졌다. 경구 inosiplex 연구에서는 모발을 조금 자라게 할 수는 있지만 치료 중단 2-32주 내에 효과가 거의 사라진다. 다른 이중 맹검, 위약-대조군 연구에서는 위약 보다 좀더 나은 반응을 보여주었다. 단지 부분적으로만 재생되었지만 위약에 대한 교차 이후 대다수에서 성장이 유지되었다.

새로운 국소 면역 조절 약물로 위약-대조군의 임상 연구를 진행할 필요는 있다. 실험실 연구원과 임상의학자뿐 아니라 제약사들의 폭넓은 연구가 이루어져야 하고, 임상 연구 센터, 환자 조직이 합의된 검사를 많이 하고 문서화된 기술을 사용하는 협력이 이루어진다면 AA 환자에게 실질적인 치료를 해 줄 수 있을 것이다.

요약

AA를 치료할 것인가 말 것인가에 대한 결정은 초기에 해야만 한다. 불필요한 값비싼 약을 장기간 사용하는 것은 옳지 않다. 예후가 안 좋으면 - 예를 들어 아토피를 가진 사춘기전의 완전 탈모증을 가진 상태 - 가발을 쓰는 문제를 충분히 설명하고 도와주는 것이 원치 않는 기대를 하게 하는 것보다 훨씬 좋은 방법이다. 그러나 예후가 좋은 다수의 환자에서 국소적 또는 병변내 스테로이드가 필요하다면 스테로이드를 사용하고 용기를 북돋아주어야 할 것이다. 전신 스테로이드는 아주 예외적인 경우에만 사용 가능하다. 최근 치료법중 국소 DPC는 가장 유용할 것으로 보이며(**그림 5.25**), 다른 면역 조절 요법은 AA의 활성도를 적절하게 조절할 수 있을 것이다. 치료 반응 후에 재발율을 줄이기 위해서는 확실히 좋은 예후를 가진 환자

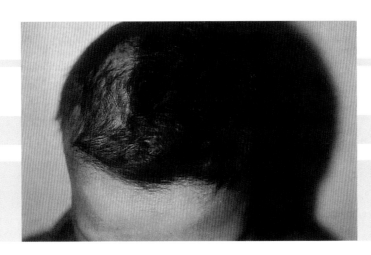

그림 5.25
DPC 치료 - 초기에는 왼쪽 두피만 그리고 그 후 오른쪽 두피를 치료.

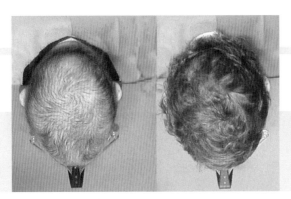

그림 5.26
임상적으로 중요한 초기 모발 재성장(왼쪽)과 화학 요법 후 환자에서 거의 완전히(오른쪽) 회복. 그녀의 과거사에서 전신 탈모증은 국소 DPC 면역요법에 잘 반응했다 화학요법으로 유발된 탈모는 다른 어떤 환자보다 이러한 '경험한' AA 환자에서 더 많은 고통을 초래하는 것처럼 보였다!

를 치료하는 것이다. 중증 AA 병력을 가진 환자가 항암치료후 모발이 다시 재생될 것이라고 안심 시키는 것 역시 중요하다(**그림 5.26**).

FURTHER READING

Barahamani N, de Andrade M, Slusser J, Zhang Q, Duvic M (2002) Interleukin-1 receptor antagonist allele 2 and familial alopecia areata, *J Invest Dermatol* **118:** 335–337.

Freyschmidt-Paul P, McElwee KJ, Happle R, et al (2000) Interleukin-10-deficient mice are less susceptible to the induction of alopecia areata, *J Invest Dermatol* **119:** 980–982.

Freyschmidt-Paul P, Sundberg JP, Happle R, et al (1999) Successful treatment of alopecia areata-like hair loss with the contact sensitizer squaric acid dibutylester (SADBE) in C3H/HeJ mice, *J Invest Dermatol* **113(1):** 61–68.

Friedli A, Salomon D, Saurat JH (2001) High-dose pulse corticosteroid therapy: is it indicated for severe alopecia areata? *Dermatology* **202:** 191–192.

Gilhar A, Landau M, Assy B, et al (2001) Melanocyte-associated T cell epitopes can function as autoantigens for transfer of alopecia areata to human scalp explants on Prkdc(scid) mice, *J Invest Dermatol* **117:** 1357–1362.

Gupta MA, Gupta AK (1998) Depression and suicidal ideation in dermatology patients with acne, alopecia areata, atopic dermatitis and psoriasis, *Br J Dermatol* **139(5):** 846–850.

Happle R (1991) Topical immunotherapy in alopecia areata, *J Invest Dermatol* **96:** 71–72.

Hoting E, Bochm A (1992) Therapy of alopecia areata with diphencyprone, *Br J Dermatol* **127:** 625–629.

Mcdonagh AJ, Tazi-Ahnini R (2002) Epidemiology and genetics of alopecia areata, *Clin Exp Dermatol* **27:** 405–409.

McElwee KJ, Hoffmann R (2002) Alopecia areata – animal models, *Clin Exp Dermatol* **27:** 410–417.

McElwee KJ, Boggess D, King Jr LE, Sundberg JP (1998) Experimental induction of alopecia areata-like hair loss in C3H/HeJ mice using full-thickness skin grafts, *J Invest Dermatol* **111(5):** 797–803.

McElwee KJ, Pickett P, Oliver RF (1996) The DEBR rat, alopecia areata and autoantibodies to the hair follicle, *Br J Dermatol* **134:** 55–63.

Perriard-Wolfensberger J, Pasche-Koo F, Mainetti C, et al (1993), Pulse of methylprednisolone in alopecia areata, *Dermatology* **187:** 282–285.

Seiter S, Ugurel S, Tilgen W, Reinhold U (2001) High-dose pulse corticosteroid therapy in the treatment of severe alopecia areata, *Dermatology* **202:** 230–234.

Shapiro J, Tan J, Ho V, Abbott F, Tron V (1993) Treatment of chronic severe alopecia areata: a clinical and immunopathologic evaluation, *J Am Acad Dermatol* **29:** 729–735.

Tobin DJ, Fenton DA, Kendall MD (1990) Ultrastructural observations on the hair bulb melanocytes and melanosomes in acute alopecia areata, *J Invest Dermatol* **94:** 803–807.

Tobin DJ, Orentreich N, Fenton DA, Bystryn JC (1994) Antibodies to hair follicles in alopecia areata, *J Invest Dermatol* **102:** 721–724.

Tobin DJ, Sundberg JP, King LE, Boggess D, Bystryn JC (1997) Autoantibodies to hair follicles in C3H/HeJ mice with alopecia areata-like hair loss, *J Invest Dermatol* **109(3):** 329–333.

Tosti A, De Padova MP, Minghetti G, Veronesi S (1986) Therapies versus placebo in the treatment of patchy alopecia areata, *J Am Acad Dermatol* **15:** 209–210.

Tsuboi H, Fujimura T, Katsuoka K (1996) Hair growth in the skin grafts from alopecia areata (AA) grafted onto severe combined immunodeficient (SCID) nude mice, *Hair Research for the Next Millennium.* Editors: D Van Neste, VA Randall, Excerpta Medical International Congress Series 1111. Publ: Elsevier, Amsterdam 265–269.

Van Neste D, de Bruyère M, Breuillard F (1979) Increases of T cell subpopulations in the peripheral blood of patient with alopecia areata treated by topical application of 1-chloro-2:4-dinitrobenzene (DNCB), *Arch Dermatol Res* **266:** 323–325.

Van Neste D, Szapiro E, Breuillard F, Goudemand J (1980) A study of HLA antigens and immune response to DNCB in alopecia areata, *Clin Exp Dermatol* **5:** 389–394.

Chapter 6

비늘이 생기고,
아프거나 가려운 두피
THE SCALY,
SORE OR ITCHY SCALP

이 장에서 기술된 질병들은 병인론적 시각에서는 크게 다른 것처럼 보일 수 있다. 그들의 치료 원리들이 자주 중복되고 그들의 대부분은 제어 가능하다는 이유로 인해 그들을 한 데 모았다: 숱이 많은 두피에 대한 상태와 함께, 순전히 의학 용어로는 그 요법이 아무리 좋다고 해도, 치료의 미학을 반드시 조심스럽게 고려해야 하며 그렇지 않으면 순응도는 낮아질 것이다. 환자는 경감해야 할 증상을 갖고 있는 것이지(흔히 부정확한) 질병 그 자체를 갖고 있는 것은 아니다!!

두부 비강진 PITYRIASIS CAPITIS
(비듬 DANDRUFF)

두피에 거친 종말 털(terminal hair)이 있으면 자주 임상적 판단 자체만으로는 이 부위에 있는 질병을 정확히 진단하기 매우 어렵다. 그러므로, 상대적으로 털이 없는 피부에 대해 진단하기 쉬운 염증 혹은 감염의 진행과 함께, 털이 많은 두피의 감별 진단 용어에 대해 항상 생각해야 한다. 이제 잔비늘증을 두피 또는 다른 털이 많은 부위의 준생리학적 비늘증으로 받아들이는 것은 합당한 것처럼 보이는데, 이것은 '지루성' 또는 대머리와 우연히 관계가 있을 수도 없을 수도 있다. 두부 잔비늘증(pityriasis capitis)은 대중적으로는 비듬으로 알려져 있다(**그림 6.1**). 잔비늘증은 신생아의 미용상의 고통인데, 청소년기나 성년 동안에 재발하고, 약간의 염증적 피부가 없는 한 아동기에는 상대적으로 드물고 경미하다. 그것의 최대 발생수와 심각성은 약 20세에 도달되며 50세 이후에는 매우 드물다. 나이에 따른 발생 빈도는 안드로겐의 영향이 중요하며 지루성 활동의 수치가 요인이라는 점을 시사한다. 그러나 육안상 지루(gross seborrhea)는 잔비늘증 없이 발생할 수 있으며 흔히 중증 잔비늘증은 임상적으로 뚜렷히 과다한 지루 활동 없이 있을 수 있다.

정상 두피에서 각질층은 25-35개의 완전히 각질화되고 밀접하게 응집된 세포로 구성되어 있다. 잔비늘증에서는 보통 10개보다 더 적은 세포층이 있으며 이들은 자주 이상각화적이며(parakeratotic), 임상적으로는 눈에 보이는 조각으로 형성된 결과인 깊은 갈라진 틈과 함께, 불규칙하게 정렬되어 있다.

잔비늘증의 '곰팡이적' 원인은 19세기에 받아들여졌다. 피티로스포름(Pityrosporum) 효모는 사춘기에 그 수가 증가한다. 잔비늘증에서 많은 수의 효모는

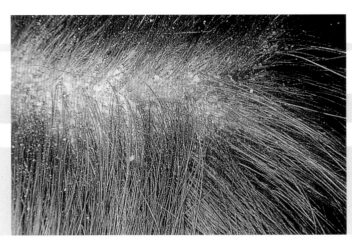

그림 6.1
두부 비강진

생리학적 비늘증의 증가에 대해 이차적인 것으로 간주되어 왔다. 잔비늘증을 지닌 환자의 다른 효모에 대한 조사에서 피티로스포름 효모가 잔비늘증에 중대하게 관련 되어 있다고 결론내려 졌다. 세균 억제제를 같은 두피의 다른 반쪽에 발랐을 때보다 효모 억제제를 두피의 이분의 일에 발랐을 때 잔비늘증에서 더 감소가 크게 된다는 사실은 예전에 실증되었다.

다른 미생물무리(microflora)에 대한 수량적 연구는 잔비늘증을 생산하는데 있어서 그들의 정확한 역할이라는 문제를 결국에는 해결하지 못 했었다. Pityrosporum ovale은 정상 두피보다 잔비늘증에서 한층 풍부하며, 심지어 지루피 부염에서는 더욱 그러하다.

증거의 균형은 두피 효모가 두부 잔비늘증을 초래하는데 주요 역할을 하는 것은 아니지만 사용할 수 있는 두피 '영양소'가 증가하기 때문에 풍부하게 존재한 다는 점을 시사한다. 감염 병인을 뒷받침하는 것으로서 항피티로스포름 물질의 좋 은 효과의 중요성을 명심하면서 역사적, 과학적 견지에서 상반되는 견해를 제시하 는 것도 가능하다.

임상적 특징

임상적 모습은 **그림 6.1**에서 볼 수 있다. 작고 흰 또는 회색의 비늘들이, 국소 적이고 다소 분절적인 반점들로 또는 한층 광범위하게, 두피 표면에 모여 있다. 효과 적인 샴푸로 제거한 후, 4-7일 이내에 비늘은 다시 형성된다. 그상태는 20-30대에는 미용상의 문제가 되지만, 그 심각성에서 장단기적 변이가 있다. 비늘이 떨어져 '보 기 흉하게' 털 줄기 사이에서 표류하거나 또는 깃이나 어깨에 떨어지기 쉬운 정도에 있어서도 변화의 정도가 있다.

사춘기 또는 사춘기 이후 두피에 기름기가 돌게 되는 환자에서, 지루는 기름 에 범벅이 되어 비늘을 잡으며 더 이상 떨어지지 않게 되어, 작고 응집된 융기에 축 적된다 - 소위 지방성 잔비늘증(pityriasis steatoides)이다. 그러한 사람들에서 염증 적 변화에서 임상적으로 뚜렷하게 발달하면 지루피부염에 이르게 한다. 가려움증은 단순 잔비늘증의 특징은 아니다. 염증변화가 지루성 두피에서 발전할 때 그것은 한층 흔한 것이 되며, 그러한 재발적 에피소드는 스트레스, 홍조, 땀과 명백히 관련될 수 있다. 굉장히 자극적일 수 있는 괴사 여드름도 잔비늘증을 복잡하게 할 수 있다.

진단

신생아의 기름기 있는 두피라는 주목할만한 예외와 더불어, 어린 아이에서 매우 경미한 잔비늘증 이상이 있다는 점은 진단에 의심을 던지게 한다. 극단적이고 지속적인 비늘증은, 비록 건선의 고유한 특징을 결여하고 있다 하더라도, 항상 의심거리인데, 특히 이 병의 가족력이 있을 경우에 그러하다. 때때로 흉터와 함께 광범위하게 퍼진 인설은 비늘증(ichthyosis)의 일부 형태에서 발생할 수 있다. 어느 나이에서든 만약 가려움증이 문제라면 머릿닛감염증(pediculosis capitis)을 반드시 조심스럽게 제외하고 털 주변의 각질 원주(cast)와 함께 자극적인 피부염으로부터 구별해야만 한다.

무디고, 부서진 털 줄기와 함께 작은 부위의 인설은 소포자균(Microsporum) 백선증의 전형이다. 신경증적인 모발을 당기는 틱 질환에서는 염증 후 비늘의 반점, 즉 발모광에서 정상 결이 꼬이고 부서진 모발이 발생할 수 있다. 광범하고 점착성의, 은색 비늘은 석면양 비강진(pityriasis amiantacea)을 암시한다.

치료

경미한 형태의 잔비늘증은 생리적인 과정이다. 치료의 목적은 환자에게 가능한 가장 낮은 비용과 적은 불편으로 그것을 통제하면서, 효과적인 어떤 절차도 정기적으로 반복할 필요가 있다는 것을 이해하게 된다.

병인상 중요한 피티로스포름 효모에 대해 제시된 증거는 많은 임상의들을 이미다졸(imidazole)의 합성품, 즉 니조랄 샴푸(ketoconazole)와 항피티로스포름 요법으로 전환시켰다.

평균 증례에서, 많은 샴푸 중 어느 하나는 효과가 있는 것으로 발견될 수 있다. 아연 pyrithione 또는 아연 omadine은, 효모 개체군을 줄이는데, 일반적으로 미용상 사용하기 매우 쉽다.

석면양 비강진
PITYRIASIS AMIANTACEA

석면양 비강진은 종종 뚜렷한 원인이 없는 두피의 반응인데, 이 두피에서 두터운 '석면 같은' 비늘이 축적된다. 그것은 지루피부염, 건선, 단순 태선을 복잡하게 만들 수 있다. 일부 피부과 의사들이 초기 건선으로 받아들일지도 모를 증례들은 석면양 비강진이라고 불려졌다. 만약 그러한 증례들을 제외한다면 석면양 비강진과 건선 사이에 절대적 관련은 없다. 석면양 비강진은 어떤 나이에서도 발생할 수 있지만 발생하는 평균 나이는 25세(5-40에 걸친다)이다.

병리학

가장 일관된 소견은 스폰지화, 이상각화, 림프구의 표피로의 이동, 그리고 다양한 정도의 가시세포증이다. 중증 염증을 지닌 증례에서 모발 주기가 동기화 된다. 휴지기의 털은 그러나 두터운 비늘에 고정되며 보통보다 더 오랜 기간 유지된다. 새로운 주기는 시작되고 다시 자라는 털은, 촘촘한 이상각화 비늘 밑의, 동기화된 반들에서 발견할 수 있다. 석면양 비늘벗겨짐에 대한 원인이 되는 본질적 특징은 모낭 각화증과 더불어 광범성 각화과당증과 이상각화증인데, 이 모낭 각화증은 각질의 집으로 각각의 털을 둘러 싼다.

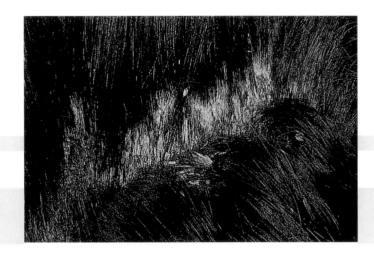

그림 6.2
석면양 비강진

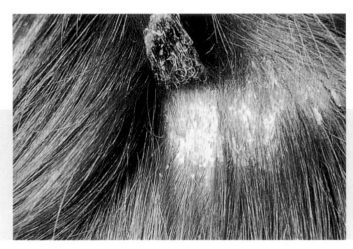

그림 6.3
석면양 비강진의
또 다른 예

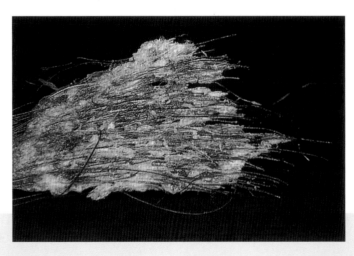

그림 6.4
석면양 비강진 - 끈적하
고 은색 비늘을 가까이
서 본 모습

임상적 특징

임상적 모양은 **그림 6.2-6.5**의 삽화들이다. 지붕의 타일처럼 중첩된 끈적거리며, 은색의 비늘의 덩어리들은 두피에 붙어 있으며 그들은 둘러싼 털줄기 층에 붙어 있다. 기저의 두피는 붉고 습기가 있을 수 있으며 단순 홍반과 인설 또는 건선, 지루 피부염 또는 단순 태선 등의 특징을 보여줄 수 있다.

어린 소녀들에서 주로 보이는 상대적으로 흔한 형태가 한 귀 또는 양 귀 뒤에서 재발성 또는 만성 균열을 일으킨다. 비늘은 이웃한 두피로 어느정도 전개된다. 다른 형태는 뒤통수 부위에서 단순 태선의 반들에서 위로 확산되며 중년 여성에서 주로 볼 수 있다. 이 병은 대개 두피의 작은 구역에 국한되지만 광범위하게 커다란 구역을 포함하거나 또는 많은 수의 작은 반들에 영향을 미침으로써 매우 확산적일 수도 있다. 아이들에서 후자의 형태는 그 뒤에 일어나는 경로에 의해 건선인 것으로 종종 증명된다. 대다수의 환자들은 심하게 비늘이 벗어지는 구역에서 약간 탈모가 되는 것을 알아차린다. 비늘이 벗어지는 것을 효과적으로 치료하면 털은 다시 난다. 가늘고 새롭게 자라는 털 뭉치는 비늘을 기울여 들어보면 볼 수 있다. 만약 흉터가 남는 탈모증이 발생하면, 그것은 아마 2차 세균 감염과 강한 염증과 연관되어 있을 것이다(**그림 6.5**).

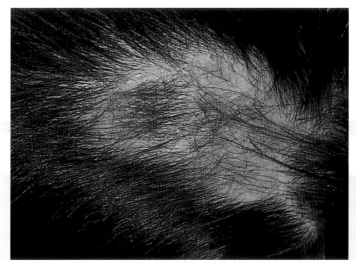

그림 6.5
석면양 비강진 후의 탈모

대개, 특유의 모습 덕분에 진단은 쉽지만 기저에 있는 병을 확인하는 것은 쉽지 않을 수 있다.

치료

잔비늘증이 단순 태선 또는 건선을 악화시키는 곳에서 기저에 있는 상태를 반드시 치료해야 하지만, 많은 비늘을 케이드(cade) 연고의 기름이나 국소 타르/salicylic 산 연고를 사용해서 초기에 제거하는 것이 유용할 수 있는데, 이것은 어떤 선행하는 두피 질병도 발견되지 않는 많은 증례에서도 역시 효과적이다. 어느 약제든 알맞은 샴푸, 예를 들면 타르샴푸로 4-5시간 후 두피에서 완전히 씻어내야 한다. 심지어 그 때에도 그 상태는 때로 재발하는 경향을 보인다. 겔이나 소수성 기초에 항세균성과 스테로이드 제품을 교대로 적용하는 것이 그 상태를 깨끗하게 하는 데에 도움이 된다.

만약 잔비늘증이 연관된다면 일반적으로 사용되는 같은 국소 또는 전신 치료 원리가 두피를 치료하는 데에 효과적일 수 있다. 강력한 국소 부신피질 스테로이드 두피액은 일부 경우에서 도움이 될 수 있다.

지루
SEBORRHOEA

지루(**그림 6.6**)는 사람의 나이와 성에 비해 과도한 양의 피지가 생산되는 것으로 정의될 수 있으나 이 정의는 임상적 진료에선 부적절하다. 그 이유는 피지 분비의 수치가 비정상적이지 않은 많은 환자들이 미용상 수용할 수 없을 정도로 그들의 모발에 기름기가 있는 것을 발견하고 도움을 구하려 하기 때문이다. 진료상의 지루라는 것은 환자가 과하다고 생각할 정도의 피지를 만들어 내는 것이다! 피지 생산의 정도 때문에 기름기가 낀 느낌과 열(지질과 밀랍의 녹는 점)이나 땀(유화제의 존

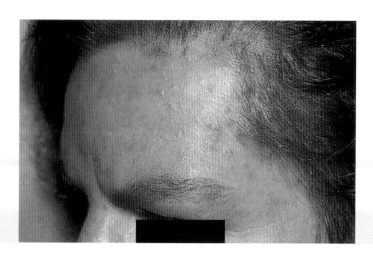

그림 6.6
지루와 기름기 있는 모발

재) 때문에 기름진 느낌을 같은 피지생산과는 독립된 물리적 요소 사이에는 미묘한 상호작용이 있다.

병인

피지선은 손바닥과 발바닥, 발등을 제외한 피부의 전체 표면에 걸쳐 있다. 가장 큰 선은 얼굴과 두피 그리고 음낭 위에 있다. 가슴과 등의 중심부에 있는 선들은 몸통의 다른 곳에 있는 것보다 더 크다. 피부의 피지선은 모두 모낭 속으로 열려 있지만 털기름샘 단위의 털 성분은 어쩌면 그저 매우 작은 솜털일 수 있다.

피지선은 태어나면서 기능을 하고 이른 유아기에 엄마쪽 안드로겐의 영향 하에 있지만 아동기 전반에 걸쳐 그것들은 작고 비활성적인 상태로 남아 있다. 안드로겐 수치가 올라가는 사춘기가 다가옴에 따라 보통 약 9세 또는 10세에서 피지선은 확대되고 피지의 생산이 시작된다. 13세와 16세 사이에서 피지 생산은 남녀 사이에 같지만 그 수치는 약 20세의 남성에서 정점에 이르게 증가한다. 남성에서는 아주 나이가 늦게 되어도 높게 남아 있다; 여성에서는 폐경 이후 현저하게 감소한다. 에스트로겐은 피지선의 크기를 감소시키며 따라서 피지의 생산도 감소시킨다.

성적으로 정상인 남성에서는 피지 분비의 정상 수치에서 현저한 변화가 있으며 많은 피지를 지닌 사람들은 그것에 대해 호소할지도 모른다. 유전적으로 여드름이 잘 나는 사람들에서 이것은 지루를 동반할 수 있다. 보통 대머리를 지닌 남자들은 눈에 잘 띄는 두피의 기름기에 대해 불평을 할지 모르지만, 그러한 환자들에서 기름기는 단지 좀더 분명할 뿐이며 피지 생산 수치는 대머리가 아닌 통제된 환자보다 더 크지 않다. 같은 피지의 양이 더 적은 털에 흩어져 있는 것처럼 보이는데, 이로 인해 기름기는 상대적으로 증가하는 것으로 귀결된다.

같은 이유로 그리고 여성에서의 다른 머리모양의 조합에서, 지루는 한층 더 큰 중요성을 지닐지도 모른다. 지루(와 잘 걸리는 사람들에서의 여드름)는 다모증과 대머리와 더불어 안드로겐 유전성 활동의 피부 매개변수 3인조 중의 하나이다.

임상적 특징

환자는 두피와 모발에 기름기가 과도하게 있고 그래서 다룰 수 없다고 호소한다.

관리
Management

증상의 중요성을 평가하기 위한 어떤 시도없이 증상 치료만을 한다는 것은 정당화 하기는 어렵다. 널리 인정되고 있는 것처럼, 지루는 그렇지 않았으면 전적으로 정상인 환자에서 생리적 변종일지 모른다. 그러나 상당한 여성의 비율에서 지루는 안드로겐 유전성 활동 증가의 발현인데, 이는 순전한 미용상의 결과를 제외한 결과를 갖는다.

다모증 또는 안드로겐 유전성 탈모증의 연관은 반드시 주의깊게 관찰되어야 한다. 월경력도 반드시 기록되어야 한다. 만약 다모증 또는 안드로겐형 탈모증 또는 생리 불규칙성의 연관이 전신 안드로겐 대사에서 비정상적인 것의 가능성을 시사한다면, 이를 반드시 조사하고 치료해야만 한다. 만약 지루가 독립된 증상이라면 그것을 통제한 국소적 방법이 권장된다. 국소 치료의 목적은 (1) 피지선의 억제 (2) (피지)선에서의 지질 합성의 억제 (3) 중성지방의 미생물 지방분해 억제이다. 운반체로서 이소프로필 알코올을 사용하는 것은 피지 고갈을 감소시키며, 타르 또는 에스토로겐 그리고/또는 항남성호르몬은 지질 합성을 감소시키고, 지방분해는 이소프로필 알코올, 콜로이드 황산 또는 셀레늄 이황화물에 의해 감소된다. 에스트로겐 함유 로션을 사용하는 것은 종종 일부 유럽 국가들에서 지지를 받으며 그들을 철저히 조사하고 평가하는 것은 분명히 바람직한 일이다. 전신 치료에 대한 징후가 없는 증례에서 전매특허의, 미용상 받아들일 수 있는 그러한 병을 위해 시장에 나온 샴푸를 사용하는 것은 흔한 일인데, 이는 환자에게 경험적으로 가장 최대의 증상 경감과 '미용학적' 만족을 줄 제제를 선택하고 적용하는 빈도를 수립하도록 해준다.

지루피부염
SEBORRHOEIC DERMATITIS

지루피부염의 유행은 넓게 지리적으로 변하지만 이것에 대한 기후나 인종상의 정도는 아직 확실치 않다. 영국에서 지루피부염은 다른 인종적 집단보다 켈트 족에서 한층 더 빈번한 것처럼 보인다. 국제적 비교는, 진단 기준과 명명상의 차이가 꽤 빈번하기 때문에, 여전히 하기 어렵다.

> 지루피부염은 안드로겐 유전성 탈모증과 함께 발생할 수 있으며 그것이 탈모를 더욱 조장한다.

병인

지루피부염의 원인은 알려지지 않았지만 유전적 요인은 거의 밀접한 관련이 있다. 공통된 몇 가지 특징을 지닌 임상적으로 다른 증후군은 피지 활동이 내부 안드로겐 생산에 의해 재확립되었을 때인 유아기에서 발생한다. 피지 분비율은 그러나 지루피부염에서 증가하지 않지만 피지는 유리지방산, 스쿠알렌, 밀랍 에스테르의 정상 비율보다 더 적게 함유하고 있으며 상대적으로 증가된 중성지방과 콜레스테롤 양을 함유하고 있다.

지루피부염을 피티로스포름 효모와 연관시키려는 시도들은 지난 세기보다 최근 더욱 성공적이었다. 따라서 그것은 종종 두부 비강진의 염증 변종으로 간주된다.

병리학

조직학적 변화는 만성 습진의 특징과 건선의 특징을 병용한다. 초현미경상의 모습은 명확하지 않으며 원반모양 습진과 닮아 있다. 효모 형태는 대개 과잉으로 존재한다.

임상적 특징

임상적 모습은 **그림 6.7-6.10**의 삽화이다. 두부 비강진은 보통 두피 지루피부염의 전조 또는 가장 경미한 형태로 간주된다.

종종 황색의 '기름기 있는' 비늘은 삼출물과 결합해서 딱지를 형성하는데, 이 딱지 아래의 두피는 붉고 축축하다. 눈썹과 코입술주름(nasolabial fold) 또한 자주 수반된다. 그 상태가 악화되면, 모낭 주위의 홍반과 비늘이 벗어지는 것이 점차 확산되어, 색은 둔탁한 붉은 색이고 기름기 있는 비늘로 덮인, 경계가 명확한 반을 형성한다. 단지 소수의 분산된 반들만이 있을 수도 있거나 또는 두피가 앞이마 가장자리

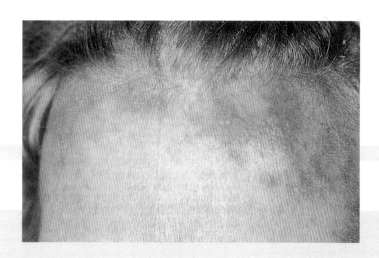

그림 6.7
지루피부염 - 두피와 앞이마

너머에 있는 피부염의 확산에 광범위하게 영향을 받을 수 있다. 붉은 자국과 이차적 감염은 많은 삼출물 및 딱지와 함께 습진화를 증강할 수 있다. 이차 세균 감염은 이들 염증성 변화 또는 농포형성을 증가시킬 수 있다. 종종 두피의 지루피부염과 연관된 것은 눈꺼풀염(blepharitis)이다. 작은 딱지는 털집 진드기(Demodex folliculorum)의 개체수 증가와 더불어 눈꺼풀 가장자리를 따라 형성되며 이따금씩 속눈썹이 파괴될 수 있다. 귓바퀴뒤 부분은 보통 지루피부염에 의해, 단독으로 또는 두피 병변과 공동으로, 영향을 받는다. 딱지가 앉은 귓바퀴뒤 균열이 있을 수 있는데, 이곳으로부터 둔탁한 붉은 비늘벗음이 두피와 귓바퀴로 확대된다. 선반(concha)과 외부 청각관(auditory canal)이 유사한 영향을 받는지도 모른다(**그림 6.9**). 콧수염의 인기 때문에 이 부위에 지루피부염이 증가되었다(**그림 6.10**). 홍반과 기름기 있는 인설은 뺨이 가장 심하다. 면도한 턱에서 콧수염의 표면 모낭염은 흔하다. 이보다는 덜 자주 있지만, 깊숙한 모낭 감염이 발생하는데, 이는 영구적 흉터를 남길 수도 있다. 몸에서 다른 털이 많은 구역의 지루피부염은 두피 피부염을 동반할 수 있다.

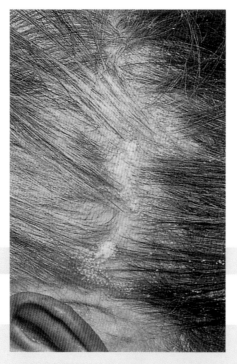

그림 6.8
지루피부염 - 두피

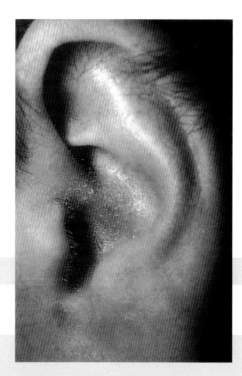

그림 6.9
지루피부염 - 바깥귀길염

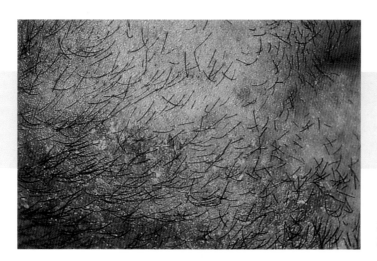

그림 6.10
지루피부염 - 콧수염

진단

너무 쉽게 지루피부염을 진단하는 경향이 있다. 다른 많은 피부 상태들이 전체적으로 지루성인 환자에서 발생할 수 있으며 진단 기준은 반드시 엄격해야 한다.

무거운 건선 비늘은, 특히 만약 건선 피부 병변 또는 손발톱 연관이 발견된다면, 보통 구별하기 쉽다. 이따금씩, 특히 얼굴 위에서, 혼성 상태의 존재를 의심할 수 있다. 의심스런 증례에서는 생검이 도움될 수 있다.

머리백선증(tinea capitis), 특히 인체친화성 백선균(trichopyton) 종에 의해 초래되는 백선증의 형태는, 지루피부염과 쉽사리 혼동된다. Wood 광선 검사와 곰팡이 배양은 의심스러운 사례에서 반드시 수행되어야 한다.

광범위 털과 모낭의 진드기(Demodex) 집락형성을 지닌 만성 가려움증이 지루피부염의 변종인지 어떤지에 대한 연구는 결정적이지 않다(**그림 6.11, 6.12**).

특히 여성에서 상대적으로 흔한 목덜미의 단순 태선을 지루피부염과 혼동할 수 있지만 고유의 부위와 심한 정도, 가려움의 지속 등은 정확한 진단을 시사한다. 단순 태선이 귀 가까이 두피의 측면에서 발생할 수 있다.

치료

두피의 지루피부염은 두부 비강진과 같은 조치에 반응할지도 모르지만, 만약 그것이 심하고 중증이라면, 매일 스테로이드 로션을 바르는 것이 도움이 될 수 있다. 두피는 피부염이 조절되기까지 반드시 매주 두 번 또는 그 이상 샴푸를 사용해서 씻어 주어야 한다. 사용가능한 샴푸의 범위는 최근 수년내 막대하게 확대되었으며 대부분은 미용상 받아들일 수 있고 따르기 쉽다. 그들은 필수적인 미용상의 물질뿐만 아니라 항염증, 항균, 항진균 또는 항비듬성 성분을 함유한다. 샴푸의 선택은 종종 환자의 미용학적 판단에 남겨질 수 있는데, 이는 이들 특별한 제제에 있는 약물들이 적절한 비교 임상 시험에서 심층적이고 약리적으로 평가가 이루어진 적이 없기 때문이다. 일주일에 두번 샴푸 하기 전 밤 동안에 치료적 성분(젤 또는 씻는 것이 가능한 연고)을 발라두는 것이 합당한 접근법일 수 있다.

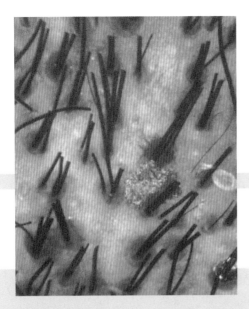

그림 6.11
진드기 - 임상적 두피도. 만성적으로 가려운 느낌들은 광범위 탈모와 연관되어 있다(아프리카 환자: 가까이서 본 사진). 두피 생검은 깔때기에 있는 감염된 피지샘 입구에 관해서는 비만세포를 지닌 혼합된 표면상의 침윤을 보였다(두피 표면 표본 추출(그림 6.12)과 생검 부위[조직학은 보이지 않음]를 보여주는 붉은 점).

그림 6.12
진드기 - 스캐닝 전자 현미경도. 작은 탈락기 모발과 함께 뿌리도(왼쪽 패널)는 안드로겐 유전성 탈모증을 시사한다. 표면도(중간 패널)는 공기로 찬 모낭 입구와 좀더 확대한 진드기의 최저부를 보여주고 있다.

만약 이차 감염이 있으며, 국소 항생제-코르티코스테로이드 조합 또는 만약 이차 감염이 심하고 광범위하다면 전신 항생제가 반드시 처방되어야 한다.

중증이고 넓은 지루피부염은 재발하는 경향이 있을 수 있다. 어떤 환자들은 그래서 예방 차원에서 치료용 샴푸(예를 들면 zinc pyrithione 또는 ketoconazole)를 계속해서 사용하는 것을 더 선호한다. 그러므로 치료용 샴푸의 약과 미용학적 기능을 극대화 하기 위한 '향장의약품(cosmeceuticals)'의 분야에서 해야 할 것들이 많이 남아 있다.

유아기의 지루피부염
SEBORRHOEIC DERMATITIS OF INFANCY

이 독특한 증후군의 성인 지루피부염에 대한 관계는 의문이다. 출생 후 수일 혹은 수주동안에 회색의 기름기 도는 가피가 두피 위에서, 특히 앞이마와 두정 부위에서 형성된다**(그림 6.13)**. 분홍색의 비늘 같은 홍반이 목주름에서 그리고 다른 피부 굽이에서 발달한다. 많은 권위자들은 이제 유아기의 지루피부염은 아토피 상태의 발현이라고 진술하지만, 이것이 진실의 일부라 할지라도, 그것을 독특한 임상명으로 보존하는 것은 중요한데, 그 이유는 이 특정한 피부염의 유형은 예후가 좋고 수개월 내에 자연발생적으로 해소되기 때문이다.

두피 건선
PSORIASIS OF THE SCALP

건선은 피부의 유전장애이다. 유병율에 있어서 인종에 따라 약간의 변형이 있지만 대규모로 믿을만한 조사는 보고된 적이 거의 없다. 북서 유럽에서 성인에서 유병율은 약 1.5-2%이다. 건선의 유전 양식은 알려지지 않고 있으며 실제로 하나의

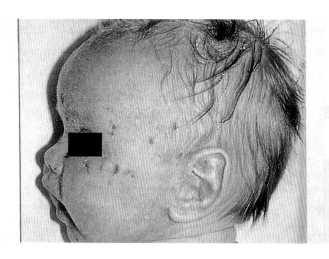

그림 6.13
유아의 지루피부염
- 아마도 아토피의 한 유형

유전형 이상의 것이 있을지도 모른다. 유전적으로 잘 걸리는 사람에서 최초 공격은 어떤 나이에서도 발달할 수 있으나 평균 시작 나이는 삼십세이며, 건선은 생의 첫 2, 3년에는 흔하지 않다. 최초의 공격과 잇따른 재발은 연쇄 구균 감염(streptococcal infection)과 아마도 스트레스에 의해 촉발되지만 아무 뚜렷한 이유 없이 발생할 수도 있다.

> 유아기 지루피부염은 아마도 꽤 예후가 좋은 아토피 상태일 수 있다.

병리학

독특한 조직학적 건선의 특징은 그물 능선(rete ridges)의 연장과 특히 그물 못(rete pegs) 위에 과립층이 없거나 또는 감소된 가시세포증(acanthosis)이다. 각질층은 이상각화증이며 상위 진피에서 다형핵백혈구의 집적이 있다. 진피 유두층은 부종이 있다. 건선을 두피 지루피부염과 조직학적으로 감별 진단하는 것의 기준은 잘 확립되어 있다. 건선을 지지하는 특징들은 국소 이상각화증을 지닌 응축된 각화과다증, PAS-양성 혈청 포함물, 각질층 내의 다형핵백혈구 농양들, 해면양 농포, 그리고 표피 내부의 다형핵백혈구이다. 지루피부염에 대한 기준은 상대적으로 가느다란 정상(orth-) 또는 이상각화증적인 각질층을 지닌 불규칙한 가시세포증, 해면화와 해면 같은 잔물집, 그리고 림프구의 세포외 유출과 많은 효모 요소들이다.

> 두피 건선은 보통 매우 민감한 가장자질에서 비늘의 벗어지는 양이 많다. 그러나 그 두피는 진균상의 원인을 배제하기 위해 Wood 광선으로 반드시 관찰해 봐야 한다.

임상적 특징

두피는 빈번하게 건선과 연관되며, 종종 그 병의 전형적인 부위라고 말한다 (**그림 6.14**). 아이들과 청년에서는 그곳이 처음 영향을 받는 부위이고 일부 환자들에서 그것은 유일한 부위로 남는다. 대다수의 사례에서는 그러나 다른 부위도 조만간 연관된다. 가끔 두피는 여러 해에 걸쳐 어느 정도 항상 영향을 받는 채로 남는 반면 다른 부위의 병변은 변천할 수 있다.

고전적인 건선의 특징은 은색 비늘로 뒤덮인 뚜렷한 밝은 분홍색 판(plaque)이다. 그러나 특히 아이들에서 가장 이른 변화는 덜 뚜렷이 구별될 수 있다. 어떤 특별한 특징 없이 반점 또는 광범위 비늘의 벗어짐이 있을 수 있거나 또는 층들(석면 양 비강진 모양)에서 석면 같은 비늘이 있을 수 있다. 정확한 진단은 건선의 가족력

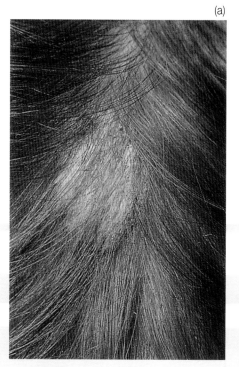

(a)

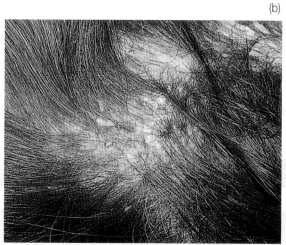

(b)

그림 6.14
(a-e) 두피 건선의 스펙트럼

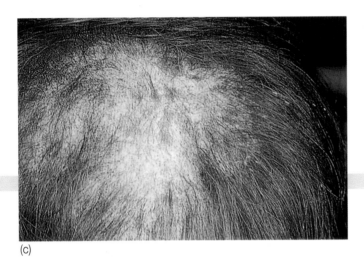

그림 6.14
계속

(c)

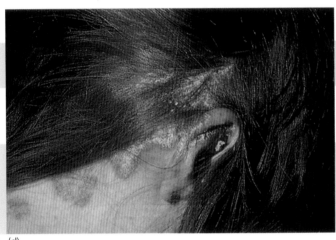

(d)

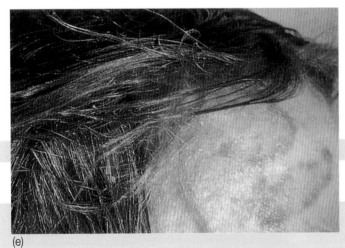

(e)

이나 또는 그 환자가 다른 어딘가에 병변을 갖고 있을 경우 의심해 볼 수 있다.

비록 광범위한 탈모가 건선홍색피부증에서만 발생할지라도 일부 휴지기털 탈락의 증가와 일부 털 밀도의 감소는 건선의 판에서는 흔한 일이다.[2]

중증 두피 건선에서 쌓인 비늘의 덩어리는 털 가장자리를 넘어 확산할 고체 모자를 형성한다.

진단

전형적인 건선을 진단하기는 보통 쉽다. 건선을 시사하는 비정형적인 병변 은, 비록 환자가 건선의 존재를 부인해도, 그것의 흔적에 대해, 손발톱을 포함, 흔히 영향을 받는 부위에 대해 검사를 해야 한다. 무릎이나 팔꿈치의 작은 반들은 환자가 쉽게 간과한다.

대머리 두피 위의 매우 지속적인 비늘 판은 Bowen의 병을 배제하기 위해 반 드시 조직학적으로 검사해야 한다. 수년 동안 크게 변화하지 않고 남아 있는 작은 건 선형태의 반들(심지어 털이 많은 두피에서) 또한 Bowen의 병의 가능성을 시사한다.

치료

건선의 문제에 대해 항상 자세히 설명해 주어야 하며 환자는 건선 증세를 완 전히 뿌리뽑을 수는 없더라도 공격을 통제할 수 있고 매우 오랫동안 재발할 수 있다 는 점을 반드시 다시 확인해야 한다.

특히 두피 병변에서, 가장 흔한 치료 실패의 원인은 환자가 그 치료를 완전하 게 수행할 능력이 없고 간호나 도움도 없을 경우이다. 두피 건선 치료는 환자에게 문제를 일으킬 수 있다. 많은 지성의, 타르를 함유하거나 신체의 다른 부위에 성공적 으로 사용되는 dithranol의 기종 제품들은 털이 많은 두피에 대해서는 전혀 적당하 지 않다. 매일 사용되는 코르티코스테로이드 두피 액체와 타르 함유 샴푸들은 임상 진료에서 가장 흔한 치료제들이다. 가장 최근에 살리실산이, 보통 타르와 결합되어, 다시 한 번 샴푸 처방으로 가용하게 되었다. 이들 현대적인 제품들은 규칙적인 기초 위에서 따르기가 한결 쉽다. 많은 환자들은 치료용 샴푸를 훌륭한 미용 샴푸와 교대로 사용하면 더 잘 따르는데, 미용샴푸는 모발을 세정하고 린스할 동일한 표면활성 물질을 갖고 있는지도 모른다.

건선 환자들은 세심한 감독을 요한다. 이 병 자체가 중증 스트레스의 원인이 될 수 있으며 결과로서 일어나는 문제점들에 대한 전적인 토의는 치료에서 중요한 부분을 형성한다.

일상적인 국소 치료가 부적합한 것으로 판명된다면 항유사분열제와 심지어는 엑스 방사선 (Grenz선)과 같은 일반적인 항건선 조치 대부분을 고려해야만 한다.

털 원주
HAIR CASTS

털 원주(털주위 각질 원주 또는 '가성알(pseudonit)')는 단단하고, 노르스름하며 흰 융합체가 집에서 빠져 있기는 하지만, 부착되어 있진 않은, 두피 모발이며 영향을 받는 줄기의 아래 위로 자유롭게 움직일 수 있다. 그러한 병변은 종종 비늘증의 그리고 지루성 두피 질환에서 발견된다(그림 6.15-6.18).

가로단면에서, 원주는 잔류된 내부의 뿌리집과 바깥쪽의 두꺼운 각질 층으로 이루어진 중앙층으로 구성된다. 두피 조직학은 모낭 입구가 이상각화성 무핵성표층 세포(squames)로 채워져 있는 것을 보여주며, 이는 털 원기둥을 형성하기 위해 마디에서 꺾인다.

원주는 꽤 흔히 건선, 두부 비강진, 지루피부염과 석면양 비강진과 같은 비늘증의, 주로 이상각화적 두피 상태에서 흔히 찾을 수 있다. 원주는 세게 땋아서 묶은 헤어스프레이와 관련될 수 있다.

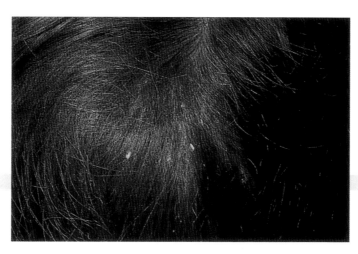

그림 6.15
털(털주위) 원주들

그림 6.16
털 원주 - 깔때기 유형

임상적 소견들

털 원주는 어떤 명백한 두피 질병과 관련되지 않은 독립된 비정상적인 것으로서 발생할 수 있다; 그러한 사례는 머리닛감염증을 닮을 수도 있다(**그림 6.15**). 소녀들과 젊은 여성들이 영향을 가장 많이 받는다.

수백 개의 원주들이 수일 내에 발달한다. 이 유형이 비정상적인 건선의 발현을 나타낼 수 있다.

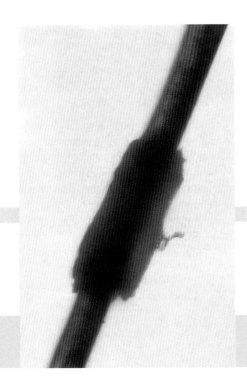

그림 6.17
털 원주 - 털집 유형

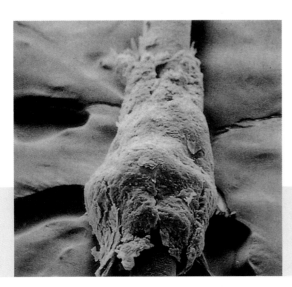

그림 6.18
털 원주(스캐닝 전자 현미경도)

비늘증 이상각화증적 두피 질병을 지닌 환자들에서 적절한 치료에 명백하게
저항하는 지속적인 비듬은 다수의 털 원주 때문일 것으로 추정된다.

진단

연관된 두피 질병이 없을 때에 원주들을 머릿닛감염증, 결절털찢김증 또는 털 매듭으로 잘못 알 수도 있다. 이들 결절 줄기 비정상들 중에서 오직 털 원주만이 자유롭게 털을 따라 움직일 수 있다.

치료

어떤 원인적인 두피 질병도 반드시 치료를 해야 한다. 두피 인설을 쉽게 호전시키는 각질용해제와 샴푸는 원주들을 제거하는 데에 빈번히 실패한다. 더 오래 솔질과 빗질을 하는 것은 영향을 받은 모발에서 원주들을 탈락시키는데에 반드시 필요하다. 레티노이드도 각질화의 조절을 위해 도움이 될 수도 있을 것이다.

머리백선증
TINEA CAPITIS

머리백선증[3,4]은 기본 특징이 털줄기를 피부진균 곰팡이가 공격하는, 두피의 진균 감염이다**(그림 6.19-6.30)**. 이 장에서는 또한 머리와 목의 다른 부분에 감염도 포함되어 있다.

피부진균의 대부분의 종은 털을 공격할 수 있지만, Microsporum audouinii, Trichophyton schoenleinii와 T. violaceum 같은 일부 종은 털 줄기를 특히 좋아한다. 유모표피사상균(Epidermophyton flccosum), T. concentricum과 T. interdigitale 은 명백히 머리백선증을 결코 초래하지 않는다는 점에서 예외이다. 두피 진균 감염을 초래하는 모든 피부진균들은 털 없는 피부에 침입할 수 있으며 많은 것들이 손발톱에도 침입한다. 피부진균 곰팡이의 종은 나라마다 다르고 종종 지역마다 다른 머리백선증을 초래할 수 있다. 더구나 어느 주어진 장소에서든, 그 종은 시간에 따라

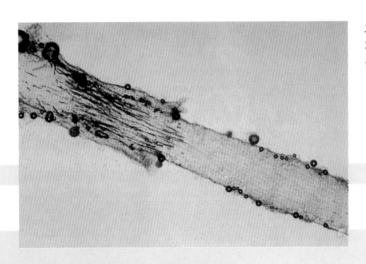

그림 6.19
피부진균증 - 털바깥피부
곰팡이 털 감염

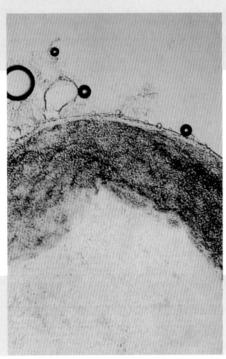

그림 6.20
피부진균증 - 털바깥피부곰팡이 털 감염

변할 수 있는데, 특히 새로운 개체들이 이주에 의해 도입될 때에 그러하다. 머리백선증에서, 인체친화성 종들이 우세하다는 사실은 흥미롭다.

최근에는 유럽에서 감염에 우세한 개체로서 M. canis가 증가하고 있고, 미국의 도시 지역 사회에서는 'T. tonsurans'가 확산되어 왔다.

진균 원인의 반점형 탈모는 아이들에서 한층 더 흔하다.

그림 6.21
머리백선증 - 개소포자균에서의 Wood 빛 형광

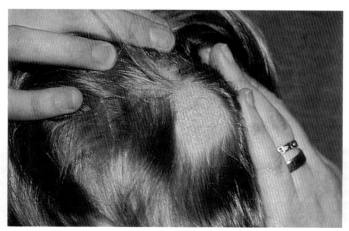

그림 6.22
머리백선증 - 그림 6.21에서
보여준 것과 유사한 반

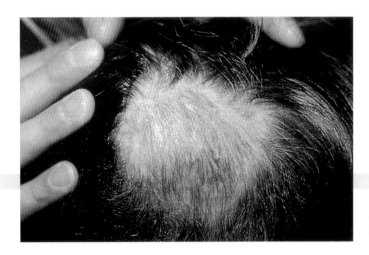

그림 6.23
머리백선증 - 모발 부서짐과 일부 염증

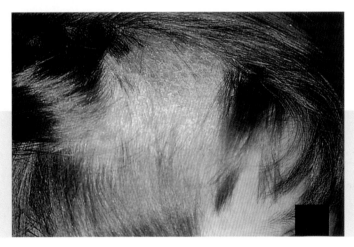

그림 6.24
머리백선증 - 좀더 중증의 염증

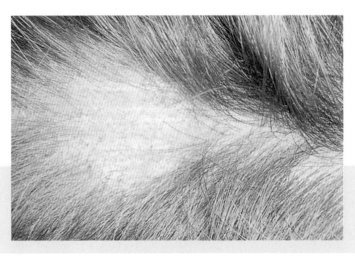

그림 6.25
머리백선증 - Trichopyton violaceum 감염

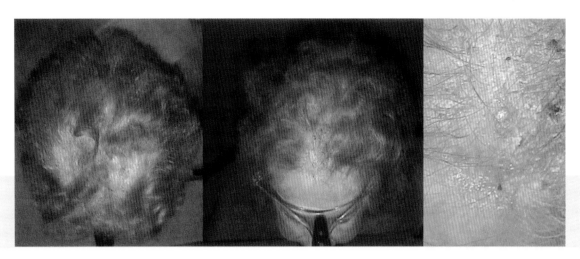

그림 6.26
잠행성 머리백선증. 광범위 비늘증과 염증 두피를 보여 주는 파라딘백혈증이나 면역손상 되지는 않은 성
인 환자. 만성 경과, 두피 여드름 또는 건선으로 반복적으로 잘못된 진단, 치료됨이 없는 국소 스테로이
드의 지속적인 적용과 확산성 인설이 있으며, 일부 위치에서 딱지와 고름이 형성되고, 치료에 상대적으
로 저항하는 것(라미실®로 3개월 뒤 치료) 등은 잠행성 백선증과 동등한 두피를 시사한다(감염된 고양이
와 접촉한 후의 개소포자균).

발병기전
Pathogenesis

머리백선증을 유발하는 곰팡이 홀씨들은 그 상태를 지닌 환자의 두피와 근사
한 환경에서 실증될 수 있다. 두피 모발이, 아마도 정전기 힘에 의해 증강되는, 덫 장
치로 작용하기 쉽다. 어떤 임상적 소견도 없는 모발의 오염이 머리백선증을 지닌 아
이들의 급우들에서 발생할 수 있다. 만약 실질적인 모발 감염이 일어난다면 두피 피
부의 각질층 침투가 반드시 맨 처음에 발달한다는 것이 증명되었다. 외상은 접종을
도와주고, 약 3주 후에 명백히 털 줄기 감염이 뒤따른다. 다른 인접한 모낭에 확산되
는 것이 당분간 계속되는데, 이 기간 동안 염증기가 있거나 또는 없는 쇠퇴기도 종종
있다.

주목할 만한 몇 가지 모발 침투 유형들이 있다(그림 6.19, 6.20).

소포자균 유형
Microsporum type

작은 홀씨 털바깥피부곰팡이에서(예를 들면 M. canis) 털줄기는 중간 모낭에서 침투된다. 모낭내의 균사들은 털 망울쪽 안으로 계속해서 자란다. 이차적 털외(extrapilary) 균사들은 갑자기 터져나오고 털줄기 표면 위로 구불구불하게 자라는데, 이것도 물론 계속해서 바깥쪽으로 자라고 있다. 이들 이차적 털외 균사들은 작은(지름 2-3 μm) 분절홀씨로 나누어지는데, 각각은 끝이 잘려서 둥글어지며 결국 구형이 된다. 이들 홀씨들의 크기는 광학 현미경의 낮은 전압하에서는 개별 구조로 쉽사리 구분될 수 없을 정도이다. Wood 광선을 통해, 푸르스름하고 초록색의 형광이 이 유형의 모발 침투에 특징적으로 존재한다(그림 6.19, 6.21).

모발 침투의 비슷한 유형은 다른 소포자균 spp, 예를 들면 M. gypseum에서도 발생한다. 그 홀씨들은 비록 유사하게 정렬되어 있지만 더 크며 이 경우엔 약 5-8 μm이다. 일부 증례에선 형광이 보고 되기도 했다.

백선균 유형
Trichophyton types

큰 홀씨 털바깥피부곰팡이에서(사슬에서)(예를 들면 T. verrucosum) 분절홀씨들은 구형이고 수직 사슬로 정렬되며 다시 한 번 털줄기의 바깥 표면에 구속되어 있다. 그것들은 명백하게 직선의 일차적 털외 균사들에서 발생하며 비록 크기는 종에 따라 다양하지만 그것들은 광학 현미경의 저전압 하에서도 명확하게 눈으로 볼 수 있다. 형광은 없다.

털안곰팡이(endothrix)(예를 들면 T. tonsurans)에서 털안 균사들은 분절홀씨들 안으로 조각나는데, 이 분절홀씨들은 전적으로 털줄기 안에 있다(그림 6.20). 그렇게 영향을 받은 모발은 특히 부서지기 쉽고 두피 표면에 가까운 곳에서 부서진다. 이 유형은 형광이 없다. 황선의 유형(favic type)(예를 들면 T. schoenleinii)에서 넓은 균사들과 공기 공간들이 털 줄기에서 보이지만, 분절홀씨들은 언제나 없다. 영향을 받은 모발은 다른 유형에서보다 더 손상을 입으며 상당한 길이까지 계속해서 자랄지도 모른다. 초록색의 회색 형광이 있다. 공기 공간은 아마도 털안의 곰팡이 균

(a)

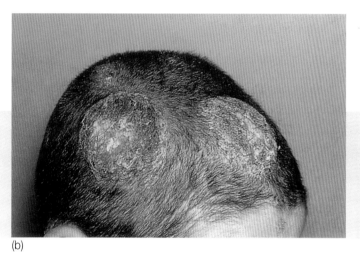

(b)

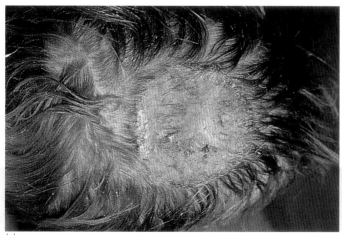

(c)

그림 6.27
(a-h) 우형(소) 원인의
Trichophyton verrucosum에서
기인하는 머리와 목의 독창 감염
스펙트럼.

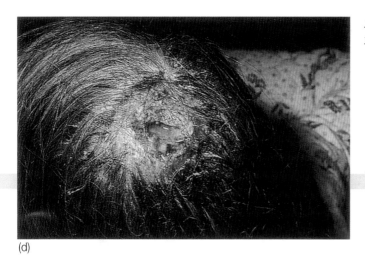

그림 6.27
계속

(d)

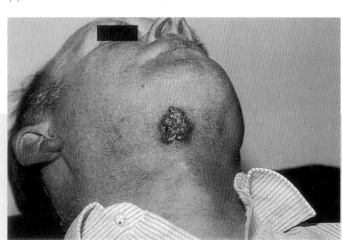

(e)

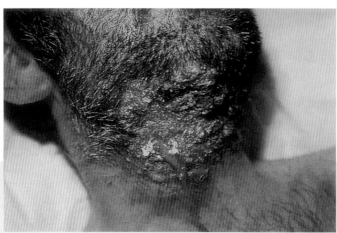

(f)

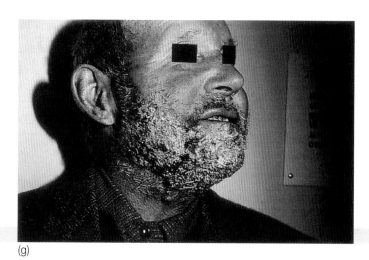

그림 6.27
계속

(g)

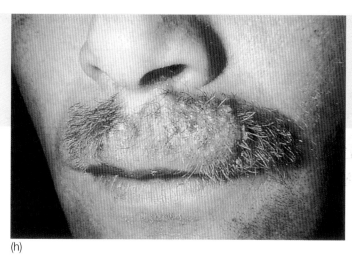

(h)

사들이 퇴화한 부위를 나타내는지도 모른다. 이 감염에 의해 남겨지는 임상적 모습은 항상 반흔성 탈모증의 하나이다(**그림 6.29, 6.30**).

임상적 특징

두피의 진균 감염의 임상적 모양은, 모발 침투의 유형, 숙주 저항의 수준과 염증 숙주 반응의 정도에 따라 꽤 다양하다. 모양은 그러므로 조심스럽게 조사를 해야만 감지할 수 있는, 소수의 흐린, 약간의 비늘증을 지닌 회색의 부서진 모발에서부터

(그림 6.22-6.26) 두피의 대부분을 포진하며, 심하고 아픈 염증 덩어리에 이르기까지 다양할 수 있다. 이 모든 유형들에서 주요 특징은 어느 정도의 염증이 있는 부분 탈모이다. 몇몇 기본 임상적 특징을 분간하는 것은 유용하다.

작은 홀씨의 털바깥피부곰팡이 감염
Small-spored ectothrix infections

M. audouinii와 M. ferrugineum 감염에서, 기본 병변은 종종 원형의 모양이지만 털이 갈라지고 그것들의 분절홀씨 코팅은 흐린 회색인, 부분 탈모의 반들이다. 염증은 중요하지 않을 정도이나 가느다랗게 비늘이 벗어짐은, 대개 꽤 뚜렷한 가장자리의 병변과 더불어, 특징적이다. 다소 임의적으로 정렬된 몇몇 또는 많은 수의 그런 반들이 있을 수 있다. M. canis 감염에서 상황은 유사하지만 염증은 더 많이 변화한다. 이들 모든 종에 의해 초래된 감염에서, Wood 램프 하의 초록색 형광은 보통이지만 비형광 증례도 보고된 적이 있다. 비록 더 나이든 어른에서 머리백선증의 소수의 증례를 잊어서는 안 되겠지만, 아이들이 어른보다 더 자주 발병한다. 분절홀씨 종에 의해 초래되는 유행성 감염에 대한 공격율은 높으면 한 학급 내에서 30%일 수 있다. 과거에는 'M. audouinii'와 'M. canis'의 감염률이 더 높았다.

독창
Kerion

가장 심한 반응 양상은 독창으로 알려져 있다(그림 6.27). 그것은 아프며 염증 덩어리인데 이 안에서 그런 식으로 남은 모발은 엉성한 편이다. 모낭들은 분비물 고름으로 보이며, 굴을 형성할 수 있으며 드문 경우 균종 같은 입자도 발견될 수 있다. 인접한 모발을 얽은 두꺼운 딱지는 흔하다. 걸린 부위는 한정적일 수 있지만 다수의 판들은 드물고 때로는 커다란 합병 병변이 두피의 많은 부분을 포함할 수 있다. 국소 림프절병증은 흔하다. 비록 이 격렬한 반응은 보통 호동물성 종에 의해 초래되지만, 일반적으로 T. verrucosum 또는 T. mentagrophytes, 가끔 호토양성은 격리되고 수주 동안 상대적으로 활동적이지 않았던 호인성 감염이 갑자기 염증을 내고 만약 높은 정도의 과민증이 발달한다면 독창으로 발전할 수도 있다. 이차 세균 감염이 일부 역할할 가능성은 반드시 무시되어선 안 된다. 그러한 경우 면봉은 반드시, 진균

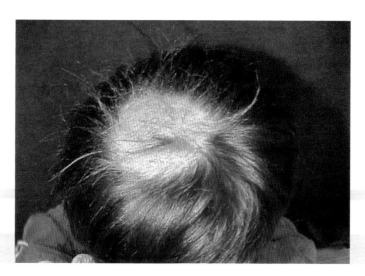

그림 6.28
독창. 가장 급성 단계에서 취했을 때, 독창에서 모발 성장을 회복시키는 것은 경구 스테로이드로 모낭이 파괴되는 것을 막으면 가능하다. 독창은 모발학적으로 위급한 상황이다!
이 경우(T. verrucosum)에서와 같이 감염된 후 수많은 주가 지나간 후, 국소와 경구용 항진균제로 치료되기는 하지만, 영구적 탈모는 피할 수 없게 된다. 일부 남아있는 모낭 아단위는 이 환자의 경우처럼 1년 후에 재결합할 수 있다. 그러나 솜털 모발은 미용상으로는 무의미하다.

학을 위한 모발의 뽑기에 덧붙여서, 세균 검사실로 반드시 보내야 한다. 일반적으로 는 그러나 고름물집형성은 곰팡이 그 자체 그리고/또는 천공털집염(perforating folliculitis)에 대한 염증 반응이다.

군집모낭염
Agminate folliculitis

모낭 농포가 박힌, 윤곽이 뚜렷하고 엷게 붉은 판으로 구성된 다소 덜 심한 두 피 염증 곰팡이 감염을 또한 호동물성 감염에서도 볼 수 있다.

모내 사상균 감염
Endothrix infections

T. tonsurans와 T. violaceum 감염에서 반점형 대머리의 비교적 비염증적인 유형이 발생한다. 영향을 받은 모발이 두피 표면에서 부서질 때 검은 점들을 형성

(부은 털줄기)하는 것은 이 병의 고전적인 징후이지만 그러한 소견들이 매우 뚜렷하지 않을 수도 있다. 보통 다수인 반들은 최소한의 비늘이 벗어지는 것을 보여 주며 때로는 원판상 홍반 루푸스나 지루피부염을 닮기도 한다. 그들은 흔히 둥글기보다는 윤곽이 모가나 있다. 낮은 수준의 모낭염도 가끔 볼 수 있으며 때로는 완전 독창(Frank keroin)으로 발달할 수 있다.

황선
favus

남아프리카와 중동, 파키스탄, 미국, 영국과 호주를 포함한 많은 국가에서 T. schoenleinii에 감염되는 것을 간헐적으로 볼 수 있다. 이 유기체로 인한 머리백선증의 고전적인 모습은 노르스름한, 컵모양의 균갑판(scutula)이라고 알려진 딱지로 특징지어진다. 각 균갑판은 모발 주위에서 발달하며, 모발을 한가운데에서 꿰찌른다. 인접한 딱지들은 융합되어 노란 딱지 덩어리를 형성한다. 대개의 경우, 그 후 더 이상 모낭 주변이 붉게 되지 않으며, 모발이 약간 엉키게 되는 증례에서 특유의 변화를 드물게 보여준다. 반흔성 탈모증과 정상 모발의 반들 중 위축된 광범위 반점형 탈모는 모낭의 돌출 부위가 파괴되어 많은 탈모가 되돌릴 수 없는 오래된 증례에서 발견될 수 있다(그림 6.29, 6.30). 이들 환자들에서 털 없는 피부는 대개 유사한 노르스름한 딱지의 발달에 의해 영향을 받는다. 일부 손발톱이 연루되는 것은 2-3%의 환자에서 발견된다. 비록 초기의 감염이 아마도 거의 모든 증례의 아이들에서 발생할지도 모르지만, 특히 여성에서, 비록 있다해도, 사춘기에 자연발생적으로 사라지는 경향은 거의 보여주지 않는다. 몇 세대에 걸쳐 영향을 받은 가족들은 잘 구별된다.

감별 진단
Differential diagnosis

머리백선증의 감별 진단은 두피의 염증 변화와 함께 반점형 대머리를 초래할 수 있는 모든 상태를 포함한다. 원형 탈모증은 홍반을 보일 수 있으며 비록 그 자체로 비늘증은 아닐지라도 그것이 지루피부염과 함께 있을 수 있다. 비록 조심스럽게

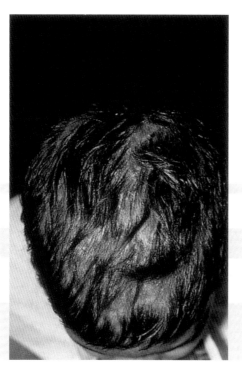
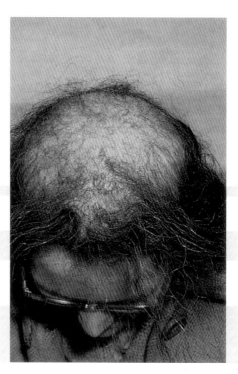

그림 6.29
Trichophyton schoenleinii 감염 - 흉터와 함께
늦은 단계의 황선

그림 6.30
Trichophyton schoenleinii 감염 - 흉터와 함께
늦은 단계의 황선의 또 다른 예

검사하면 보통 비늘벗음과 탈모가 같은 넓이를 가지는 것은 아니라는 점을 보여주지만, 그러한 증례들은 혼란스러울 수 있다. 느낌표 모양의 모발은 반드시 머리백선증의 부서진 모발과 구별되어야 한다. 미용에서 생기는(hairdressing) 외상성 탈모증과 발모광 또한 혼란스러울 수 있다. 지루피부염은 대개 머리백선증보다 더 광범성이지만 석면양 ('백선증') 비강진에서, 그러한 변화는 종종 국소화된다. 이 상태에서 비늘벗음은 모발에 유착되어 있으나 털줄기가 파손되는 일은 보통 발생하지 않는다. 건선에서 탈모는 오직 이따금씩 발견되며 다시 부서지는 모발은 대개 없다.

머리닛감염증에 이차적일 수 있는 고름딱지증에서, 모발이 느슨해지는 일은 보통 없지만 엉키고 딱지앉는 일은 염증 백선증(ringworm)과 혼란을 초래할 수 있다. 두피 고름집은 일반적으로 전신이 불편하고 열나게 할 수 있으며 느슨해진 모발이 떨어지는 것은 독창보다 한층 덜 뚜렷하다. 원판상 홍반 루푸스, 편평태선, 흉터 탈모증의 기타 원인을 가끔 고려해야만 한다.

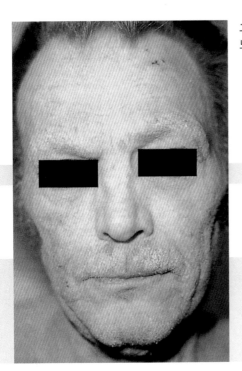

그림 6.31
노르웨이인의 옴

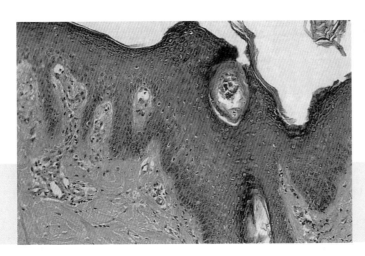

그림 6.32
노르웨이인의 옴·모낭
의 옴진드기(Acarus) 유
기체들을 보여 주는 생검

제어
Control

연루된 종들을 발견하는 것은 두피 진균 감염에서 상당히 중요하다. 일부 정도는 임상적 상태 또는 형광의 있고 없음으로부터 얻을 수 있지만 진단이 정확히 입증되기 위해서는 배양이 필요하다. 동물 종들이 관련된 곳에서 원인은 반드시 진균학적으로 증명되어야 한다. 취할 작용 경로는 상황과 그 동물에게 놓여진 가치에 달려 있다. 작고, 많은 사랑을 받는 애완 동물도 종종 그리세오풀빈으로 성공적이고도 경제적으로 치료될 수 있다. 송아지에서 소 백선증은 보통 자연발생적으로 해결된다. 크게 감염된 실험실 생쥐 무리는 반드시 박멸해야 한다.

호인성 감염과 함께, 조심스런 발병이나 유행병을 조사하는 것이 권장되며, 아이들을 학교에서 배제하는 것도 아마 필요할 것이다. 감염이 퍼지는 위험을 별도로 하더라도 감염된 아이들을 집에 머물게 하는 것에 대한 충분한 사회학적 근거가 종종 있다. 그것은 사회적 지각과 가정이 갖는 책임감을 실증해 주며 그 가족이 감염을 확산시켰다는 비난을 받을 것을 피하게 해 준다. M.canis 같은 호동물성 감염이라면, 일반적으로 사람과 사람 사이의 감염성은 낮으므로 아이들이 학교에 남아 있도록 허용된다.

치료

이 모든 상태에서 치료의 중심추는, 비록 더 새로운 항진균제의 시험이 매우 유망한 결과를 보여 오긴 했지만, 경구용 그리세오풀빈이다.[3,4] 국소 요법은 경구 요법에 대한 보조물로서를 제외하면 거의 자리가 없다; 엉킨 딱지를 제거하고 일상적으로 자주 샴푸로 머리를 감는 것도 의미 있다. 비록 대량의 단일 그리세오풀빈 요법과 간헐적으로 복용하는 계획(한 주에 두번 25mg/kg)도 어느 정도 성공해 왔지만, 일반적으로는 전통적이고 지속적인 매일 또는 하루-두 번 그리세오풀빈 치료를 받는 것이 바람직하다. 작은 홀씨 털바깥피부곰팡이 감염에서 4-6주 그리세오풀빈을 복용하는 것이 대개는 적당하다. 가능한 곳에서는 감염된 모발은 환자의 전염성을 줄이기 위해 잘라내야만 하며 조심스럽게 살펴보도록 권장된다. 만성 T. tonsurans와 T. schoenleinii 감염에서는 더 오랜 요법이 필요할 수 있다.

그리세오풀빈 대 새 경구 항진균제에 대한 연구에서, 진균학적 또는 임상적 치료는 치료받은 80% 이상에서 보고 되었다.[3] 경구 terbinafine, itraconazole, fluconazole로 하는 단독 요법(monotherapy)은 6주 그리세오풀빈 경로보다 모두 머리 백선증에서 2-3주에 걸쳐 더 적은 부작용으로 비슷한 효능을 보여 주었다. M. canis 감염에 대해서는 3주보다 더 긴 치료 과정이 권장된다.

두피 독창을 갖고 있다면 젖은 찜질을 이용해서 딱지를 제거하는 것을 게을리해선 안 되며, 공존하는 세균 감염의 가능성도 고려해야 한다. 만약 배양에 의해 확인되면, 전신 항세균성 화학요법을 반드시 실행해야 한다. 일반적으로, 독창은 그 염증 모양이 시사하는 것 보다 덜 아프지만, 진통제를 필요로 할 수 있다. 때때로 심한 독창을 지닌 아이들에서, 숙련된 간호가 가능한 병원에 입원하거나 외래 진료소에 자주 다니는 것은 매우 중요할 수 있으며 증세를 걱정하는 환자들은 그것을 매우 감사하게 생각한다.

흉터로부터의 영구 탈모는 예상보다 더 적다. Ketoconazole 샴푸는 요법의 초창기에 확산을 막기 위해 사용될 수 있다. 심한 염증 형태에서는 염증 반응을 억제하기 위해 경구 프레드니솔론을 사용하는 증례도 있고, 실제로 짧은 기간 동안의 경구용 코르티코스테로이드 역시 부종과 삼출성을 해결하고 이차 흉터짐을 방지함으로써 도움이 된다.

> 경구 항진균 요법은 두피 감염에서 원칙이다.

소양성 증후군
PRURITIC SYNDROMES

두피 가려움증은 어떤 객관적인 변화가 없을 때에도 독립된 증상으로 발생할 수 있다. 환자는 흔히 중년의 나이대에 있으며 가려움증은 연축적이며 강렬할 수 있고, 악화는 스트레스나 과로의 기간과 흔히 관련된다.

가려움증은 또한 괴사 여드름에서 압도적으로 발현되는데, 이 안에서 뒤이어 작은 딱지가 앉은 산재한 잔물집이 심하게 불편한 것의 원인이다. 포진 피부염 (dermatitis herpetiformis)은 피부를 포함할 수도 있다. 재발 소낭에서 무리로 있는 구진과 잔물집들은 몸통과 사지의 유사한 병변과 연관되어 있을지도 모른다.

단순 태선은 여성에서 목덜미와 뒤통수 부위 가려움증의 빈번한 원인이며 한쪽 또는 양 귀 위에 국소화될 수 있다. 영향을 받은 부위에서 두피는 두꺼워지고 비늘이 생긴다.

모발 염색과 기타 모발 미용에 대한 반응은 두피 그 자체보다 한층 일반적으로 귀, 목, 앞이마 또는 얼굴을 포함한다. 그러나 강렬한 두피 자극은 때로 민감한 반응의 초기 증상이며 드물게 습진 변화는 두피의 전부 또는 일부에 영향을 미칠 수 있다. 그러한 경우에는 연관된 회복이 될 수 있는 탈모가 있다. 모발 미용과 약물은 별도로 하더라도, 모자를 쓰는 것도 두피 반응을 유발할 수 있다.

지루성, 아토피 피부염과, 노르웨이인의 옴(Norwegian scabies)과 같은 기타 염증 질환은 가려울 수 있지만 나타나는 증상에서 가려움증은 드물다. 건선은 대개 가렵지 않다.

다양한 연령층의 아이들과 여성에서도, 환자의 사회적 상태 또는 나이가 무엇이건간에, 이감염증(pediculosis)은 반드시 막아야 한다. 알 수없이 많은 곤충에 의해 물린 것들이 아이들에게서는 종종 알 수 없는 가려움의 원인이며 줄까짐 (excoriation)의 결과로서 세균 감염에 의해 보통 급속하게 악화된다. 소아나 노인들, 그리고 면역 억제된 사람들에서, 옴은 두피 자극을 초래할 수 있다. 면역 억제된 사람들은 역설적으로 가려워하지 않는다.

구충성 샴푸를 과다하게 쓰거나 남용하면 두피 자극 증후군에서 임상적 상태를 악화시킬 수 있고 어쩌면 이차 탈모를 증진시킬 수 있다.

두피는 기생충공포증이 흔히 일어날 수 있는 부위이다.

태선화와 단순 태선
LICHENIFICATION AND LICHEN SIMPLEX

태선화는 반복적으로 문지르거나 긁어서 피부가 '가죽 같이' 두꺼워지는 것이다(그림 6.33, 6.34). 표면 피부 선과 주름들은 비정상 구역 내에서 악화된다. 태선화는 많은 소양성 피부병들에 대해 이차적으로 발생하거나 또는 소위 단순 태선 또는 주 태선화 같은 선행 질병 없이 국소적으로 비정상인 상태로 발전할 수 있다(그림 6.35).

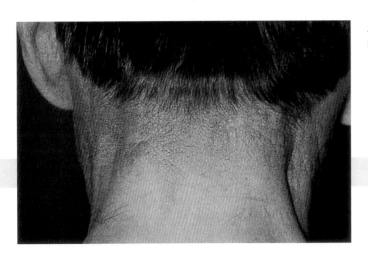

그림 6.33
태선화 - 목덜미

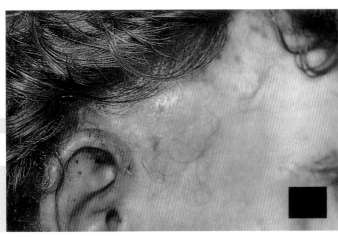

그림 6.34
태선화 - 측두두정 병변

병리적 변화는 부위에 따라 다르다. 전형적인 소견은 각화과다증과 가시세포증을 포함한다; 국소화된 해면화와 이상각화증도 있을 수 있다. 모든 표피의 성분들은 과다형성된다. 피부 변화는 주요 원인과 병변의 지속 시간에 따라 다양하다. 혼합된 만성 염증 세포 침윤물은 보통 상위 진피에 있으며 섬유증과 Schwann 세포 증식과 종종 연관된다.

정서적 긴장은 태선화의 발전과 존속에서 중요한 부분을 담당하는데, 이 태선화는 실제로 주요 질병이 완화된 오랜 뒤에도 지속될 수 있다. 이 사실은 종종 사용되는 동의어 '신경피부염'의 기반이다. 모든 사람들이 문지르거나 긁어서 태선화된 피부를 만드는 것은 아니다; 아토피 환자들은 특히 걸리기 쉽다. 많은 환자들에서, 같은 질병과 만성적으로 문지르고 긁으면 결절이 만들어진다 ? 결절 가려움 발진 또는 결절 태선화. 흑인 환자들에서는 자주 구진과 모낭 태선화가 있다.

주요 증상은 가려움증인데, 미미한 징후임에도 불구하고 매우 중증일 수 있다. 이차 태선화에 선행하는 가장 흔한 질병은 아토피 피부염, 동전습진(nummular eczema)과 드물게는 건선 등이다. 만성 광피부병과 건선은 거의 긁거나 문지르지 않는 부위에서 태선화된 모양을 초래하게 할 수 있다. 태선화된 반들은 문지르거나 긁는 것이 익숙한 가려운 부위에서 발생할 수 있다.

단순 태선(그림 6.35)은 예전에는 명백히 정상이던 피부를 문지르거나 긁음으로써 발생하는 국소화된 태선화, 즉 일차 태선화로 정의된다. 일반적으로 국소 물리적 징후와 조직병리학적 변화들은 이차 태선화와 같다. 단순 태선은 사춘기 이전에는 드물며 가장 많이 발생하는 때는 30세와 50세의 나이 사이에서이다. 남성보다 여성이 더 빈번하게 걸린다. 단순 태선에서는 병변은 오직 소수이며, 증례의 50%는 오직 하나의 병변만이 발생한다. 가장 흔하게 영향을 받는 부위는 목덜미다.

목덜미 태선(lichen nuchae)은 목덜미 위에 하나의 판으로 발생한다. 비늘이 매우 많고 건선을 닮을 수 있으며 이차 세균 감염 공격은 보통이다(그림 6.33, 6.35b). 두피의 다른 부분 위에서 나타나는 징후는 기저의 가려움증(trichoteiromania)과 연관된 국소적으로 모발이 부서지는 것일 수 있다.

이 형은 특히 두피의 관자와 두정부위에 영향을 미칠 것 같다. 모발 미용에 대한 알레르기 또는 자극성 반응은 반드시 차단되어어야 한다.

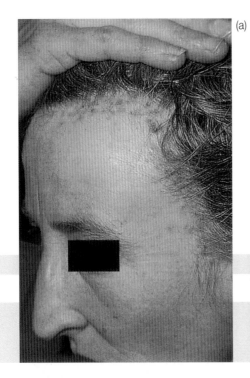

(a)

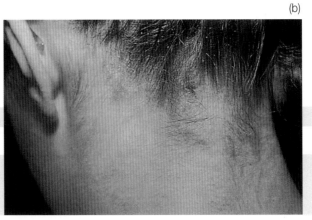

(b)

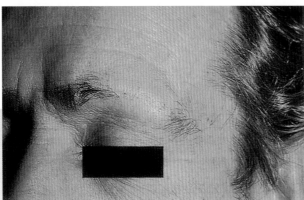

(c)

그림 6.35
(a-c) 단순 태선의 변종들

치료

일차 태선화는 조심스런 심리적 평가와 치료를 요한다; 환자는 반드시 내재
하는 스트레스와 긁는 버릇을 없앨 필요성에 대한 이해에 대한 통찰이 주어져야 한
다. 국소적 치료는 항염증성이고 가능한 부위에서는 밀봉을 해야 한다; 국소 스테로

이드 용액 또는 크림이 가장 흔히 사용되는 반면, 병변내 triamcinolone는 난치성 증례에서 효과적일 수 있다. 표면 엑스방사선은 대부분의 난치성 증례에서 도움이 될 수 있다.

접촉 피부염
CONTACT DERMATITIS

접촉 피부염(접촉 습진)은, 현재의 목적상, 외부 인자에 의해 초래된 염증 상태로 편히 정의할 수 있다. 만약 광피부염이 배제된다 하더라도 자극에 의한 것과 알레르기성 피부염이라는 두 개의 커다란 구역은 분간될 수 있다.

자극성 피부염
Irritant dermatitis

피부 자극제는 충분할 정도로 자주 그리고 충분할 정도로 응집된 상태로 충분한 시간 동안 적용된다면 대부분의 사람에서 세포 손상을 초래할 수 있는 물질로 정의된다. 두피는 일반적으로 자극 손상에 저항하는 것으로 생각되는데, 이는 아마도 비교적 두터운 표피와 각질층, 그리고 급속한 '전환 시간' 때문일 것이다; 즉, 그것은 자신의 자연 장벽 층을 자연발생적으로 그리고 어떤 세포가 손상된 후 모두 비교적 재빨리 교체한다. 그러나 다른 부위에 매우 자극적인 것으로 알려진 물질들을 두피에 충분한 시간 동안 충분한 빈도와 농도로 바르는 일은 거의 없다는 점을 주목해야 한다. 예를 들면 미용사는 샴푸에 접촉함으로써 손에접촉 피부염을 자주 일으키지만, 두피에 바르는 희석 샴푸 용액은 피부염을 일으키지 않는다. 왜냐하면 곧 씻어내기 때문이다. 샴푸는 아토피 습진을 지닌 사람처럼 영향을 받기 쉬운 사람에서 앞이마와 두피 가장자리를 좀처럼 자극하지 않으며 눈의 결막 표면을 새빨갛게 하지 않는다.

사실상 티오글리콜산염, 표백 약제와 열은 두피 자극성 피부염의 가장 흔한 원인들이다. 자극성 피부염은 병원 발생원과 직접적으로 접촉한 피부에만 영향을 미친다는 점을 기억하는 것이 중요하다.

알레르기 피부염
Allergic dermatitis

알레르기 피부염은 피부에 예전에 바른 물질에 대해 과민반응이 발달해서 생기는 피부염을 암시한다. 이 유형의 피부염을 일으키는 대부분의 물질들은 작은 분자 덩어리로 10kDa보다 더 적으며 부분적인 항원이나 또는 불완전항원으로만 작용한다. 완전한 항원을 형성하기 위해서 그들은 반드시 표피 단백질과 결합해야 한다. 면역학적 반응은 세포에 의해 조정되는 항체 반응이 표피에서 일어나도록 알레르기 항원과 정상 지역 림프 선을 분간하기 위해 표피 랑게르한스 세포의 존재를 필요로 한다. 이러한 방식으로 발전하는 피부염의 특성은 만약 알레르기 항체를 반복적으로 바르면, 접촉 부위로부터 퍼져 나갈 수 있다는 것이다. 두피는 비교적 알레르기 항체에 저항적이다. 자극제에서와 같이 이러한 저항은 두터운 각질층 때문일 수 있지만 이것이 유일한 요인일 수는 없는데, 그 이유는 습진 접촉 알레르기가 전적으로 복용량과 연관된 것은 아니기 때문이다.

동시적 습진 알레르기와 함께 하거나 하지 않는 즉시형 과민증의 발생이라고 하는 것은 보다 덜 잘 된 정의이다. 이러한 유형 I 반응(type I reactivity)은 가장 흔히 paraphenylendiamine 유형의 모발 염색에서 볼 수 있다.

임상적 모습
Clinical apperarance

두피에 영향을 미치는 자극성 피부염은 자극제와 접촉한지 짧은 기간 내에 작열감이나 동통 그리고 두피가 꽉 조이는 것으로 시작할 수 있다. 액체에 의한 자극제는 가장 일반적으로 두피 가장자리에서 이러한 증상을 초래한다. 징후는 경미한 홍반에서 현저한 부종과 삼출에 이르기까지 다양하다. 완전히 소실되는 데 수일 이상은 걸리지 않는다. 모발 파손은 예를 들면 티오글리콜산염 같은 어떤 물질로부터 발생할 수 있다. 만약 두피 염증이 충분하게 심한 정도라면 확산성 탈모는 국부 염증 휴지기 탈모로 인해 손상 후 수일에서 수주에 발생할 수 있다.

알레르기 피부염에서 임상양상은 상당히 다양하다. 두피 또는 거의 눈에 보이는 변화는 없는 두피 가장자리의 자극과 만성적으로 긁어서 생긴 뒤통수 태선화가 유일한 징후일 수 있다. 좀더 심한 증례는 두피와 인접 지역에 국소적이거나 퍼져서 머리와 목의 다른 부분에 영향을 미치는 급성, 아급성 또는 만성 습진을 나타낸다. 급성 징후는 만약 눈주위 부종이 발생하면 혈관부종(**그림 6. 36**), 양측 얕은 연조직염 혹은 피부근육염(dermatomyositis)과 흡사하다. 시작과 알레르기 피부염의 자연발생적 치유 사이에 수많은 주, 드물게는 수많은 달이 경과할 수 있다. 드물게도

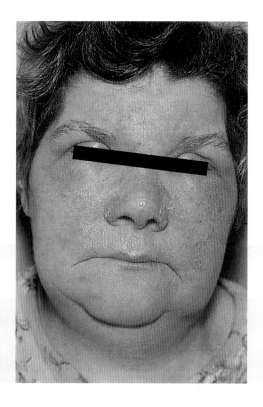

그림 6.36
모발 염색으로 인한 알레르기 접촉 피부염

휴지기 탈모는 접촉 피부염을 앓은 뒤 발생할 수 있다.[5] 이따금씩 모발 제품에 대한 알레르기 접촉 피부염은 목욕 중 샴푸로 머리를 감는 습관 때문에 먼 부위(등, 발)에서 발생한다. 그러한 비전형적 장소는, 알레르기 피부염이 모발관리 제품 때문일 때에는, 반드시 기억해 두어야 한다.

> 두피 제품에서 기인하는 알레르기 접촉 피부염은 오직 두피의 가장자리만 영향을 미칠 수 있다.

접촉 피부염을 일으키는 물질들
Agents causing contact dermatitis

머리 염색약
hair dyes

미국 여성들의 약 40%는 어떤 형태든 모발 염료를 사용한다. 식물성 염료도, 과거보다는 덜 흔하게 쓰지만, 여전히 쓰인다. 헤나 염료는 습진 알레르기를 일으키지는 않지만 접촉두드러기(contact urticaria)와 더 빈번하게 알레르기 비염(rhinitis)과 천식을 갑자기 생기게 할 수 있다. 카모마일은 여전히 일부 샴푸와 린스에 들어 있다; 그것은 염료인 apigenin(trihydroxyflavone)을 함유하고 있는데, 이것은 식물을 다루는 사람들에겐 강력한 민감제이지만 미용상 사용시에는 그렇지 않다.

금속성 염료는 이제 오직 드물게 사용된다. 일부는 니켈과 크롬을 함유하지만 이들은 합성분자로 안전하게 킬레이트화 된다. 일시적인 염료들(색소 린스)과 반영구적 염료들은, 비록 후자가 샴푸로 자주 유통되고 영향을 잘 받는 사람들에서는 자극 반응을 일으키거나 o-nitroparaphenylenediamin(ONPPD)로 인한 알레르기 피부염을 일으킬 수 있지만, 일반적으로 안전한 제품들이다.

영구적 염료들은 다른 모발 미용 약제들보다 한층 알레르기 민감화를 일으키기 쉬울 것 같다. Paraphenylenediamine(PPD)는 머리와 목의 급성 습진 피부염을 일으킬 수 있으나, PPD를 다루는 사람들에서는 손 피부염이 가장 흔한 형이다. PPD 는 강력한 과민제이다. PPD의 악명이 그러하기 때문에 많은 나라는 그것을 모발 염 료로 금지해 왔으나 이러한 금지는 곧 풀릴 수 있을 것 같다. 왜냐하면 유럽 공동체 는 모발 염료가 6%까지 PPD를 함유해도 좋다고 선언할 것이기 때문이다. PPD 알레 르기의 증례들은 더 나은 미용사에 대한 교육과 사용자들 그리고 개선된 PPD의 순 도 덕분에, 그리고 또한 염료 과정 동안의 화학적 반응이 한층 정확하게 통제되고 완 성되어, 유리(FREE) PPD를 거의 또는 전혀 안 남기는 덕분에, 이제 덜 흔하다. 완전 하게 중합된 PPD는 해가 없으며 화학작용을 일으키지 않아서 가발에서 염료에 대한 반응은 따라서 일어나지 않는다. 실제로 집에서 사람이 하는 모발 염색은, 염색 과정 동안의 부주의로 인해 모발에 남아 있는 잔류 유리 염료 때문에, 사용자 또는 모발과 접촉한 후의 사람들에서, 더 알레르기를 생성할 것 같다. Paratoluenediamine(PTD) 는 PPD보다 50%는 덜 알레르기를 일으킬 것 같다.

만약 모발 염료에 대한 알레르기가 의심되면, 1% ONPPD, 1% PPD, 1% PTD를 사용해서, 반 검사를 반드시 수행해야 한다. 교차반응성이 문제일 수 있다: 예를 들면 para-dye 피부염은 어떤 항히스타민제와 고무 항산화제에 의해 상승될 수도 있다.

> **모발 염료로 인한 미용사의 손 습진은 고객의 습진보다 한층 더 흔하다.**

모발 표백
Hair bleaches

이것은 보통 과산화수소와 과류산 암모늄(ammonium persulphate)을 담은 한쌍의 팩으로 판매된다. 후자는 잠재적으로 자극과 과민제 둘 다 될 수 있다. 그것 은 얼굴이 붓고 두피를 가렵게 하는 - 이것은 피부그림증(dermographic) 환자에서 더욱 그러할 것 같은데 - 히스타민 유리촉진제이다. 만약 과도한 농도로 너무 오래 바르면 모발이 부서지는 것과 함께 급성 자극 반응이 발생할 수 있다.

파마 곱슬머리 용액
Permanent wave solution

티오글리콜산염에 대한 민감 반응은, 비록 경미하고 일시적인 자극성 피부염이 흔치 않은 것은 아니지만, 극히 드물다. 두피의 괴사는 붕산염 중화제와 반응해서 환원시키기 위한 화합물인 티오글리콜산염 용액을 부정확하게 사용하는 데에서 기술된 바 있다. 괴사는 생성되는 열 때문에 일어나는 것일 수 있다.

모발 펴는 것(이완제)과 탈모제
Hair straighteners(relaxers) and depilatories

이들은 종종 티글리오콜산염을 함유하지만 파마 용액보다 심각한 반응을 초래하지는 않는다.

세팅 로션
Setting lotions

주 성분은 보통 polyvinyl-pyrrolidone인데, 이것은 어떤 알레르기 잠재성도 갖고 있지 않은 듯하다. 만약 그러한 로션에 대한 반응이 발생하면, 그것은 첨가연료 때문일 가능성이 더 크다.

헤어 토닉, 자극제와 복원제
Hair tonics, stimulants and restorers

그러한 제제는 일반적으로 무해하다. 두피의 작열통과 삼출은 용설란 추출물을 함유한 자극제 때문에 발생할 수 있는데, 이 추출물은 보통 대머리 두피에는 드물게 사용된다.

샴푸
Shampoos

짧은 시간 동안 희석 용액으로 바르기 때문에, 비록 샴푸가 미용사들에서 드문 손 피부병의 원인이기는 하지만, 자극 반응은 드물다.

남성 모발 크림
Men's hair creams

향수, 라놀린, 보존제에 대한 알레르기가 발생할 수 있다.

헤어네트
Hairnets

이것은 더 이상 인기가 있는 것은 아니지만, 일부 나이든 여성들에서는 여전히 쓸 수 있다. 발진은 목, 귀와 앞이마 머리털이 난 언저리에 영향을 미치며, 지루피부염과 단순 태선을 자극한다. 기술된 모든 증례들은, 네트 또는 그것의 가장자리 탄력 띠에 대해, 양성 반 검사를 보였다. Azo-와 anthroquinone 염료, PPD, 어떤 산포 염료들은 가장 흔한 특정 알레르기항원들이다.

모자에 두른 띠 피부염
Hatband dermatitis

비록 대부분의 증례는 앞이마에 연루되어 있지만, 피부염에 걸리는 부위는 다양하다. 가죽은 가장 빈번한 알레르기항원들이지만 직물과 플라스틱이 병원체일 가능성이 이제는 더욱 크다. 피부염은 페트 제품 모자에 광택을 주기 위해 사용되는 월계수 기름에서 기술되어 왔다. 일부 모자에 두른 띠는 송지를 함유한 바니시 니스 마감을 하고 있다.

가발 반응
Wig reactions

맞지 않는 가발은 전형적으로 접착 밴드의 아래 두피의 국소 부분에 마찰과 자극 손상을 초래할 수 있다. 알레르기 피부염은 접착 물질에 의해 일어날 수 있다. 알레르기는 가발에서 완전하게 중합된 모발 염료에 대항해서는 나타날 수 없다.

괴사여드름
ACNE NECROTICA

이 기술적인 임상 증상은 국소 긁음이나 '뽑음'에 의해 복합되는 모낭염으로서 간주되어 왔다. 그것은 사춘기를 지나 어떤 나이에도 발생할 수 있지만 10대 소녀와 중년 남성들이 가장 심하게 앓는 것처럼 보인다. 가려움은 종종 특히 두피 가장자리에서 심각하고, 환자들은 매우 요구가 많아 지게 된다.

조직학적 변화는 질병특유의 것은 아니다. 모낭과 이웃 표피를 파괴하는 괴사에 의해 한층 중증의 병변에서 악화되는 모낭염이 대개 있다. 생검에 보내진 일부 병변들은 오직 감염된 줄까짐을 보여준다. 감별 진단은 낙엽천포창(pemphigus foliaceus)을 포함한다.

임상적 특징

괴사여드름과 그것의 변종인 앞이마 여드름이 중앙이 괴사하는 무통성 구진 고름물집을 나타내며, 마마모양의 흉터를 남기며 천천히 치유된다(그림 6.37, 6.38). 그들은 약간 아프고 가려울 수 있다. 이마 모발을 따라 독특하게 발생하지만, 또한 두피도 포함하는데, 이곳에서 그들은 반흔성 탈모증의 작은 반들을 남긴다. 자주는 아니지만 그들은 뺨과 목 또는 가슴과 등 위에서도 발생한다. 치료받지 않으면 그것의 모든 변종에서 그 병은, 비록 어느 한 순간에 소수의 활성 병변만이 존재할지라도, 긴 경과를 거친다.

중증 형태는 바로 기술된 형태와 같이 존재할 수 있다. 가려움증은 불쾌할 정도로 심할 수 있는데, 환자가 의료적 조언을 찾도록 만든다. 일차 병소는 작은 구진 고름물집이지만, 이들은 급속히 벗겨진다.

새 병변은 불규칙한 간격으로 계속해서 발달하지만 가려움증은 객관적 변화와 관련해서는 종종 균형에 맞지 않게 중한 것처럼 보인다(그림 6.38).

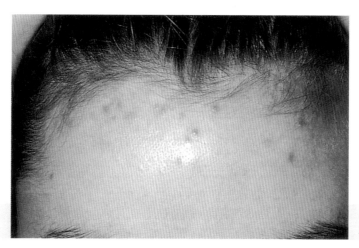

그림 6.37
괴사여드름

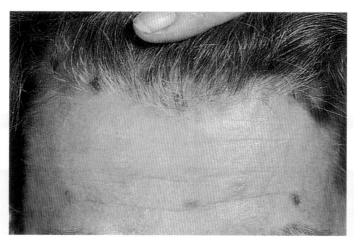

그림 6.38
괴사여드름의 또 다른 예

진단

괴사여드름에서 병변의 분포와 그것들의 형태는 구진괴사결핵발진 (papulonecrotic tubercluides), 삼차 매독, 낙엽천포창 같은 이제는 온대지방에서 흔치 않은 그러한 질병을 구별하는데 쓸모 있다.

이감염증은 이를 찾음으로써 그리고 피부염 헤르페스모양은 다른 곳의 병변 유무에이 있따라, 이감염증과 피부염 헤르페스모양을 제외한 적이 없다면, 중증의 소양성 형태는 결코 진단되어서는 안 된다.

치료

모든 형태들은 광범위 항생제에 대해 일시적 반응을 보이며 그러한 치료는 중증 증례에서 유용하다. 많은 환자들은 보통 여드름에서처럼 소량의 유지용량을, 예를 들면 하루에 두 번 옥시테트라사이클린을 250mg을 복용할 필요가 있다. 국소용 코르티코스테로이드 항생 약제도 어느 정도의 가치는 있지만 오직 일시적인 효과만 준다.

머리닛감염증
PEDICULOSIS CAPITIS

머리닛감염증은 머릿니(Pediculus humanus capitis)라는 머리의 이 때문에 생긴다. 여성 머릿니는 길이가 3-4mm이며 남성보다 약간 더 크다. 생존한 40일 동안 이는 8일마다 대략 총 300개의 알을 낳는다. 알들은 무리지어 두피 끝에 가까운 털줄기에 단단히 부착된다(그림 6.39-6.41). 1주 뒤 알은 부화하여 작은 성충과 유사한 유충을 생산한다 - 거의 즉시 그들은 숙주의 피를 먹이로 삼기 시작한다. 이는 3번의 털갈이 후 10일 안에 짝짓기를 시작한다.

임상적 특징

비록 모발에 붙여진 계란 모양의 빈 캡슐은 수천개로 늘어날 수 있지만, 일반적으로 감염이 최대에 달할 때에도 두피 위에 10마리 이상의 이는 살아 있지 않다. 가려움은 대개 심하고 지속적이다. 긁는 것과 이차 세균 감염으로 모발이 엉킬 수 있다.

그림 6.39
머리닛감염증 - 두피 모발 위의 난세포 주머니
(ova capsules)

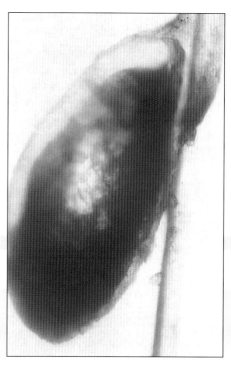

그림 6.40
머리닛감염증 - 난세포 주머니(광현미경도)

치료

유기염소제(organochlodires)에 대한 저항이 나타난 후로 말라티온과 carbaryl이 주요한 치료제였다. 액체 치료제는 씻어내기 전 12시간 동안 두피에 남는다. 7-10일 뒤에 반복 치료가 필요할 수 있다. 물리적으로 이를 제거하는 것은 '이 빗'과 솔질과 더불어 중요한 보조처치이다. 내성 균주가 나타나면서 '과거의' 약이 인기를 다시 얻고 있다. 이버멕틴은 주로 회선사상충증에 쓰여져 왔다. 그것은 오직 한 번만 경구 복용을 하면 된다.[6]

그림 6.41
머리닛감염증 - 난세포 주머니(스캐닝
전자 현미경도)

만성반흔성 모낭염(켈로이드성 여드름)
FOLLICULAR KELOIDALIS NUCHAE
(ACNE CHELOIDALIS)

이 목덜미의 만성 염증 모낭염은 거의 예외적으로 남성에서만 나타나며 확실히 더 심하고 또한 코카서스인보다는 흑인[7]에서 한결 더 빈번하다. 보통 14세에서 25세 사이의 어느 때이든 사춘기 이후에 시작될 수 있다. 영향을 받은 많은 사람들은 보통여드름을 앓거나 앓아 왔다; 다른 많은 사람들에선 다른 어떤 피부 병변도 없다. 그 상태의 원인은 알려져 있지 않지만 유전적 요인이 암시된다. 조직학적으로 만성 모낭염과 모발의 조각을 둘러싼 이물 육아종은 주요한 특징이다.

모낭 구진과 고름물집들은 머리털이 난 언저리 바로 아래 목덜미 위의 불규칙한 선형 균주군에서 발달하며 뒤통수를 향해 길거나 또는 짧은 간격으로 추가적인 소낭에서 확대된다(**그림 6.42**). 단단한 '흉터종' 구진들이 모낭염을 뒤따르고 수평 띠나 판을 형성하기 위해 합류된다(**그림 6.43**). 이들은 새로운 모낭 구진 및 분비물 굴(discharging sinuses)과 함께 존재할 수 있다.

국소 항세균 약물과 전신 항생제로 치료하면 어쩌면 염증 변화의 진행을 억

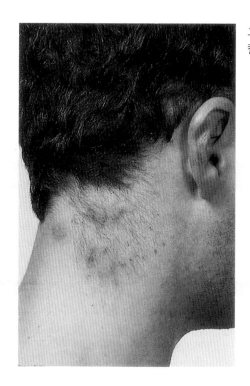

그림 6.42
켈로이드성 여드름(acne cheloidalis)

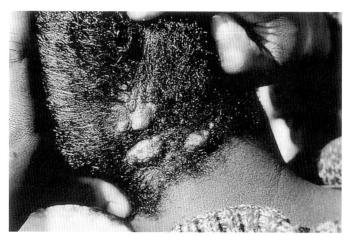

그림 6.43
중증 결절 흉터가 있는
켈로이드성 여드름

제할 수 있겠지만 믿을만하거나 완전한 것은 아니다. 흉터종은 성형외과적 수술로 성공적으로 잘라낼 수 있다. 경구 레티노이드는 어떤 일관성 있는 도움도 주지 못했지만 일시적으로 초기의 모낭 염증기의 진행을 중지시킬 수 있을지도 모른다. 경구 항남성호르몬 요법은 여성에서 질환이 발생할 때 약간의 도움이 될 수도 있다.

FURTHER READING

1. Dawber RPR, Wojnarowska F (1997) Scalp disorders. In: *Textbook of dermatology*, 6th edn, eds Champion RH, Burton JL, Ebling RJG, Burns A (Oxford, Blackwell Scientific Publications), pp 2634–2638.

2. Runne U, Kroneisen-Wiersma P (1992) Psoriatic alopecia: acute and chronic hair loss in 47 patients with scalp psoriasis, *Dermatology* **185:** 82–87.

3. Gupta AK, Adams P, Diova N (2001) Therapeutic options for the treatment of tinea capitis: griseofulvin versus the new oral antifungal agents, terbinafine, itraconazole and fluconazole, *Paediatr Dermatol* **18:** 433–438.

4. Rainer SS (2000) New and emerging therapies in paediatric dermatology, *Dermatol Clin* **18:** 73–78.

5. Tosti A, Piraccini BM, Van Neste DJJ (2001) Telogen effluvium after allergic contact dermatitis of the scalp, *Arch Dermatol* **137:** 187–190.

6. De Berker D, Sinclair R (2000) Getting ahead of head lice, *Aust J Dermatol* **41:** 209–212.

7. Perkins W (2002) Acne keloidalis nuchae. In: *Treatment of skin disease*, eds Lebwohl MG, Heymann WR, Berth-Jones J, Coulson I (London, Mosby), pp 4–5.

Chapter 7

모발 색
HAIR COLOUR

정의에 따르자면 멜라닌은 비록 검은 색소이지만 과학자들은 오래 동안 그 용어에서 노란색에서 검은 색에 이르기까지 색소 범위를 광범위 하게 기술하여 왔다. 생물학자는 보통 멜라닌을, 인간의 멜라닌 보유세포인 멜라닌세포로부터 파생된 색소로서 정의한다. 척추동물의 표면 구조는 그러한 멜라닌 색소를 피부, 모발, 비늘과 깃털에서 함유한다.

인간에서 색소침착을 조절하는 기본 구조의 성질을 이해하고 연구하기 위해서는 순서대로 여러 과정을 고려해야만 한다.

포유류의 멜라닌 색소침착을 조절하는 4가지 요소는,

1. 털과 피부에서 멜라닌 색소의 수와 위치를 조절하는 것들.
2. 티로시나제와 멜라닌 합성을 조절하는 것. 멜라닌 합성은 효소에 의해 매개되는 티로신을 유멜라닌과 페오멜라닌으로 바꾸는 과정이다. 몇몇 효소들이 이 반응을 매개하는데, 이것은 티로시나제, TRP1 (thyrosinase-related protein-2)을 포함한다.
3. 멜라닌 세포에서 멜라닌소체의 형태와 분포를 지배하는 것들.
4. 멜라닌 세포로부터 각질세포로 멜라닌소체를 전달하는 것과 각질세

포에서 멜라닌소체의 분포를 통제하는 것들.

후에 기술될 많은 질병 상태들은 이 전체적인 구도 안에 있는 특정 결함의 여러 예를 보여 준다.[1]

인간의 모발 색소침착은 전적으로 멜라닌세포로부터의 멜라닌이 있는 것에 의존하지만, 실질적으로 인식되는 색은 물리적 현상에도 또한 의존한다. 멜라닌이 생성하는 색의 범위는 회색, 황색, 갈색, 빨간색, 검은색의 색조에 한정된다. 대조적으로 많은 하등 동물은 멜라닌에 더하여 포르피린과 카로티노이드 같은 색소 때문에 색을 나타낸다.

멜라닌의 형성과 그것의 세포적 영향에 대해 행해진 많은 연구는 다른 상피 표면, 주로 표피에서의 세포에 대한 것이다. 이 점에도 불구하고 털망울 멜라닌 세포(bulb melanocytes)에서 생화학 사건이 다른 것이라고 믿어야 할 이유는 없으며 수행된 연구는 그들이 실제로 유사하다는 것을 명백히 시사한다.

> 모발 색은 멜라닌뿐 아니라 물리적 요인으로부터도 부분적으로 기인한다.

멜라닌 화학[1]
MELANIN CHEMISTRY

자연적인 멜라닌 구조에 관해 풀어야 할 많은 문제점들이 남아 있다. 인간의 모발 색의 전체적인 범위는 멜라닌의 두 유형으로부터 기인한다: 주로 검은색과 갈색 모발을 만드는 유멜라닌과 압도적으로 빨강, 고동색, 금발을 내는 페오멜라닌이다(그림 7.1). 일반적으로 우리는 비록 사람들이 그들의 모발 색으로 이들 색소중 하나만 갖고 있다 해도, 그 색소는 둘 다 존재한다고 말할 수 있다. - 검은색 모발은 주로 유멜라닌에서 비롯되고 빨간색 모발은 페오멜라닌에서 비롯된다. 눈에 보이는 모발의 색이 무엇이든간에, 격리된 유멜라닌은 흑갈색이고 불용성인데 반해, 페오멜라닌은 붉으스름한 고동색이고 알칼리이며 가용성이다.

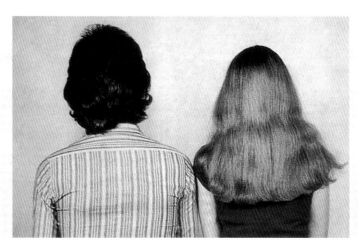

그림 7.1
검은 (유멜라닌)과
붉은 (페오멜라닌) 모발 색.

털망울 티로시나제(hair bulb tyrosinase)의 활동은 나이에 따라 약하게 쇠퇴하지는 않지만 중년에서 최대가 되는 경향이 있다. 특정 티로시나제가 인간의 모발 색에 대해 어떻게 관여하는가 하는 관계는 아직 잘 정의되어 있지 않다. 털망울(hair bulb)이 다른 부위에서 발견되는 것과 비슷한 유멜라닌을 생산한다는 점은 의심의 여지가 없는 것처럼 보인다.

각각의 사람은 일생에 걸쳐 똑 같은 멜라닌을 만들어낸다고 전통적으로 믿어 왔다. 이는 어쩌면 사실이 아닐 수도 있다; 예를 들면 붉은 두피 모발이 후반기의 삶에서는 검은 갈색으로 변하기 시작하는데, 이는 페오멜라닌형성으로부터 유멜라닌형성으로 '균형' 상황의 변화가 있다는 것을 시사하는 것이다. 다른 많은 자연스런 모발 색의 변화는 이와 유사한 생화학적 변화를 반영하는지도 모른다.

멜라닌세포와 멜라닌형성
MELANOCYTES AND MELANOGENESIS

멜라닌세포는 털망울(hair bulb)에서 색소가 생산되는 장소이다. 기능하는 멜라닌세포는 모발 기질의 배아세포 중 진피 유두의 꼭지에 있는 망울에 위치해 있다; 털망울(hair bulb) 멜라닌세포는 모발 생산기(성장기 II-VI) 동안 유일하게 활성적인 반면, 티로시나제 합성은 이른 성장 단계 동안에 발생한다. 주요 세포체는 기저막과 접촉한다(**그림 7.2-7.6**). 멜라닌결핍의 멜라닌세포는 또한 외부의 뿌리집과 모낭의 다른 부분에 존재한다.

검은 모낭에서, 멜라닌소체 내의 멜라닌 침착은 전체 단위가 일정하게 촘촘해질 때까지 계속된다. 더 연한 색 모발은 멜라닌 침전이 더 적다는 것을 보여 주며 금발 모낭은 '좀먹은 형태의(moth-eaten)' 모습을 지닌 멜라닌소체를 보여 준다. 빨강과 금발 모낭은 둥근 멜라닌소체를 갖고 있다; 갈색과 검정색 모발에서 모낭들은 타원형이다.

털망울(hair bulb)과 표피에 있는 멜라닌세포는 색소를 수용체 세포, 즉 모발 각질형성세표(keratinocytes)을 생산하기 위해 궁극적으로 분화되는 모발 피질세포에 공여하는데 있어서 내적 구조에서 발견되는 멜라닌세포들과 다르다. 비록 색소 과립

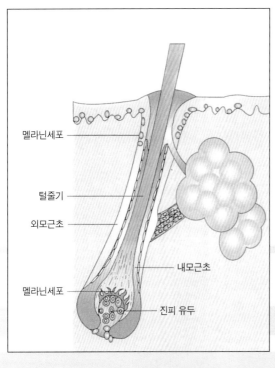

그림 7.2
기능상 활동적인 모낭 멜라닌세포의 주요 부위를 보여 주는 도표.

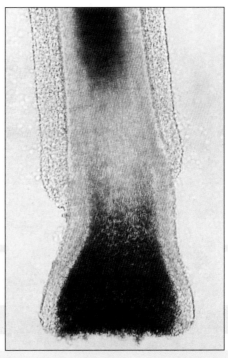

그림 7.3
망울에 있는 강렬한 멜라닌 색소를 보여 주기 위해 염색한 뽑힌 성장기 모발.

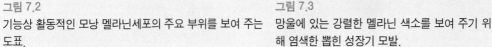

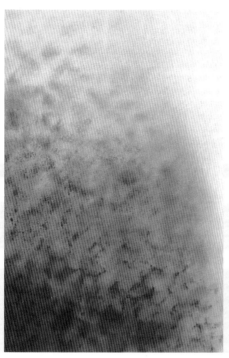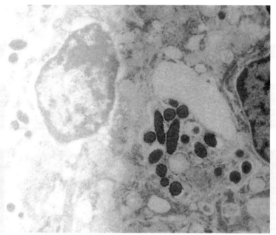

그림 7.4
멜라닌세포와 털망울의 기질 세포에 있는 멜라닌
색소 - 피질 전구 구획.

그림 7.5
털망울 멜라닌세포에 있는 색소 멜라닌소체(전자 현미경도).

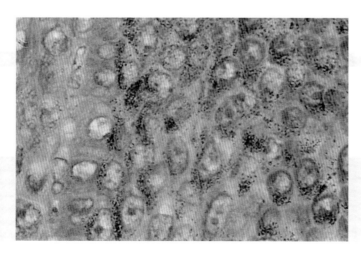

그림 7.6
털망울 기질 세포에서의 멜라닌
'모자형성'.

은 인간의 콧구멍 털 표피나 많은 동물의 막에서 발견할 수 있지만, 어떤 색소도 추정 상의 표피와 안쪽 뿌리집 세포(internal root sheath cells)에 공여되지 않는다(**그림 7.7**). 표피에서 각 멜라닌세포는 적절한 상태 하에서 보통 가지돌기 (dendritic processes) 를 통해 멜라닌소체를 그것에 공여하는 인접한 각질세포의 정의된 풀 (defined pool)과 관계를 갖는다. 어떤 상황 하에서는 멜라닌세포가 색소를 전송할 수 있다. 현재 유사하게 정의된 수용체 세포의 풀(pool)이 모낭 속의 각 멜라닌세포에 대해 존재하는지의 여부를 보여줄 결정적인 증거는 없다; 그것은 확률로 남아 있다.

멜라닌세포들은 기능상 오직 모발 주기의 성장기 동안에만 활동적이다(II-VI 단계). 그들은 예전에는 휴지기 동안 사라지는 것으로 생각되었으나 이제 그들은 움추러들고 adendritic 형태로 유두 표면에 남아 있다고 알려져 있다. 연속적인 성장기 동안 존재하는 멜라닌세포의 완전한 보체(complement)는 '잠복 상태' 세포의 재활성화뿐만 아니라 멜라닌세포의 복제로 인한 새로운 세포의 결과물이다.

멜라닌 과립은 모발의 피질(**그림 7.8**)을 통해 분포되지만, 주변 쪽을 향해 더욱 크게 집중된 곳에 있다. 속피질은 덜 촘촘한 교정피질(orthocortex) 보다 더 많은 과립을 함유한다고 생각된다. 검은 색과 거무스름한 갈색인 색소 과립은 다소 균질한 내적 구조와 날렵한 경계를 지닌 타원형의 색소 알갱이를 갖는다. 그들의 표면은 얇고, 둘러싸는, 막처럼 생긴 친삼투압 물질(osmophilic material)과 함께 미세하게 낟알모양으로 되어 있다. 검은 모발 과립은 초미세절단기 절편에서 판단되듯이 비교적 단단하며, 높은 굴절지수를 갖는다. 그러한 과립들은 연하게 그늘진 곳보다(lighter shade)

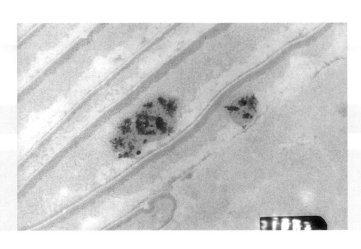

그림 7.7
(대개) 모발 표피에서 보이는 멜라닌 과립(전자 histomicrograph, 은색 메테나민 염색).

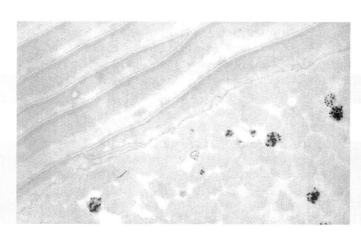

그림 7.8
모발 겉질에서의 멜라닌과
립(전자 histomicrograph,
은색 메테나민 염색).

검은 털에 더 많이 있다. 금발 과립은 더 작고 부분적으로는 타원이며 세로 단면은 막대 모양으로 생겼다. 그들은 또한 자주 거칠고 불규칙하며 표면은 오목하다.

물리적 현상에 의한 모발 색
HAIR COLOUR DUE TO PHYSICAL PHENOMENA

멜라닌이 없을 때 보이는 모발의 흰색은 다른 굴절 지수의 지대에 접촉해 있는 다양한 접촉면으로부터 입사광선의 반사와 굴절에서 비롯되는 광학적 효과이다 (**그림 7.9**). 그러므로, 일반적으로 넓은 수질을 지닌 무색소 모발은 비수질(non-medullated) 모발보다 더욱 엷게 보인다. 그것의 길이를 따라 있는 모발의 정상적인 '풍화'는 말단 부분을 유사한 구조 때문에 나머지 부분보다 더 엷게 보이도록 한다 - 피질과 각질은 파괴되고 내적인 반사와 빛의 굴절에 대해 다양한 접촉면을 형성한다. 이 또한 과다한 '풍화'에 해당하는데, 이 풍화에서 환자들은 종종 부서지기 쉬운 모발 색이 연하게 변하는 것을 알게 된다. 환상백모(pili annulati)의 약간 흰 띠에 대한 원인도 유사한 현상이다. 이들 광학적 표백 효과들은 입사광선의 반사와 굴절이기 때문에, 그러한 모발을 전송된 광학 현미경을 통해 보면 검게 보인다. 새롭게 형성된 수질이 없는 무색소 모발은 희기보다 노르스름하게 보인다. 이

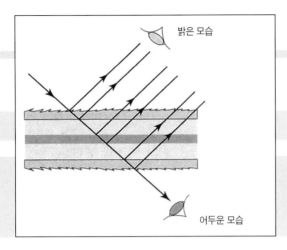

밝은 모습

어두운 모습

그림 7.9
빛을 반사하고 회절하는 주 모발 구조 접촉면의 도표 촬영상.

는 아마 모발 섬유에서 방향지어진 것처럼 조밀한 각질의 내재적 색일 것이다. 그러나 인지된 색은 모발의 물리적 특색에 의해 영향을 받으며 모발의 진짜 색도(chromaticity)에 대한 관계는 거의 갖지 않을 수 있다.

인간에서 모발의 색은 어쩌면 단지 장식용이며, 어떤 필수적인 생물학적 기능도 갖지 않는다. 진화해 온 인종적, 유전적 색의 차이는 아마도 피부에서 볼 수 있는 자외선 방사선-보호 색에 관련되어 있는지 모른다. 즉, 검은 피부의 인종들은 검은 모발을 갖는다. 비록 태양 광선에 의해 표백된 모발과 자연스런 멜라닌을 덜 지닌 모발은 덜 잘 '풍화된다' 는 점을 암시하는 증거가 있기는 하지만, 모발 색소는 태양광선의 효과를 보호하는 데 있어 중요하지 않다: 즉, 모발 색의 구조는 재수 좋게 우연히 찾아낸 것처럼 보인다.

자궁의 배냇솜털(lanugo hair)은 색소가 없다. 솜털도 전형적으로 흰색 피부의 사람들에서는 무색소이지만 특히 남성 일부에서 연 섬유(vellus fiber)들은 사춘기 이후 색이 약간 나타난다. 털 색은 대부분의 사람에서 신체 부위에 따라 다르다. 속눈썹은 대개 가장 검다. 두피 모발은 일반적으로 음모보다 더 엷은데, 음모가 보통 본질적으로 갈색 털을 지닌 피험자에서도 심지어 붉으스름한 색조를 종종 띠며, 더 낮게 있는 음낭 표면의 축면은 치골부보다 엷다. 붉은 두피 모발을 지닌 사람은 차치하고, 겨드랑이 털의 붉은 색조는 갈색 모발을 지닌 사람들에서 가장 흔하다.

노출된 부분의 모발은 태양광선에 의해 탈색될 수 있다. 매우 검은 모발은 처음에는 갈색을 띤 붉은 색으로 밝아지나 심지어 강력한 태양광선에 노출된 후에도 금발이 되는 경우는 드물다; 그러나 하얗게 탈색은 될 수 있다.

> '풍화'와 자외선에 노출되는 것 둘 다 모발을 '엷게'한다 - 광학(창백) 효과

모발 색의 통제
CONTROL OF HAIR COLOUR

모발 색은 밀접한 유전적 통제하에 있다; 그러나 멜라닌세포 기능을 통제하는 정확한 호르몬과 세포상의 구조는 아직 정확히 밝혀지지 않고 있다. 멜라닌세포를 통제하는 요인과 기질 세포의 활동 사이에 반드시 친숙한 관계가 존재하는 것에는 틀림이 없다. 왜냐하면 멜라닌세포 유사분열과 멜라닌소체의 생산과 전송은 모발 주기의 성장기 동안에만 발생하기 때문이다. 부정적인 되먹임 체계가 가정되어 왔다. 기질세포 내에서의 효소 분해산물은 세포막을 멜라닌세포에 교차시키고 추가적인 멜라닌 생산을 통제하는지도 모른다. 멜라닌세포-특정 '칼론(chalone)'은 부정적인 되먹임 체계에서 작용하는데 모낭 멜라닌세포에 대해서도 당연히 존재한다.

난포 멜라닌세포(follicular melanocytes)는 멜라닌세포-자극 호르몬(MSH)에 대한 표피 멜라닌세포처럼 반응하는 것으로 알려져 있는데, 이것은 엷은 색 모발을 검게 만들 수 있다. 멜라닌세포-자극 호르몬(MSH)의 세 가지 형태가 기술되어 있다: 이들은 12-18개의 아미노산으로 구성된 작은 펩타이드 호르몬이다. 척추동물에서 그들은 뇌하수체의 중간엽에서 만들어진다. 세개의 멜라노트로핀(melanotrophins)는 모두 보통 전구펩타이드, pro-opiomelanocortin의 분할 산물이다. Corticotropin(ACTH)과 α- MSH는 동종의 내적 순서를 갖는다. 그러므로 Addison씨 병, 넬슨 증후군, ectopic ACTH 증후군에서 발생하는 과다색소침착은 ACTH, α- MSH, 심지어는 보통 순서를 지닌 펩타이드의 결과일지도 모른다. 모발 색소침착에 대한 MSH를 제외한 호르몬의 효과는 아직 명백히 밝혀지지 않았다. 에스토르겐과 프로게스토겐은 임신 중 표피에 대한 효과 때문에 모발의 색을 증가시킬 수 있다.

모발 색의 변화
VARIATIONS IN HAIR COLOUR

유전적, 인종적 측면들
Genetic and racial aspects

포유류의 털 색은 유전학자에게는 상당한 관심을 끄는 주제였으며 인간을 포함한 다양한 종에서 많은 유전적 변종들이 기술되어 왔다. 털 색에 대한 유전적 연구는 유전자 기능에 대한 지식을 제공할 뿐 아니라 털 색소침착의 구조에 대해 통찰할 수 있도록 해 준다. 연구실과 동물 연구로부터 털 색에 영향을 미치는 유전자의 보체 속에서 일반적인 유사성을 볼 수 있었다. 근본적으로 유사한 유전자 합성체는 인간에 포함되어 있다고 가정하는 것이 합리적이다. 인간의 모발 색은 아마도 대립적인 적어도 네 개의 유전자 부위들에 의해 영향을 받는다. 인간의 모발 색 유전을 좀더 자세히 연구하는데 주된 장애물은 '순수' 코카서스인, 흑인 그리고 몽골인의 피부를 가진 사람들에서 '교차되는 것들'에 관한 명확한 자료가 없다는 것이다. 모발 색에서 인종적 차이는, 비록 색과 모발 형태는 별도로 유전되지만, 모발 모양의 차이처럼 뚜렷하다. 검은 모발이 세상에서 제일 많다. 코카서스인 중에서는 지리상의 지역 내에서 색의 차이가 넓다. 금발은 북미에서, 검은 모발은 남동유럽에서 가장 빈번하다. 금발은 심지어 북아프리카, 중동과 일부 호주 사람들(australoids)에서도 발견된다. 콩고, Capoid, 몽고인과 australoid의 모발은 주로 검은색이다

붉은 모발
Red hair

붉은 모발(적발증)은 좀 덜 흔하고 독특하며 비교적 희귀하기 때문에 다른 색보다 한층 더 관심을 끈다. 멜라닌세포-자극 호르몬수용체 유전자(MC1R)는 붉은 모발과 연관되어 있다; 이 유전자는 염색체 16번에 위치한다.[2] 멜라닌 색소는 압도적으로 페오멜라닌이 많다. 이탈리아와 잉글랜드를 제외한 영국에서 붉은 모발

의 분포는 혈액 집단 O형의 그것과 비슷하다. 붉은 모발의 발생수는 북부 독일의 0.3%에서 코펜하겐의 1.9%, 스코틀랜드 일부에서는 높으면 11%이다. 다른 많은 색의 모발처럼, 붉은 모발은 종종 붉은 색에서 갈색을 거쳐 성인에선 노르스름하거나 고동색을 거쳐 검게 된다. 붉은-두피 피부는 일반적으로 태양광선에 쉽사리 화상을 입으며 태양에 더 오래 빈번하게 노출된 후에도 착색이 거의 없다.

> 아동기에서 밝은 붉은 색 모발은 나이와 더불어 종종 검게 변한다.

이색소증
Heterochromia

이것은 동일한 사람에서 두 가지 별개의 색깔을 지닌 모발이 자라는 것으로 정의된다. 두피와 콧수염 간의 색 차이는 드물지 않다. 흰색 모발을 지닌 사람들에서, 두덩과 겨드랑이 털, 눈썹과 속눈썹은 두피 모발보다 더 검다. 사람에선 속눈썹이 일반적으로 가장 색소침착된 털이다. 검정-, 갈색-모발 피험자는 보통 붉거나 고동색의 짧은 구렛나룻을 갖고 있다. 흰모발을 제외한 다른 사람들에서는 음모가 보통 두피 모발보다 더 엷은 색이며 갈색 음모를 지닌 사람들에서조차 붉은 색조를 갖고 있을 수 있다. 남아프리카 백인 계열에서, 33%는 겨드랑이 털이 붉었던 반면 유색인종에서는 이것을 어쩌다가 볼 수 있었다; 또한 음낭의 하부와 측면에 있는 털은 음모보다 더 엷었다. 갈색 털을 지닌 사람들에서 붉으스름한 색조는 두피보다는 겨드랑이에서 더욱 흔했다.

두피 모발은 일반적으로 나이와 더불어 검어진다. 드물게는, 다른 색 모발의 국한성의 발생반점이 발생할 수 있다. 비록 인간에서 유전 양식은 알려진 바 없지만, 이는 대개 유전적 기반을 갖고 있다. 털 색의 반점형 차이점에는 5가지 주요 유형이 있다:

1. 멜라닌세포 모반에서 자라는 매우 검고, 거친 모발
2. 유전적이고 전형적으로 염색체 우성인 이색소증, 예를 들면 검은 모발을

가진 피험자에서 관자놀이에 있는 붉은 털 뭉치 또는 금발에서 단일한 검은 반(patch)

3. 모발과 눈 색의 부분적인 비대칭은 간헐적으로 일어날 수 있음　아마 신체 모자이시즘(mosaicism)의 결과일 것임

4. 얼룩백색증의 흰색 앞머리

5. 단백열량부족증의 '깃발' 징후

백모증
GREYING OF HAIR

모발이 희끗희끗해지는 것(백모증)은 보통 노화 과정의 발현이며 멜라닌세포 기능의 진행성 감소에 기인한다(**그림 7.10, 7.11**). 이는 유전적으로 이르면 청년기에 발생하도록 설계되어 있을 수 있으며 털망울(hair bulb)에서의 강렬한 생물학적 활동을 반영하는데, 이것은 일부 모낭에서 생의 20세에 즈음해 멜라닌세포의 '노화'를 나타낼지도 모른다. 나이든 사람들의 더 커다란 기질 공간(medullary spaces)이 그 과정에 기여할 수 있다.

희끗해지는 모발에서는 색소가 점진적으로 묽어진다; 즉, 정상에서 흰색까

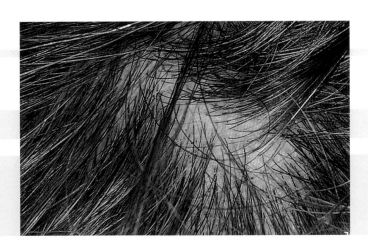

그림 7.10
모발이 불규칙하게
희끗희끗해짐.

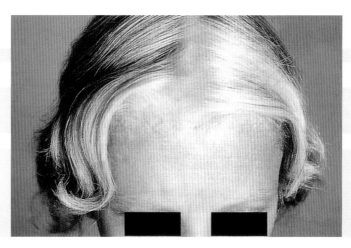

그림 7.11
모발의 두드러진 희끗희끗
해짐 - 이 증례에선 때이
르며 악성 빈혈의 이른 시
작과 연관된다.

지의 완전한 색의 범위는 개별적인 모발을 따라 그리고 모발과 모발 사이에서도 볼 수 있다. 모발줄기의 색을 잃는 것은 하부 망울에서 티로시나제의 활동이 감소하고 궁극적으로는 정지되는 것과 관련있다. 흰 모발에서 멜라닌세포는 드물거나 없고, 또는 어쩌면 잠복되어 있을 수 있다. 자가면역은 모발의 희끗희끗해지는 증상의 발병기전 역할을 한다고 알려져 왔다. 회색 모발은 확실히 자가면역병 악성빈혈과 연관이 있다. 회색 모발이 발현되는 나이는, 비록 후천적 요인들이 한 부분을 담당하겠지만, 주로 사람의 유전자형에 달려 있다. 희끗해진 모발의 시각적 인상은 앞서 본 흰모발에서 더욱 뚜렷하다. 코카서스인종에서 흰모발은 처음에는 34.2±9.6세에 처음 나타나며, 50세가 되면 적어도 50%의 사람들에서 희끗해진 모발이 있게 된다. 흑인에서 발현은 43.9±10.3세이며, 일본인에서 남성은 30세와 34세 사이이며 여성은 35세와 39세 사이이다. 수염과 콧수염 부분은 보통 두피 또는 몸의 털에 앞서 회색 털로 변한다. 두피 위에서 관자놀이가 보통 먼저 희끗해지며 그 뒤로 정수리 위로 회색 물결이 퍼져나가고 나중에는 뒤통수 부분으로 퍼진다.

급격한 발현, 흔히 '하룻밤새' 털이 희끗해지는 것은 수 세기 동안 문학적, 의학적으로 세계를 흥분하게 해 왔다. 많은 보고들은 과대포장되어 왔으나 실제로 발생하기는 한다. 종종 인용되는 역사적 예는 토마스 모어 경과 마리 앙트와네트인데, 이들의 모발은 처형에 앞서 밤사이에 뚜렷이 하얗게 세어 버렸다. 급속하게 머리가 세는 구조는 광범위 원형 탈모증에서 색소침착된 모발은 선택적으로 떨어지고 무색소의 털은 보존 되는 것으로 생각된다.

어쩌다가 나오는 보고에도 불구하고 이와는 반대로 머리가 세는(grey) 것은, 비록 성장기 동안의 멜라닌형성은 마지막으로 정지하기 전 한동안 간헐적일 수 있기는 하지만, 일반적으로 진행성이고 영구적이다. 대부분의 정상 모발로 회복되었다는 보고들은 원형탈모증 다음에 오는 색소침착된 재성장의 실례인데, 이는 결국에는 많은 증례에서 재색소침착된다. 에디슨씨 부신저하증과 연관된 하얗게 센 모발로 보고된 재색소침착은, 원형 탈모증이나 백반증 사이의 알려진 연관을 고려할 때, 이들 질병에서의 그것과 유사한 구조로부터 생길 수 있다. 백모증 모발이 검어지는 것은 *p*-aminobenzoic 산을 많이 복용한 다음에 발생할 수 있다.

조기 백모증
Premature greying of hair

너무 일찍 세는(grey) 모발은 코카서스인에서는 20세 전에 그리고 흑인에서는 30세 이전에 세는 것이 발현되는 것으로 자의적으로 정의된다. 그것은 아마도 유전적 토대를 갖고 있을 것이고 이따금씩 격리된 상염색체 우성 조건에서 발생한다. 너무 일찍 모발이 세는(grey) 것과 장기에 특정한 어떤 자가면역병 사이의 연관은 잘 입증되어 있다. 그 관계는 어쩌면 흔한 발병기전의 것이 아닌 유전적으로 연계된 것일지도 모른다. 너무 일찍 세는(grey) 것은 악성빈혈, 갑상선기능저하증, 그리고 덜 흔하게는, 갑상선기능항진증, 개별적으로 유전적 질병소질을 가진 모든 자가면역병의 조기 징후일 수 있다고 자주 기술된다(**그림 7.11**). 악성빈혈의 외피 연관에 관한 통제된 연구에서 환자의 11%는 너무 일찍 세어(grey) 버렸다. Book 증후군에서 상염색체 우성의 특징인 모발이 너무 일찍 세는(grey) 것은 작은어금니 치아결핍(premolar hypodontia)과 손발바닥땀과다증(palmoplantar hyperhidrosis)과 연관된 것으로 생각된다.

너무 일찍 모발이 세는(grey) 증후군, 우전조로증(progeria), Werner 증후군(pangeria) (염색체 장소 8p12-p11.2)은 두드러진 특징으로서 매우 때이르게 모발이 셀(grey) 수 있다는 것 이다. 그것은 metageria, acrogeria 또는 완전지방이상증

(total lipodystrophy) 등에서는 발생하지 않는다. progeria에서 그것은 이르면 2세에 두피 모발이 현저하게 상실되는 것과 연관 있다.

근육긴장퇴행위축(dystrophic myotonica)에서 회색 모발의 발현은 근육긴장증과 근육 소모에 선행한다.

조기 백모증은 Rothmund-Thomson 증후군의 변덕스러운 쉬운 특징이다; 그것은, 청소년기에 전형적으로 시작된다.

염색체 5p-증후군을 지닌 환자의 3분의 1(cri-du-chat-syndrome)은 때이른 백발이다.

> 때이르게 머리가 세는(grey) 것은 자가면역, 예를 들면 악성 빈혈과 연관이 있을 수 있다.

국소적인 흰모발(백모증)
Localized white hair(poliosis)

백모증은 인접 모낭 무리에서 멜라닌이 없거나 결핍되어 흰모발의 국소 반(patch)이 존재하는 것으로 정의된다. 멜라닌형성에서의 변화는 영향을 받는 표피에서처럼 모낭에서도 동일하다.

유전적 결함
Hereditary defects

얼룩백색증[3](흰색 반점 또는 부분적인 백색증)은 색소가 전체적으로 없는 피부의 반점들을 지닌 상염색체 우성의 비정상적인 형태인데, 평생 변하지 않고 남아 있게 된다. 그것은 C-키트 수용체를 해독하는 유전자인 W 유전자자리에서의 몇몇 변종 때문이다. 가장 흔하게는 이마의 흰색 반점(**그림 7.12**)이 발생하는데 - 흰색 앞머리- 이것이 유일한 징후일 수 있다. 멜라닌세포는 수가 줄지만 형태적으로는 비정

그림 7.12
백모증

상이고 정상 비멜라닌인 전멜라닌소체(non-melanized premelanosomes)와 비정상 모양의 멜라닌소체를 함유한다. 유사한 병리학적 변화는 피부와 모발 색소의 일반화된 '흰 얼룩' 상실인 Tietze 증후군, 완전 귀머거리-벙어리증과 눈썹 형성저하증에서 볼 수 있다. 멜라닌세포가 영향 받는 부위에 있는지 여부는 논쟁거리로 남아 있다.

Waardenburg 증후군은 얼룩백색증과 너무나도 유사한 피부 변화를 보여서 유사한 발병기전을 갖고 있는 것으로 추정된다(염색체 장소 2q35). 증상과 징후는 태어날 때부터 있으며 안쪽 눈의 측면이 전위된 dystopia cantharum, 비근의비대와 융합이마 와 더불어 눈썹의 안쪽 3분의 1이 과다형성되는 것을 포함한다. 완전 또는 부분 홍채 얼룩증은 감음난청(perceptive deafness)에서처럼 발생할 수 있다. 흰 앞머리는 증례중 20%에서 존재한다. 머리카락이 때이르게 셀(grey) 수 있는데 앞머리가 세는 증상이 동반될 수도 없을 수도 있다. 얼룩백색증과 선천성 신경 난청은 Waardenburg 증후군의 다른 명백한 증상이 없이 발생할 수 있는데, 이것은 이러한 연관이 유전적으로 명백하다는 것을 시사해 준다.

백반증에서, 피부의 흰 반점들은 종종 그 안에 흰 털이 있다(**그림 7.13**). 조직학적 변화는 멜라닌세포에 대한 '자가면역 손상' 과 일치하지만 털의 박리는 없다.

Vogt-Koyanagi-Harada 증후군은 양측 포도막염(bilateral uveitis), 미로난청(labyrinthine deafness), 귀울림(tinnitus), 백반증, 백모증, 원형탈모증과 수막염(meningitis)을 포함하는 열병후 질병으로 구성되어 있다. Alezzandrini 증후군은

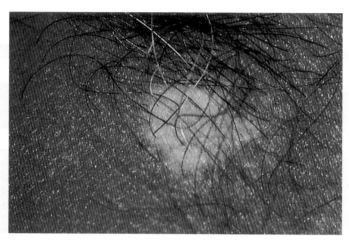

한쪽 얼굴 백반증, 망막염(retinitis), 눈썹과 속눈썹의 백모증을 결합한다; 감음난청이 연관되는 일은 드물다.

원형탈모증에서, 다시 자라는 모발은 빈번하게 흰색이다(**그림 7.14**). 그것은 특히 늦게 발현하는 경우, 그렇게 남아 있을 수 있다. 비록 결여된 모발 색소가 오직 해소기의 이 단계에서만 뚜렷하지만, 멜라닌세포들은 털망울(hair bulb)에서 꽤 일찍 상실되며 진피 유두로 이동한다. 백모증은 결절경화증의 증례 중 60%에서 발생한다. 탈색된 털은 가장 최초의 징후일 수 있다.

Recklinghausen의 다중 신경섬유종의 질병특유의 징후는 색소침착저하된 부분에 관련되어 있다 - café-au-lait 반과 겨드랑이 그리고 회음부의 주근깨. 두피 신경섬유종은 그들 위에 있는 백모증 반을 가질 수 있다; 이것은 반드시 백반증적 변화와 혼동해서는 안 된다.

후천성 결함
Acquired defects

영구적인 색소의 손실은 멜라닌세포에 해를 끼치는 염증과정, 즉 대상 포진 (herpes zoster)에 의해 유발될 수 있다. 엑스-방사선은 종종 영구적인 털 손상을 초래하지만 그 보다 덜 심한 치료는 색소침착 저하에 이르게 하며 드물게는 과다색소 침착에도 이르게 한다. 반점형 흰 털은 치과 치료 후 수염에서 발달할 수 있다.

백색증[3]
Albinism

보통염색체 열성 눈피부백색증(oculocutaneous albinism)(완전, 완벽 또는 일반화된 백색증; 염색체 장소 15q11.2-q.12)에서, 유사한 변화는 표피에서와 같은 털망울(hair bulb) 멜라닌세포에서 발견할 수 있다. 이것은 티로신-양성과 티로신-음성 유형에 적용된다. 멜라닌세포는 구조적으로 정상이며 I등급과 II 등급 멜라닌 소체를 생산하는 데에 영향을 미친다. 그러나 그들은 효소적으로는 비활성적이다. 멜라닌세포계가 완전히 멜라닌이 결여되는 적은 결코 없다. 코카서스인들에서 모발은, 비록 담황색, 노랑색, 노르스름한 붉은 색 또는 선명한 붉은 색일 수 있지만, 전형적으로는 노르스름하게 흰색이다(**그림 7.15**). 이 색의 범위는 정상적인 금발의 코카서스인에서 보이는 것과 일치한다. 흑인 흰둥이에서 모발의 색은 희거나 노르스름한 갈색이다.

> 완전한 백색증에서 털은 노랑 또는 희색일 수 있다.

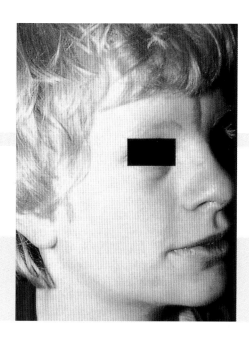

그림 7.15
백색증 - 노란 모발.

Chédiak-Higashi 증후군
Chédiak-Higashi syndrome

이 증후군은 몇몇 세포 유형의 막-결합 소기관의 상염색체 열성 결함이다. LYST 유전자자리의 돌연변이는 Chediak-Higashi 증후군(CHS) 단백질에서 결함을 발생토록 한다. 이는 눈피부 색소침착저하증과 치명적인 백혈구 결함을 일으킨다. 모발은 은회색 또는 엷은 금발이며 숱은 적을 수 있다.

화학제품과 약리 물질에 의해 유발되는 색 변화
COLOUR CHANGES INDUCED BY CHEMICALS
AND PHARMACOLOGICAL AGENTS

일부 국소 약물은 일시적으로 모발 색을 변화시킨다. Dithranol과 chrysarobin 얼룩은 엷은 색 도는 회색 모발을 마호가니 갈색으로 얼룩지게 한다.

일전에 다양한 피부병에서 상당히 많이 사용된 레조르신은 검거나 흰색 모발, 노랗거나 노르스름한 갈색모발로 색을 변형시킨다.

일부 전신 약물은 유멜라닌이나 페오멜라닌 통로를 방해함으로써 모발 색을 변경시킨다. 다른 약물에서의 메커니즘은 알려져 있지 않다. 클로로퀸과 히드록시클로로퀸은 페오멜라닌 합성을 방해한다; 즉, 그들은 오직 금발과 붉은 모발을 지닌 사람들에만 영향을 미친다. 치료 3-4개월 후 모발은 점점 은색 또는 흰색이 된다. 색 변화는 보통 반점으로 나타나며 처음에는 관자놀이 또는 눈썹에 영향을 미친다. 그 변화는 완전한 원상 복구가 가능하다. 근육 연축에 대해 과거에 널리 사용된 glycerol ester인 Mephenesin은 검은 모발을 지닌 사람들에서 색소를 상실케 한다. 항콜레스테롤혈증 약물인 Triparamol과 항정신병제 약물인 fluorbutyrophenone는 둘 다 각질화를 방해하고 색소침착을 저하시키고 모발의 숱을 적게 한다. 미녹시딜과 diazoxide는 두 개의 강력한 혈압강하제인데 둘 다 모발과다증과 모발 색을 검게 만든다. Diaoxide가 생성하는 색은 붉으스레한 반면 미녹시딜은 주로 솜털을 종말털(terminal hair)로 변환함으로써, 즉 정상적인 멜라닌형성을 보강함으로써, 모발을 검게 만든다. Hydroquinone와 phenylthiourea는 티로신 활동을 방해해서 피부와 모발의 색소침착저하증을 유발시킨다.

은중독된 두피 모발의 색은 독특한 은색일 수 있다(그림 7.16).

흰모발을 검게 하는 것은 파킨슨씨 병을 가진 환자에서 carbidopa와 부로모크립틴(bromocriptine) 요법을 첨가한 다음 발생하는 것으로 보여졌다. 다양한 비스테로이드 항염증 약물이 일시적으로 회색 모발에서 색소를 생성한다는 일화적 증거가 있다.

영양 결핍에서 기인하는 색 변화
COLOUR CHANGES DUE TO NUTRITIONAL DEFICIENCIES

인간에서 특정 식이성 영양 결핍은 드물기 때문에, 그것들의 효과에 대한 대부분의 임상적 지식은 실험실과 동물 연구로부터 도출된다. 소에서 구리결핍증은

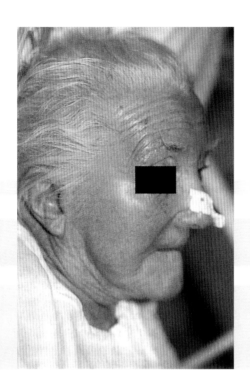

모발색소결핍을 초래하는데 그 이유는 그것이 티로시나제의 배합군(prosthetic group)이기 때문이다. 이 메커니즘으로 인한 모발 색의 상실은 Menkes Kinky-hair 증후군에서처럼 인간에서도 발생하지만, 왜 모발이 꼬이는지에 대해서는 아직 모른다. Kwashiorkor에서 나타나는 단백질 영양실조에서 모발 색의 변화는 두드러진 특징이다. 정상적인 검은 모발은 갈색 또는 붉은색 모발이 되고, 갈색 모발은 금발이 된다. 간헐적인 단백질 영양실조는 Kwashiorkor의 '깃발' 징후 (*signe de la bandera*)로 이르는데 - 교대하는 흰색(비정상)과 검은 띠가 개별 모발을 따라 나타난다. Kwashiorkor에 대한 유사한 변화는 중증 궤양성대장염과 광범위하게 장을 절제한 뒤에 나타난다. 중증 철결핍 빈혈에서 기술된 검정에서 갈색으로 모발이 색을 상실하는 것은 멜라닌세포 기능보다는 각질화에 대한 효과일 수 있다.

대사 질환에서의 모발 색
HAIR COLOUR IN METABOLIC DISORDERS

Phenylketonuria는 상염색체 열성 질환인데 이 질환에선 phenylalanine hydroxylase 결핍 때문에 조직이 phenylalanine을 티로신으로 대사할 수 없다. 정신적 지체, 발작, 피부, 눈, 모발의 색소침착 감소가 습진, 피부묘기증(dermographism)과 함께 발생한다. 검은 모발은 갈색으로 변할 수 있는 반면 더 나이들고 '획일화된' phenylketonurias는 엷은 금발 또는 회색 모발을 가질 수 있다. 티로신 치료로 1-2개월 내에 정상으로 검게 된다.

호모시스틴뇨증(homocystinuria)에서 보이는 모발이 엷어지는 것은, 메티오닌 대사 이상을 고려할 때, 아마도 각질화 변화 때문일 것이다. Menkes 증후군과 만성 철 결핍에서 모발은 엷게 나타난다.

엷은, 거의 흰색인 모발과 재발하는 부종은 'oast-house' 병의 모발 표면에서 나타난다. 이 상태에서 혈액의 메티오닌 농도는 올라간다.

사고로 인한 모발 변색
ACCIDENTAL HAIR DISCOLORATION

모발은 열성적으로 많은 비유기적 요소를 결합하고 있으며 그래서 모발 색의 변화는 그러한 물질에 노출된 후 이따금씩 보인다(그림 7.17). 산업 처리 또는 수도물 또는 수영장에서 구리의 높은 농축물에 노출되면, 특히 금발 피험자들에서 볼 수 있는, 초록색 모발을 유발할 수 있다. 코발트를 다루는 노동자들은 밝고 푸른색 모발인 반면, 진한푸른색 색조는 인디고를 다루는 이들에서 볼 수 있다. 흰색- 또는 회색-모발을 가진 애연가에서는 담배 연기 속의 타르 때문에 노르스름한 모발 색이 드물지 않다; picric 산이나 dithranol로부터 노란 얼룩도 발생할 수 있다. 트리니트로톨루엔(TNT) 노동자들은 때로 노란 피부와 붉으스름한 갈색 모발이 나타난다.

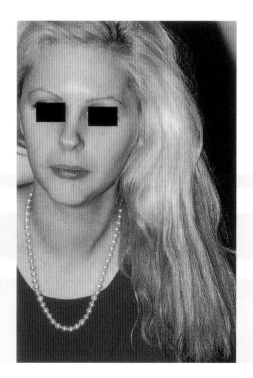

그림 7.17
표백된 모발 '열' 수에 목욕한 뒤에 오는 비유기적 염색(적갈색); 털줄기(hair shafts)의 먼 부위에서 볼 수 있는 비정상적인 색.

FURTHER READING

1. Castanet J, Ortonne JP (2000) Hair pigmentation. In: *Hair and its disorders*, eds Camacho FM, Randall VA, Price VH (London, Martin Dunitz), pp 49–63.
2. Ha T, Rees JL (2001) The melanocortin 1 receptor. What's red hair got to do with it? *J Am Acad Dermatol* **45:** 961–964.
3. Tomita Y (1994) The molecular genetics of albinism and piebaldism, *Arch Dermatol* **130:** 355–358.

Chapter 8

모발의 정신사회학
PSYCHOSOCIOLOGY
OF HAIR

모발의 많은 질환들에 대한 효과적인 진단, 평가와 관리를 위해서는, 심리적인 요인이 얼마나 모발에 중대한 영향을 미치는가에 대한 지식과 이해 없이는 불가능하다. 탈모 형태를 만들어내는 질환들은, 스트레스가 발병에 중요한 원인이 되었든 안되었든간에, 극단적인 경우, 정서적 스트레스가 비정상적으로 작용하여 탈모를 영속시킬 정도의 원인이 될 수도 있음을 간과하여서는 안 될 것이다.

중증도의 변화일지라도, 지각 되어지는 것은 심리적으로 지나치게 받아들여 질 수가 있다. 그렇다면 추형공포증을 고려해 볼 수 있다. 모발의 탈락과 재성장의 안정된 상태가 점차 만성적인 중증도의 불균형으로 전개된다면, 이로 인해, 감정적으로도 점차 우울한 상태로 이르게 될 것이다.

그러나 아무도 그 환자에게서 탈모가 진행되고 있음을 믿지 않을 수도 있다. 또한, 그 환자는 앞으로 치료가 임상적으로 자신에게 어떻게 적용될 것인지에 관한, 치료의 진행 여부에 대한 구체적이고 활동적인 예시가 없다면 역시 사회적으로도 극심한 소외감에 빠지게 될 것이다.

오늘날에는, 병증에 관한 기능적인 검진(조사 연구)과 이에 합당한 증거의 제시가 없이는 환자들을 병증에서 안심시키고 다시 자신감을 갖고 치료에 임하게 한다는 것이 불가능하게 되었다; 스트레스와 관련된 질환들을 겪는 환자들은 너무 쉽게 '회색지대(Grayzone)'로 구분지어져 고립되어온 것이 사실이다. 사회적으로 정보화가 보편적인 일이 되었듯, 환자는 반드시 자신의 병증에 관하여, 치료의 확실한 진행 상황과(경과), 만일, 진단상으로 심리적 치료가 병행되어야 하는 상황이 요구 될 경우, 올바른 지원을 받을 수 있는가에 관한 치료의정보를 진료 개시 전에 알 수 있는 기회를 선택하게 하는 것이 바람직 할 것이다.

모발의 무의식적 중요성
THE UNCONSIOUS SIGNIFICANCE OF HAIR

최근에 새로이 밝혀진 바에 의하면, 털을 다듬고 청결하게 유지하는 행위는, 생쥐의 경우 유전자에 의해 통제되는 것으로 알려졌다. 다른 포유류들의 사회 조직에서는, 특히 두부(정수리와 갈기)의 털형태는 집단 구성원간의 개별적인 중요한 신호이기도 하다. 또한, 털의 숱의 양과 색상은, 어린 구성원들에게는 그들과 집단의 지도자(Leader)와의 사이에서 거리를 조절할 수 있는 중요한 역할을 하기도 한다; 집단생활에 잘 적응되어지고 사회화된 원숭이일수록, 연령과 성별에 연계되어, 온몸의 털을 잘 관리하는 것은 원숭이에게서 볼수 있는 잘 알려진 동물의 사회적 질서의 한 양상이기도 하다; 털의 관리되어진 정도와 체온은 어떠한 상황에서는 때론, 그들에게는 먹이보다도 그 가치를 더 할 수도 있다.

인류의 다양한 변천사에서 살펴보면, 원시인들에게도 역시 털(Hair)이 신체 보호 기능 이외에 사회적으로도 중요한 의미를 지녔었다. 이는 인류학적이나, 정신의학의 문헌에서, 오랫동안 인정되어져 왔으며, 그것은, 권력이나, 개인의 육체적인 힘의 정도, 혹은 성적인 매력의 개념과도 연관 되었었을 것으로 추정하게 한다.

그러나 오늘날, 현대인들에게서는 사실상 성적인 것과 미용상의 목적 이상의 털(Hair)에 대한 중요한 암시성은 사라졌다고 해도 과언이 아닐 것이다.

여러 가지의 연구를 진행중인 한 심리학자는 모발의 상태가, 사람들이 서로 만나고 짝을 이루는 행위와도 연계되어 있다고 결론내렸으며, 정상인이라면 각기 어느 정도의 모발에 대한 맹목적인 숭배심도 지닐 수 있다고 주장해 왔다.

심한 탈모환자들이라면, 신체중에서 머리카락이 없는 것보다 차라리 팔이나 다리가 없는 편이 더 낫다고 단언할 수 있을 정도의 극심한 스트레스 상황 하에 있을 수 있다. 심지어, 여성들은 얼굴부위의 미량의 털만으로도 심리적으로는 강한 스트레스를 불러 일으키기도 한다.

이런 현상들은, 현실적으로 빈번하게 발생되는 일들은 아니지만, 이렇듯, 모발과 연계되어지는 모든 현상들은 심오하고 뿌리깊은 무의식속의 '성좌(Constell-ation)' 에 근원을 둔다.

비교적 가벼운 증세의 남성형 탈모증을 가진 소수의 환자들일지라도, 보형물이나 외과적 수술 방법으로 모습을 개선시킬 수만 있다면 그 어떤 노력도 마다하지 않을 사람도 있을 것이다(**그림 8.1 , 8.2**).

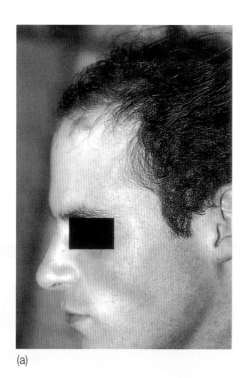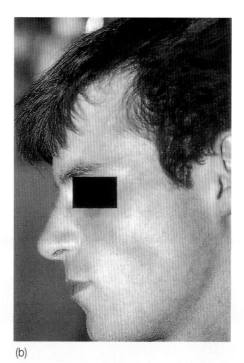

(a)   (b)

그림 8.1
위치에서 보형물이 (a)는 없고 (b)는 있는 최소한의 안드로겐 유전성 탈모증.

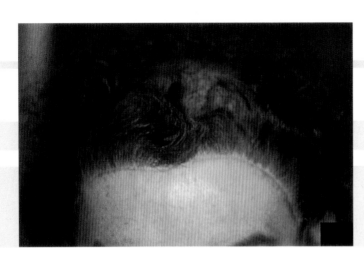

그림 8.2
안드로겐 유전성 탈모증
- 두피 판 외과 수술 후의
매우 조악한 미학적 결과.

　　의사의 외과적 수술 요법에 대한 중재는, 장기적으로는 탈모의 모습을 개선
시킬 수는 있다. 그러나, 모발이식술에 대한 결정과 권유는 모발 질환의 역동적인
측면과 수술 후의 어느 정도의 명료도를 획득하게 한 후, 선택하게 해야 한다는 의
견에 지지한다. 모발이식술에서는 불가피하게 이식편에서의 탈모를 비롯하여 어
떠한, 의료적 과실로도 연결되어질 수도 있기 때문이다. 마찬가지로, 장기적인 남
성형 탈모 환자의 경우도, 환자에 대한 적절한 정보나 단서 없이는 수술 요법이 실
행 되지 말아야 할 것이다(그림 8.3).

　　프로이드 학파의 정신분석학자인 Charles Berg는 모발이 가늘어지거나, 탈
락되는 것, 또는 희게 세는(Greyish) 등의 평범한 모발 현상에 대한 인간의 관심은
거세불안(Castration Anxiety)에서 전위된 심리 상태이며, 모발을 깎는 행위를 '거
세 '를 상징하는 것이라고 믿었다! 이 해석은 너무 극단적으로 보일수도 있으나, 실
제로 일부 사회와 종교에서는 머리카락을 자르는 것이, 회교도나 정통적 유대 사회
에서의 모발을 가리는 행위처럼, 금욕이나 순결과도 연계되어 간주된다. 기독교의
결혼식 때 신부의 머리에 쓰는 백색의 베일도 이와 비슷하게 정숙함과 순결을 상징
하는 것이기도 하다.

　　헤어스타일을 바꾸는 행위 또한 사회적 지위와 신분이 변화되었음을 표시하
는 행위로 행하여지기도 했다; 예를들면 고대 이집트 문화에서의 어린이의 땋아늘

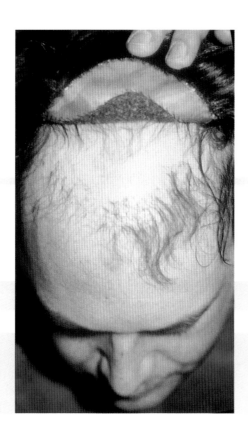

그림 8.3
안드로겐 유전성 탈모증에 대한 이식편에서의 공여자 우성. 안드로겐 민감 부위에서 취한 이식편에 함유된 모낭은 안드로겐 민감 공여 부위(여기서는 안 보이는 아래쪽 정수리)에서처럼, 받는 이의 부위(오른쪽 이마 머리털이 난 언저리)에서 동일한 속도로 축소될 것이다. 왼쪽 이마 선 위의 이식은 적절한 공여 부위에서 취해졌다: 즉 안드로겐에 덜 민감한 곳.

인 머리형태는 구분되어진 어린이의 집단에서, 성장하여 어른의 성징이 나타나는 아이들의 군집에서도 찾아볼수 있다(유대인 사회나 아마존 부족 국가들).

모발과 성적 매력과의 연관성은 시각 예술 분야나, 심지어는 서적이나 광고 산업의 산물에 대한 가장 피상적인 연구나 조사만으로도 명백히 알 수 있다.

"여성 최고의 영광(A Woman's Crowning Glory)"이라는 상투적인 말은 여성의 자세와 몸가짐을 예증하고, 모발의 손실에 대한 고뇌를 성적인 매력과 관련지어 잘 묘사한 말인데, 영국탈모협회의 창시자인 Elizabeth Steele의 자서전 'Sudden Hair Loss(갑작스런 탈모)'의 서두에 잘 기술되어 있다.

모발에 관한 상징주의적인 무게감은 신체의 '털'에 의해 더욱 가중되었는데, 그 존재에 대한 묘사는 '금기(Taboo)'라는 울타리에 갇히게 된다. 프랑스의 '살롱문화(culture des salons)'는 공공연히 거론해서는 안되는 '털'에 대한 특정

한 단어들을 창출해 내었다. - 'Polis'; 'Head Hairs'(모발 등)

대조적으로, 모발은 사회적으로 중요하게 취급되었고, 모발에 대해 언급되는 것 역시 가능했으므로, 그들은 'Cheveux' 라고 불렀다. 15세기에서 19세기에 이르는 고전주의 시대의 그림들을 살펴보면 여성의 누드를 묘사한 작품에서 신체의 털은 보이지 않는다. 이러한 경향은 미술 비평가이고 역사가였던 'John Ruskin' 이 자신의 아내를 비정상적 여인으로 생각하게 만드는 헤프닝을 만들어 내기도 하였다. 그의 아내는 자신의 신체의 털로 인해 결국 파경을 맞게 되었다. 음모는 종종 금지된 주제이고 맹목적인 물신 숭배의 대상이 될 수 있다.

남성의 겨드랑이의 털은 유럽 대륙에서는 매력적인 상징으로, 음모에 비하여 좀더 긍정적으로 여겼으나, 여성들 사이에서는 그 역시 혐오감을 불러 일으키는 것으로 간주되었고, 한때 영국과 미국에서는, 거칠고 사나운 '여성주의' 의 상징으로 취급되기도 하였다. 남성의 머리, 얼굴 등 심지어는 강간과 같은 범죄를 연상케 하여 좋지 않은 이미지를 갖게 한다.

모발로 인항 질병들을 객관적으로 그 심각성에 대하여 때로는 어느 정도 정당화하는 것처럼 보이기도 하지만, 그 이상으로 질환에 대한 심리적인 불안감이 중대하다는 것은 의심할 여지가 없다. 이것은 아마도, 모발의 상징적인 중요성(의미)이 반영된 것일지도 모른다.

신체 이미지의 교란
Disturbance of the Body Image

약 30년전쯤, '질병이 아닌(Non Disease)' 개념을 지닌 어휘들이 생겨나게 되었으나, 이는 반드시 진단상으로 뚜렷한 증상이나 징후가 없음을 의미하는 것은 아니었다. 피부과 연구의 대상이 되었던 대부분 환자의 증상들은, 두피나 얼굴, 회음부에서 발병하였으며, 성인 여성들에게서 가장 민감한 반응을 보였다. 두피에 있어 여성은 탈모가 가장 흔하게 발병하는 증세였다; 일부 소수의 환자에서는 심한 자극에 의한 탈모와 화상도 있었다. 그러나, 이들은 어떠한 탈모의 객관적인 징후를 나타내지 않았고, 그러므로 '추형공포증'으로 인한 잘못된 망상을 병증으로 겪고 있는 것이다.

이들 중, 다수는 우울증의 증세도 보인다. 또한, 일부의 여성 환자는 임상적으로는 정확히 파악할 수 없는 얼굴 부위의 과다한 털에 집착하기도 한다. 자살에 대한 심리적 증상은 반드시 심각하게 다루어져야 한다. 현대의 저자들은, 이와 같은 환자들이 겪는 탈모 이외에도, 주된 두피의 문제에 관한 호소가 극심한 심리적 압통이었던 환자들에 대하여 이 모든 환자들에게서 공통점을, 객관적인 외모의 변화가(실제적으로 조금이라도 탈모 증세가 있다면) 아주 미약하여 관찰자에게는 경미하게 여겨질 수도 있으나, 그 환자들은 그 증세가 자신들의 삶을 망치고 있다고 생각한다.

정신과적 관점에서 본다면, 이들은 획일적인 환자의 그룹은 분명 아니다. 이들의 대부분은 질병에 침해당한 신체에 대한 그릇된 이미지를 갖고 있을 수 있으며, 대다수는 우울 증세를 보이기도 한다. 그들은, 주의 깊은 관리를 요하며, 이보다 좀 더 심각한 그룹은, 잠재적으로 자살의 위험을 가지고 있는 환자들이므로, 반드시 정신과 의사에게 진료를 받도록 해야 한다.

확산성 탈모증은, 대부분 매우 극심한 스트레스에 노출되어 있는 사람들에게서 발생하지만, 이 탈모 증세는 대부분 일상에서 그 원인을 발견할수 있는 경미한 스트레스도 있다. 그러므로, 스트레스를 결코 가볍게 다루어서는 안된다.

확산성 탈모는 확실하게 정의되어진 스트레스성 원인이 생긴 지 약 3~4달 후에 그 증세가 나타나기 시작한다. 이 밖에, 잠재적인 원인으로는 출산이나, 열병 이후 등이 있다. 그러나, 이들은 스스로 원상 복구될 수 있다. 이러한 탈모증은 스트레스 그 자체가 원인이거나, 또는 심각한 영양적 요인으로 인한 것과 이와 동반되는 심리적, 육체적 스트레스와 함께, 그로 인한 체중 감소도 원인일 수 있다.

하지만, 만성적이거나 혹은 급성으로 발생한 중증의 '스트레스'는 유전학적인 증후군과 함께 드물게 심각한 탈모나 다른 병증으로 발전할 수 있다.

보다 효과적인 치료를 위해서는, 심리적인 배려와 지원 이외에도, 발병 초기에 그 원인을 밝혀내는 것도 중요하다.

유전적 남성형 탈모의 초기 증세는 두정부에서 수직적으로 휴지기 모발의 탈락이 시작된다.

이 증상은 위에서 언급한 것처럼 확산성 휴지기 탈모의 양상과 매우 흡사하다. 어떻게 구분되어지던간에 이들의 공통점은 모발의 주기가 짧아지며, 더 많은 쉐딩현상을 보인다.

민감한 남성형 탈모의 경우, 주기가 짧아진다는 것은 바로 다음 단계의 탈모로 진행되고 있음을 암시한다; 모발의 교체가 지연되고, 더욱 가늘어진다. 임상학적으로 관찰할 수 있는 휴지기 탈모의 경우, 만성적인 쉐딩 현상과 짧고 굵게 재생된 성장기의 모발이 대머리로의 진행을 완화시킬 수 있으나, 자르지 않은 모발일지라도 길이는 더욱 짧아지게 될 것이다; 새로 시작되는 자연적인 모발의 주기에 의해 최적의 상태에 이르게 되지만, 초반보다 더욱 많은 모발의 쉐딩 현상을 겪은 후에야 도달하게 된다.

우울증은 때로, 젊은 여성에게서 Androgenetic에 의한 피부의 변화와 함께 수반되기도 한다. 비록, 그 환자는 우울증이, 자신의 탈모증이나 다모증 혹은 여드름의 탓이라고 할 수 있으나, 그 자세한 병력을 살펴보면, 정서의 변화나 피부상의 변화가 함께 병행되어 발병함을 종종 관찰할 수 있다.

우울증, 스트레스, 혹은 안드로겐 유전학적 증후군간의 관련성에 대한 논쟁과 의혹이 제기된다. 일부 임상학자들은 항안드로겐요법이 우울증의 상태를 악화시킬 수 있다고 주장한다.

여드름과 다모증은 민감한 사춘기의 청소년들에게는 정상적으로 또래들과의 사교적 관계를 확립하는 데 있어 그 능력을 심각하게 저하시킬 수 있으며, 더욱 심하게 발전하면 사회성의 발달을 지체시킬 수도 있다. 자기 영속적인 이러한 악순환에 대한 자료의 증거는 아직은 생화학적 측면에서는 확립되어지지 않았으나, 객관적인 경험에 의한 임상적 측면에서는 충분히 발생될 수 있고 또 실제로 흔하게 관찰 할 수 있음을 시사한다.

원형 탈모증은 외모를 심하게 손상시킬 수 있다. 스트레스가 원형 탈모증을 촉발시키는 요인이든 아니든간에 탈모증은 그 자체만으로도 심한 스트레스의 근원이 된다는 것에 틀림이 없으며, 그러므로 탈모의 치료에 있어 그 가능성은 염두에 두어야 한다. 심리적인 접근은 병증의 경과를 현저하게 호전시키지는 않으나, 환자가 탈모의 문제에 의연하게 대처하는 데 큰 도움이 될 수는 있다.

남성과 여성에서의 탈모증
Alopecia in Male & Female

유럽 대륙의 연구에서, 대머리인 남성은 대머리가 아닌 동료보다 더욱 지성적인 경향을 보이는 것으로 간주되었지만, 이에 반해, 실제로는 대머리가 진행되고 있는 남성일수록 자존심을 상실했으며, 국소적 약물 치료도 모발이 재성장하기 시작하면서 어느 정도의 심리적인 부적응 상태를 경험한다.

이는, 곧 탈모가 시작되면서부터는 사회적이나 개인적인 생활에서 점차적이고 점진적으로 더 심층적인 변화를 겪으며 마침내 포기하며 귀착하게 되는 것이다. 그들은, 남성형 탈모증을 지닌 남성이나, 육안으로 관찰 가능한 피부 질환을 가진 여성들보다도 더 많은 심리사회적 문제를 갖게 되는데, 그 모든 문제의 근원을 '탈모'의 탓으로 돌린다.

이러한 심리사회적 조사에서 보면, 여성형 탈모증을 지닌 여성들은 남성보다도 자기 충족감이나, 사회적 부적응, 완고함과 같은 일반적인 심리적 부적응에 대하여는 더 높이 평가 되었다. 반면, 심리적으로 상처를 받거나 자기 평가, 자존심에 대하여는 더욱 낮은 점수를 얻었다. 통상적으로 남성은 나이들어 보이는것을 두려워하는 반면, 여성은 자신의 여성스러움이 탈모로 인하여 감소되었다고 느끼는 포괄적인 의미를 지니고 있다. 만일, 인간에게 모발의 중요성이 기술된 바와 같이 광대하다면, 흡연이 이 모든 상태를 악화시킬 수 있다는 사실도, 인간의 의지는 행동을 변화시킬수 있고, 그것을 개인적, 사회적으로 불필요한 흡연과 탈모를 연관시켜 탈모에 관하여 긍정적인 생각을 갖도록 할수도 있을 것이다.

인공물
ARTEFACTS

인공물은 스스로 자초한 병변이다. 이는 대체로 기계적이거나 화학적인 이용상 진행의 남용으로 인하여 우연히 만들어진 그러한 상처들은 제외한다.

두피에서 가장 흔히 볼수 있는, 인공물의 형태는 머리카락을 뽑는 것인데, 이 것을 '발모벽(Trichotillomania)' 이라고 한다.(99~100쪽 참조)

어린이의 경우, 부분적인 대머리의 형태로 관찰되지만, 정신적으로는 그다 지 심각하지 않은 경우가 많다. 그러나, 성인의 경우, 이렇듯 체계적으로 머리카락 을 뽑는 행위는, 마치 신체의 일부분을 자기 스스로 절단하는 것처럼, 대개의 경우, 매우 심각한 인성 장애를 가지고 있을 확률이 높다. 발모벽은 남성에게서는 드물고 **(그림 8.4)** 15세에서 35세 사이의 여성들에게서 주로 발생한다. 또한, 두피의 일정 부위를 심하게 마찰시켜 생기는 발모벽은 최근 모발광(Hair Mania)의 새로운 변종 으로 알려져 있다.

'Trichoklepto-Mania'는 다른 사람의 모발을 뽑아서 가져가 버리는 것을 묘사 하는 지도 모르 일이다**(그림 3.82)**.

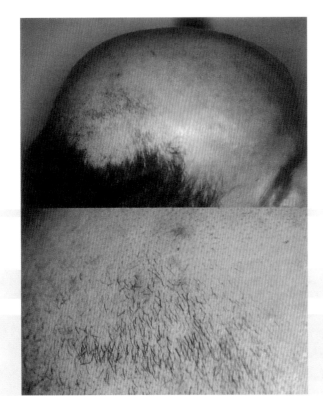

그림 8.4
중증 남성형 대머리와 연관된
발모광.

모발의 종교적인 중요성
THE RELIGIOUS SIGNIFICANCE OF HAIR

종교적인 맥락에서, 모발은 두 가지의 상징적 의미를 갖는다. 깎이거나, 혹은 잘린 모발, 심지어 두피 전체의 모발을 뽑아서 신에게 몸을 바침을 의미하는 행위, 즉, 금욕과 순결(성적인 요소를 포함하여)의 상징이다. 흰두교의 성직자와 미망인이 그렇듯이, 불교와 기독교 모두 수도승과 수녀와 같은 성직자들은 머리를 깎았다.

고대 종교 의식에서도 머리카락을 뽑는 희생으로, 신에게 바치는 행위들이 널리 알려져 있다.

모발은 다산과 승리를 위해서, 혹은 맹세를 이행함에 있어서, 그리고 인간의 직접적인 희생을 대신해서 바쳐졌다.

남인도의 Tirupati 사찰(절)은, 이런 형태로 모발을 신에게 바치는 성지 순례지로 유명하여, 유쾌한 일은 아니지만, 그러한 행위가 이 사찰의 수입에 공헌한다.

이와는 대조적으로, 흰두교 성직자들은, 자르지 않거나 엉킨 모발이, 세속적인 관심사나 허영심에서 물러나는 상징으로도 간주한다. 비록, 두 종교 모두에서 이것은 교리일뿐 아니라, 정체성의 상징으로 표현되기도 하였으나, 때로는 시크교나 라스타파리안(Rastafarians)들에게는 긴 머리카락을 종교적 요구 사항으로 대신하기도 한다.

부족 종교 사회에서는, 결혼한 여성은 남성의 권위를 존중하고 복종하는 상징으로 자신들의 머리카락을 자른다. 공공장소에서는 미용상의 목적으로 가발을 착용하지만, 반면 사적인 장소에서는 자연적 상태의 모발을 드러내는데, 이것은, 여성의 머리카락이 지닌 유혹적인 힘의 공포를 예증한다!

형벌로서의 모발의 절단
HAIR CUTTING AS PUNISHMENT

세계의 많은 종족들이 체벌(징벌)로서의 도구로 머리카락을 자르거나, 깎아

그림 8.5
자르지 않고 땋은 머리와 얼굴의 털 - 세속적 관심과
허영에서 물러난다는 종교적 표시.

왔다. 일본 최북단의 섬 홋카이도의 아이누족은 오랜 기간에 걸쳐 다모증에 대하
여 명성을 확립해 왔다; 사실 그들은 다른 코카서스인들보다 더 털이 많지는 않은
일본인들이다. 아이누족은 수염이 매우 많고, 머리숱이 풍부하다는 점을 크게 강
조한다. 명예와 관련해서는, 강제로 머리카락을 잘리는 것을 아주 심한 징벌로 간
주한다. 여성이 간통을 하였을 경우, 머리카락을 강제로 자르는 벌을 내린다. 이러
한 징벌은, 점령군과 성적인 관계를 가진 여성에 대해 2차 세계 대전 후, 유럽에서
행하였다.

　　많은 국가에서, 군인의 상징인 짧은 머리카락은 두 가지로 그 중요한 의미
를 가진다. 바로 권위와 훈육인데, 이 두 가지의 통속적 연관성을 더욱 강하게 보
강해 준다. 반대로, 일본의 군대는, 중국 남성들을 여성처럼 보이게 하기 위해 머
리카락을 기르도록 강요하였다. 이는 모욕감과 치욕스러움을 주기 위한 것으로
간주되었다.

헤어 스타일
HAIR STYLE

신체의 아름다운 이미지를 위한 구성요소로써 모발의 중요성이 많이 거론되어 왔으며, 미적인 만족감을 얻기 위해 모발의 손질에 많은 돈이 쓰여진다. 길이, 색상 등 표현되어지는 형태는 대개는 고정 관념에 의한 형태가 많다.

이러한 고정 관념에 대한 최근 연구 지식은, 피부과 의사들의 환자의 이해를 돕는 데 사용되기도 한다.

미국의 조사 결과, 남성의 긴 모발은 성적인 정체성에 대한 개인적인 감정을 반영한 것이라기보다는, 문화적으로 정의할 수 있는 어떠한 집단적인 태도를 반영한 것이라는 보고가 있다.

평범한 모발의 길이에 이른바 '일탈' 한 것으로 분류된 남학생들에 대한 조사 소견은, 예상했던 바, 평범한 남학생들에 비하여 독립심에 더 가치를 부여하고, 학교나 사회에서의 순응과 인정받는 것에 대하여는 그 가치를 상대적으로 적게 두었다.

대학생들간의 미용상 정형 개념은 같은 시기에 행한 조사임에도 지역에 따라 다른것으로 밝혀졌으며, 이는, 그 대학이 위치해 있는 지역의 보수적 경향이나, 자유주의적인 성향으로부터도 영향을 받았다.

1980년대에는 짧은 헤어스타일이 전형적으로 받아들여졌고, 긴 머리카락은 라스타파리안(Rastafarians)의 양식처럼, 반항이나 저항의 상징처럼 받아들여졌다. 지나치게 짧은 머리스타일 역시, 불량배나 펑크족처럼 반항의 표시로 여겨질 수도 있다.

1920년대에는. 젊은이들의 보브(Bob) 스타일(단발머리) 인기를 부모나 권위적인 어른들은 그렇게 취급하였다. 또한, 탈모가 시작되는 남성들이 나이를 불문하고, 이를 커버하기 위하여 머리카락을 삭발해 버리는 경우도 있어, '집단과 연관된 헤어스타일' 을 구별하기 어려운 경우가 종종 있는데, 이는 많은 운동선수들이 시작한 유행의 동향을 따른다.

모발의 색상
HAIR COLOR

여타 미용상의 정형 개념과 마찬가지로, 모발의 색상에 대한 고정 관념들은 연구, 조사된 지역 사회와 시기에 따라 다르다. 그러나, 대부분 그 사회에 깊이 뿌리내린 개념과 편견을 따르는 경향을 보인다.

금발 또는 금발의 가발은 고대 로마에서는 직업 여성(창녀)의 상징이었다. 그러나, 금발은 많은 요정 이야기에서 나오듯이, '순수함'의 상징으로도 표현되고, 반대로, 마릴린 먼로나 기타 수많은 여배우들에 의해 예증되었듯이, '성적인 유혹'으로도 표현되는 양상을 보인다. 검은 색상의 머리카락은 '밤'과 신비함이라는 함축적 의미를 가지며, '흡혈귀'를 표현할 때에는 필수적으로 검은 모발색을 사용한다. 유럽에서 조사한 바에 의하면, 붉은 머리색상은, 이상하게도 나쁜 향기와 연관되어지는데, 이는 일부 사회에서 문화적인 측면에서의 뿌리깊은 무의식적인 믿음에서 비롯된 것이다.

턱수염
BEARDS

고대 이집트의 파라오들은 남성이나 여성을 막론하고 가짜 턱수염을 착용함으로 권력의 상징으로 표현하였다.

수염이라는 주제에 대한 수많은 심리학적 연구에서 피험자들의 얼굴에 있는 털의 양과 남성다움, 성숙함, 훌륭한 외모, 권위, 자신감 등 기타 긍정적인 특성에 높은 점수를 주었고, 그 결과, 보기 좋은 외모와 긍정적인 상관 관계가 있음을 나타내었다. 이와 유사한 소견은, 미국의 시카고 대학에서도 보고된 바 있다. 그러나, 와이오잉 대학처럼 좀더 시골에서는 여성의 12.8%만이 수염이 긴 남성을 선호한 반면, 40%는 얼굴에 수염이 없는 남성을 선호했고, 42%는 콧수염은 선호하였으나 턱수염은 선호하지 않았다.

콧수염
MOUSTACHES

'콧수염과 인격상의 특징', 또는 '콧수염에 대한 관찰자의 반응과의 상관 관계'에 대한 연구는 거의 행해진 적이 없었다. 영국 육군의 한 직원이 1950~1960년대에 실시했던 연구에서 콧수염은 4가지의 형태로 분류되었다;

1. 입술의 대부분을 평평하게 손질하여 모두 덮은 형태
2. 치솔의 모부분처럼 짧게 자른 형태
3. 입술의 선을 따라 손질한 형태
4. 자연적으로 무성한 덥수룩한 형태

콧수염을 잘 손질한 사람들은, 면도를 깨끗히 한 실험자들과의 평가에서 별 차이가 없었다. 콧수염을 짧게 깎은 사람들은, 대부분 타인의 의견을 인정할 줄 모르는, 상상력이 많이 제한되어 있는 경향을 보였고, 대인 관계에 있어서는 긴장감을 줄이기보다는 오히려 가중시키는 경향을 보였고, 대부분이 연구 조사의 기준을 통과하지 못하였다.

일직선으로 손질한 사람들은 정상적 비율에서 절반 정도만이 그 기준을 통과하였다; 통과하지 못한 사람들은 건강에 대한 상당한 강박 관념을 가지고 있음을 보여 주었다. 콧수염이 더부룩한 남성들은 정상 비율로 통과했다; 기준을 통과하지 못한 사람들은 자기 탐닉과 자기 중심적인 경향을 보여 주었다.

20년 전의 호주의 한 연구 조사에서는, 콧수염과 성적병리학과의 연관성이 있음을 제시하였으나, 확실한 결론은 얻어내지 못하였다.

모발과 정치학의 상관 관계에 대하여는 철저하게 연구된 바는 없다; 이 주제는 물론 모발 도상의 영속성에 대한 정보의 잠재적인 근본에서 비롯된 것임에 틀림없다; 20세기 후반, 미국과 소련의 두 대통령들의 머리 모양을 보라; 젊게 보이는 미국의 대통령의 모발과 대머리로 더 늙어 보이는 소련 대통령 사이의 뚜렷한 대조는 그 사람의 장점이 무엇이든 간에, 성공과 실패의 이미지를 부각시키기에 충분하다. 좀더 최근 2003년도 미국과 이라크의 전쟁 준비에 대하여 생각해 보자. 모든 사람

들은 아마도 익명의 미용사가 미국 대통령의 머리 스타일을 마지막으로 메만지던 손길을 기억할 것이다. 이 장면은 전 세계로 TV를 통해 방영되었다. 이 장면은, 일반적인 사람들의 생각으로는 상당히 오랜기간 동안 진지하게 숙고하며 준비했다는 생각을 들게 했다. 이때, 이라크에 대한 최초의 군사적 행동을 공식적으로 발표하기로 되어 있었다. 한편, 이라크 대통령은 콧수염을 권력과 동일시하여 이미지화시켰다. 실제로 잡지에 실렸던 것처럼, 당시 이라크의 지도자들을 포함한 20여명의 군 장성중 대부분이 그와 비슷한 콧수염을 길렀다.

FURTHER READING

Barth JH, Catalan J, Cherry CA, Day A (1993) Psychological morbidity in women referred for treatment of hirsutism, *J Psychosom Res* **37:** 615–619.

Cash TF (1996) Body image and cosmetic surgery: the psychology of physical appearance, *Am J Cosmet Surg* **13(4):** 345–351.

Cash TF, Price VH, Savin RC (1993) Psychological effects of androgenetic alopecia on women: comparisons with balding men and with female control subjects, *J Am Acad Dermatol* **29:** 568–575.

Freyschmidt-Paul P, Hoffmann R, Happle R (2001) Trichoteiromania, *Eur J Dermatol* **11:** 369–371.

Girman CJ, Rhodes T, Lilly FRW, et al (1998) Effects of self-perceived hair loss in a community sample of men, *Dermatology* **197:** 223–229.

Pomey-Rey D (1986) Hair and psychology. In: *The science of hair care*, ed Zviak C (New York, Marcel Dekker), pp 571–586.

Trueb RM (2003) Association between smoking and hair loss: another opportunity for health education against smoking? *Dermatology* **206:** 189–191.

찾아보기
INDEX